## Der Landsitz

# Danielle STEEL
# DER LANDSITZ

Roman

Aus dem Amerikanischen
von Silvia Kinkel

Weltbild

Die amerikanische Originalausgabe erschien 2002 unter dem Titel
*The Cottage* bei Delacorte Press, New York.

Besuchen Sie uns im Internet:
*www.weltbild.de*

Copyright der Originalausgabe © 2005 by Danielle Steel. All rights reserved
including the rights of reproduction in whole or in part in any form.
Copyright der deutschsprachigen Ausgabe © 2006 by
Verlagsgruppe Weltbild GmbH, Steinerne Furt, 86167 Augsburg
Übersetzung: Silvia Kinkel
Umschlaggestaltung: Zero Werbeagentur, München
Umschlagmotiv: Getty Images, München
Gesamtherstellung: Bagel Roto-Offset GmbH & Co. KG, Schleinitz
Printed in the EU
ISBN 978-3-8289-8875-0

2010  2009  2008  2007
Die letzte Jahreszahl gibt die aktuelle Lizenzausgabe an.

Für meine so wunderbaren Kinder,
Beatie, Trevor, Todd, Sam, Nick,
Victoria, Vanessa, Maxx und Zara.
Sie sind die Sonne meines Lebens,
die Freude eines jeden Tages,
das Glück meines Daseins,
mein Trost im Kummer,
mein Licht im Dunkeln
und meine Hoffnung.
Es gibt keine größere Freude als euch,
und wenn ihr eines Tages selbst Kinder habt,
möget ihr genauso glücklich sein, wie ich es
immer gewesen bin –
darüber,
euch zu lieben und von euch geliebt zu werden.

In tief empfundener Liebe,
Mom/d.s.

## 1. Kapitel

Abe Braunstein kam mit seinem Wagen um die letzte Kurve der schier endlosen Auffahrt gebogen und sah, wie das elegante Mansardendach von *The Cottage* im Sonnenlicht schimmerte. Der Anblick dieses beeindruckenden Anwesens hätte ihm die Sprache verschlagen, wäre er nicht bereits Dutzende Male hier gewesen. *The Cottage* – wie der Landsitz aus Sentimentalität immer noch genannt wurde, obwohl es die Größe eines Herrenhauses hatte – war eine der letzten legendären Villen von Hollywood und erinnerte an die Paläste der Vanderbilts und Astors in Newport, Rhode Island, zu Beginn des 20. Jahrhunderts. Das Haus war im Stil eines französischen Schlosses aus dem 18. Jahrhundert erbaut: opulent, geschmackvoll und erlesen bis ins letzte Detail. Vera Harper, einer der ganz großen Stummfilmstars, hatte es 1918 errichten lassen. Sie war einer der wenigen frühen Stars gewesen, dem es gelang, sein Vermögen nicht zu verschleudern, sondern gut anzulegen. Zudem hatte sie mehr als einmal reich geheiratet und konnte es sich leisten, in diesem Haus zu leben, bis sie 1959 im hohen Alter verstarb. Ein Jahr später hatte Cooper Winslow das Anwesen aus ihrem Nachlass gekauft. Mit Coopers Karriere ging es gerade steil bergauf, trotzdem war der Preis auch für ihn recht ansehnlich gewesen. Der Kauf hatte damals für Furore gesorgt, denn für einen jungen Mann von achtundzwanzig Jahren war es in der Tat ein außergewöhnlicher Wohnsitz – wie hoch sein Stern auch immer stehen mochte. Aber Coop hatte kein Problem damit, in einem Palast zu leben, und erachtete dieses Gebäude als durchaus angemessen.

Das Haus lag mitten in Bel Air in einem fünfeinhalb Hektar großen, gepflegten Park. Es verfügte über einen Tennisplatz und einen riesigen, mit blaugoldenem Mosaik ausgelegten Pool. Zahlreiche Springbrunnen schmückten die gesamte Anlage, die angeblich den Gärten von Versailles nachempfunden war. Die hohen Räume im Innern des Gebäudes zierten gewölbte Decken, von denen viele mit Malereien versehen waren, die eigens aus Frankreich angereiste Künstler gestaltet hatten. Esszimmer und Bibliothek waren holzverkleidet. Die Täfelungen mit Reliefschnitzereien und die Teppiche im Wohnzimmer stammten aus einem Schloss in Frankreich. Für Vera Harper war dieses Haus einst die perfekte Kulisse gewesen, und seit 1960 diente es Cooper Winslow als eindrucksvoller Wohnsitz. Abe Braunstein war heute noch froh, dass Cooper Winslow den Kaufpreis seinerzeit direkt bezahlt hatte – auch wenn er seitdem bereits zwei Hypotheken hatte aufnehmen müssen. *The Cottage* war mit Abstand das bedeutendste Anwesen in Bel Air, und es wäre schwer, heutzutage überhaupt einen Preis dafür festzusetzen, denn in dieser Gegend gab es nichts auch nur annähernd Vergleichbares. Aber gerade die Lage in Bel Air machte die Villa so wertvoll, obwohl sie mittlerweile erste Verfallserscheinungen zeigte.

Als Abe aus seinem Wagen stieg, waren gerade zwei Gärtner damit beschäftigt, rund um den großen Springbrunnen Unkraut zu jäten, während zwei weitere ein nahe gelegenes

Blumenbeet pflegten. Abe machte sich in Gedanken eine Notiz, welche Kosten für die Gartenarbeiten zu kalkulieren waren. Für Abe bestand die Welt aus Zahlen, und wenn er sich hier umschaute, sah er Unmengen von Dollars, die mit beiden Händen aus dem Fenster geworfen wurden. Er wusste bis auf den Cent genau, wie viel es Cooper kostete, dieses Anwesen zu unterhalten. Es war eine astronomische Summe, selbst für Abe, der einiges gewohnt war. Als Steuerberater betreute er mindestens die Hälfte der großen Hollywood-Stars und hatte schon vor langer Zeit gelernt, nicht in Ohnmacht zu fallen oder offen seine Entrüstung zu zeigen, wenn er erfuhr, was diese für Häuser, Autos, Pelze oder ein Diamantcollier für die neueste Freundin ausgaben. Aber im Vergleich zu Cooper Winslow verblassten die Extravaganzen der anderen geradezu. Seit fast fünfzig Jahren warf er mit Geld nur so um sich, dabei hatte er seit zwanzig Jahren in keinem bedeutenden Film mehr mitgespielt – und schon gar nicht in der Hauptrolle. Während der letzten zehn Jahre musste er sich mit Kurzauftritten begnügen, für die nicht gerade viel gezahlt wurde. Doch ganz gleich, um welchen Film es sich handelte – Cooper spielte stets den schneidigen, charmanten Casanova, wobei er zuletzt vorrangig auf den gereiften Lebemann abonniert gewesen war. Doch wie unwiderstehlich er auf der Leinwand auch heute noch wirken mochte, de facto gab es immer weniger Rollen, die er spielen konnte. Die traurige Wahrheit war, dass Cooper seit mehr als zwei Jahren überhaupt keine Rolle mehr bekommen hatte, obwohl er behauptete, quasi täglich mit Regisseuren und Produzenten über deren neuesten Filmprojekte zu sprechen.
Abe war heute hergekommen, um ein paar ernste Worte

mit Cooper darüber zu reden, dass er seine Ausgaben radikal kürzen musste. Seit fünf Jahren hielt Cooper sich jetzt schon mit immer neuen Versprechungen über Wasser, während er immer mehr Schulden anhäufte. Es war Abe gleichgültig, ob Cooper in Werbeclips für den Metzger an der Ecke auftrat – Hauptsache, er unternahm schleunigst etwas, um Geld zu verdienen. Doch auch dann würden sich eine Menge Dinge ändern müssen. Cooper musste sich in jeder Hinsicht einschränken, sein Personal reduzieren, einige seiner Autos veräußern, aufhören, sich ständig neu einzukleiden und auf der ganzen Welt in den teuersten Hotels abzusteigen. Andernfalls würde er das Haus verkaufen müssen, was Abe eigentlich lieber gewesen wäre.
In seinem grauen Sommeranzug, dem weißen Hemd und der grauschwarzen Krawatte stand er mit mürrischem Gesichtsausdruck vor der Tür und klingelte. Ein Butler im Cutaway öffnete. Livermore erkannte den Steuerberater sofort und grüßte ihn mit einem stummen Nicken.
Der Butler wusste aus Erfahrung, dass ein Besuch dieses Mannes seinen Arbeitgeber immer in eine grässliche Stimmung versetzte. Oft war danach eine ganze Flasche *Cristal* Champagner nötig, um Cooper Winslows gute Laune wiederherzustellen, und manchmal bedurfte es zusätzlich einer Dose Kaviar. Livermore hatte sicherheitshalber beides sofort kalt gestellt, als Coops Sekretärin Liz Sullivan ihn über den bevorstehenden Termin informierte.
Liz hatte in der Bibliothek auf Abe gewartet. Als sie die Klingel hörte, ging sie lächelnd durch die große Halle zur Eingangstür, um ihn zu begrüßen. Sie war bereits seit zehn Uhr vormittags im Haus und hatte einige Unterlagen durchgesehen, um sich auf das Treffen mit Abe vorzu-

bereiten. Schon seit dem Tag zuvor lag ihr das bevorstehende Gespräch schwer auf dem Magen. Sie hatte versucht, Coop vorzuwarnen, doch er war den ganzen Tag über zu beschäftigt gewesen, um ihr zuzuhören. Er war zu einer exklusiven Party eingeladen und musste sich vorher unbedingt noch die Haare schneiden lassen, massiert werden und ein Nickerchen machen. An diesem Morgen hatte sie ihn noch nicht zu Gesicht bekommen. Als sie eintraf, war er bereits ins *Beverly Hills Hotel* gefahren, um mit einem Produzenten zu frühstücken, der ihn wegen einer möglichen Rolle in einem Film angerufen hatte. Es war nicht leicht, Cooper zu fassen zu bekommen, insbesondere wenn es um etwas Unangenehmes ging. Er hatte offenbar einen siebten Sinn, der ihn frühzeitig vor Dingen warnte, die er nicht hören wollte, und schaffte es immer, ihnen geschickt auszuweichen, selbst wenn sie überraschend kamen. Aber Liz wusste, dass er dieses Mal unbedingt mit ihr sprechen musste, und er hatte versprochen, bis Mittag zurück zu sein – was bei Coop so viel hieß wie etwa gegen zwei.

»Hallo, Abe, schön Sie zu sehen«, begrüßte Liz den Besucher herzlich. Sie trug khakifarbene Freizeithosen, einen weißen Pullover und eine Perlenkette. Nichts davon schmeichelte ihrer Figur, die während der zweiundzwanzig Jahre, die sie jetzt schon für Coop arbeitete, ziemlich in die Breite gegangen war. Aber sie hatte ein hübsches Gesicht und schönes, naturblondes Haar. Damals, als Coop sie einstellte, war sie eine richtige Schönheit gewesen und hatte ausgesehen wie ein Model für Shampoo-Werbung.

Es war Liebe auf den ersten Blick gewesen, zumindest bei

ihr. Und Coop schätzte ihre Effizienz ebenso wie die mütterliche Art, mit der sie sich von Anfang an um ihn gekümmert hatte. Als er sie einstellte, war sie dreißig Jahre alt gewesen und er achtundvierzig. In den folgenden Jahren opferte sich Liz für ihn auf, vierzehn Stunden am Tag, manchmal sieben Tage die Woche, und über die viele Arbeit vergaß sie, zu heiraten und eine Familie zu gründen. Aber sie hatte dieses Opfer bereitwillig gebracht und war heute noch der Meinung, dass Cooper es wert sei. Manchmal war sie vor Sorge um ihn ganz krank, besonders in den letzten Jahren. In ihren Augen hatte Cooper keinen Bezug zur Realität, sondern betrachtete sie als kleine Unannehmlichkeit, der er um jeden Preis aus dem Weg gehen musste. Was ihm, wie er fand, mit Erfolg gelang. Tatsächlich hörte Cooper nur, was er hören wollte, alles andere fiel durch ein Sieb, lange bevor es sein Gehirn erreichte. Bisher war er damit durchgekommen, doch jetzt war Abe hier, um Cooper mit der Realität zu konfrontieren, ob sie ihm nun gefiel oder nicht.

»Hallo, Liz. Ist er da?«, fragte Abe und wirkte sehr ernst. Er hasste es, sich mit Cooper auseinandersetzen zu müssen.

»Noch nicht«, entgegnete Liz freundlich lächelnd, während sie mit ihm in die Bibliothek ging. »Aber er muss jede Minute eintreffen. Er hatte einen Termin wegen einer Hauptrolle.«

»In was? Einem Zeichentrickfilm?«

Diplomatisch, wie Liz nun einmal war, entgegnete sie nichts. Sie mochte es nicht, wenn die Leute Coop kritisierten, aber andererseits konnte sie Abes Verärgerung gut verstehen.

Coop hatte keinen einzigen von Abes Ratschlägen befolgt, weshalb sich die ohnehin schon prekäre Finanzsituation während der letzten beiden Jahre zu einer Katastrophe ausgewachsen hatte. Das war der Grund, weshalb Abe an diesem Samstag hier herausgefahren war, und es ärgerte ihn maßlos, dass Coop zu spät kam – wie immer.
»Einen Drink?« Liz spielte die Gastgeberin, während Livermore mit ausdruckslosem Gesicht bereitstand.
»Nein danke«, entgegnete Abe und wirkte dabei fast genauso ausdruckslos wie der Butler. Liz entging jedoch nicht, wie ärgerlich er war.
»Eistee?« Scheinbar unbefangen versuchte sie, Abe bei Laune zu halten.
»Gern. Was denken Sie, wann er kommt?« Es war fünf Minuten nach zwölf, und sie wussten beide, dass Coop sich nichts dabei dachte, ein oder zwei Stunden zu spät zu kommen. Irgendwann würde er auftauchen, mit einem charmanten Spruch auf den Lippen und jenem strahlenden Lächeln, bei dem die meisten Frauen weiche Knie bekamen.
»Es dauert hoffentlich nicht so lange. Dieses Treffen ist nur ein Vorgespräch, er soll sich ein Drehbuch ansehen.«
»Warum?«
Coops letzte Auftritte waren Statistenrollen gewesen, die ihn beim Betreten oder Verlassen einer Premiere oder mit irgendeinem Mädchen an einer Bar sitzend zeigten. Bei nahezu jedem Auftritt trug er Abendgarderobe, und am Set war er genauso charmant wie im wirklichen Leben. So charmant, dass die Nebenleistungen in seinen Verträgen auch heute noch legendär waren. Er schaffte es immer, dass er seine Kostüme behalten durfte, und er verhandelte

erfolgreich, dass seine Garderobe bei seinen Lieblingsschneidern in Paris, London und Mailand handgearbeitet wurde. Damit nicht genug – und sehr zu Abes Missfallen – kaufte Coop gern ein, wo immer er gerade war. Nicht nur Kleidung, sondern auch Antiquitäten und atemberaubend teure Kunstwerke für sein Haus. Die Rechnungen stapelten sich auf Abes Schreibtisch, neben der Rechnung für den jeweils neuesten Rolls. Und jetzt hatte Coop ein Auge auf ein Bentley Azure Cabrio geworfen: limitierte Auflage, Turbomotor. Kostenpunkt: eine halbe Million Dollar. Der Wagen würde sich neben den beiden Rolls – einem Cabrio und einer Limousine – und der speziell für ihn angefertigten Bentley Limousine in seiner Garage gut machen. Coop betrachtete teure Autos und Kleidung nicht als Luxus, sondern als lebensnotwendige Gebrauchsgüter.

Ein Hausdiener kam mit zwei Gläsern Eistee auf einem silbernen Tablett aus der Küche. Livermore hatte sich zurückgezogen, und als sich auch der junge Hausdiener zum Gehen wandte, blickte Abe Liz stirnrunzelnd an.

»Er muss das Personal entlassen. Ich möchte das noch heute in die Wege leiten.« Der Hausdiener hatte die Worte gehört, und Liz sah, wie er einen besorgten Blick über die Schulter zurückwarf. Sie lächelte ihm beruhigend zu.

Es war ihr Job, jeden bei Laune zu halten und so viele Rechnungen wie möglich zu bezahlen. Die Gehälter der Angestellten standen immer ganz oben auf ihrer Liste, aber selbst diese konnte sie öfter erst einen oder sogar zwei Monate später überweisen. Das Personal war es gewohnt. Liz selbst hatte sich seit sechs Monaten keinen Penny mehr gezahlt und tat sich ein bisschen schwer, wie sie das ihrem Verlobten erklären sollte. Sonst hatte sie derartige Rückstände im Nachhinein immer ausgeglichen, wenn Coop einen Werbespot drehte oder eine kleine Rolle in einem Film bekam. Sie konnte es sich leisten, geduldig zu sein, denn im Unterschied zu Coop hatte sie sich ein finanzielles Polster geschaffen. Außerdem hatte sie ohnehin nie Zeit, Geld auszugeben, und lebte seit Jahren äußerst sparsam.

»Vielleicht könnten wir es langsam angehen. Es wird ein harter Schlag für sie sein.«

»Er kann die Leute nicht bezahlen, Liz. Das wissen Sie genauso gut wie ich. Ich werde ihm raten, die Autos und das Haus zu verkaufen. Für die Wagen wird er nicht viel bekommen, aber wenn er das Haus abstößt, können wir die Hypotheken tilgen und seine Schulden bezahlen. Von dem Rest kann er immer noch ganz passabel leben. Er könnte sich ein Appartement in Beverly Hills zulegen und wäre endlich aus den Miesen raus.«

Aber Liz wusste, wie wichtig Coop dieses Haus war. Er lebte hier seit mehr als vierzig Jahren, und es war ein Teil von ihm – wie ein Arm oder Bein, oder mehr noch wie sein Herz. Coop würde eher sterben, als *The Cottage* zu verkaufen, und Liz war sicher, dass er sich auch nicht von seinen Autos trennen würde. Undenkbar, sich Coop am Steuer von etwas anderem als einem Rolls oder Bentley vorzustellen. Sein Image war alles für ihn, und die meisten Leute hatten nicht die geringste Ahnung, dass er finanziell am Ende war. Sie dachten, er wäre einfach nur ein wenig nachlässig im Bezahlen seiner Rechnungen. Ein paar Jahre zuvor hatte es ein kleines Problem mit den Finanzbehörden gegeben, aber Liz sorgte damals dafür, dass Coops komplette Gage für einen Film, den er gerade in Europa drehte, sofort an das Finanzamt ging. So etwas war zum Glück nie wieder vorgekommen.

Aber in der Filmbranche war es heutzutage nicht leicht. Er brauche nur einen einzigen großen Film, sagte Coop immer. Und genau das erklärte Liz jetzt auch Abe. Sie hatte Coop immer verteidigt, die ganzen zweiundzwanzig Jahre lang. Allerdings wurde das in letzter Zeit zunehmend schwieriger, weil Coop sich einfach verantwortungslos aufführte. Aber so war er eben, und das wusste sie genauso gut wie Abe.

Der war diese Spielchen allerdings allmählich leid. »Er ist siebzig Jahre alt, hatte seit zwei Jahren kein einziges Engagement mehr, und seine letzte Hauptrolle liegt zwanzig Jahre zurück. Wenn er wenigstens mehr Werbespots drehen würde, obwohl das im Endeffekt auch nur ein Tropfen auf den heißen Stein wäre. So kann es nicht weitergehen, Liz. Wenn er nicht bald Ordnung in seine Finanzen bringt, wird er noch im Gefängnis landen.«

Liz bezahlte seit mehr als einem Jahr Kreditkartenrechnungen, indem sie andere Kreditkarten benutzte. Abe wusste das, und es machte ihn ganz krank. Andere Rechnungen wurden gar nicht bezahlt. Aber Coop im Gefängnis? Was für eine absurde Vorstellung.

Um ein Uhr bat Liz Livermore, Mr. Braunstein ein Sandwich zu bringen, denn Abe sah aus, als würde er jeden Moment vor Wut platzen. Wenn er nicht mit Leib und Seele Steuerberater gewesen wäre, hätte er schon längst nicht mehr hier gesessen und gewartet. Aber er war entschlossen, das zu tun, weswegen er hergekommen war – mit oder ohne Coops Hilfe. Es war ihm ein Rätsel, wie Liz das all die Jahre ausgehalten hatte, und er vermutete, dass die beiden eine Affäre gehabt hatten. Wahrscheinlich wäre er überrascht gewesen zu erfahren, dass dem nicht so war, doch dafür waren sie beide zu clever. Trotz ihrer Liebe wäre Liz nie mit Coop ins Bett gegangen. Und er hatte auch nie gefragt. Manche Beziehungen waren ihm heilig, und die zu Liz hätte er nie leichtfertig aufs Spiel gesetzt.

Um halb zwei hatte Abe sein Sandwich gegessen, und Liz hatte ihn mittlerweile in ein Gespräch über die *Dodgers*, seine Lieblingsmannschaft, verwickelt. Sie wusste, dass er ein leidenschaftlicher Baseball-Fan war. Abe hatte fast vergessen, wie lange er bereits wartete, da wandte Liz plötzlich den Kopf, als sie das Geräusch eines Automotors hörte.

»Da ist er«, sagt sie lächelnd zu Abe, als würde sie das Eintreffen der Heiligen Drei Könige ankündigen.

Und wie immer hatte sie sich nicht verhört. Coop saß am Steuer des Bentley Azure Cabrios, das der Händler ihm probeweise für ein paar Wochen zur Verfügung gestellt hatte. Es war ein fantastisches Auto und passte perfekt zu Coop. Aus den Lautsprechern tönte *La Bohème*, als er um die letzte Biegung gefahren kam und direkt vor dem Haus hielt. Mit seinen markanten Gesichtszügen und dem tiefen Grübchen am Kinn sah er wie immer umwerfend aus. Er hatte tiefblaue Augen, leicht gebräunte Haut und volles, perfekt geschnittenes und frisiertes silbergraues Haar. Selbst bei einem Kopfstand hätte bei ihm jedes Haar an seinem Platz gelegen. Dieser Mann war der Inbegriff an Perfektion bis ins kleinste Detail, männlich, elegant und mit genau der richtigen Portion Gelassenheit. Er strahlte eine aristokratische Würde aus, die ihm förmlich im Blut

lag, denn er stammte aus einer alten New Yorker Familie mit vornehmen, aber mittellosen Ahnen.
Auf dem Höhepunkt seiner Karriere hatte er immer die »reicher Junge aus besseren Kreisen«-Rollen gespielt, eine Art moderner Cary Grant mit einem Schuss Gary Cooper. Nie hatte er den Bösewicht oder das Raubein gemimt, sondern immer nur den Playboy oder schneidigen Helden. Er musste die Frauen nur anlächeln, und sie schmolzen förmlich dahin. Coop hatte nichts Hinterhältiges oder Gemeines an sich, war niemals kleinlich oder grausam, und selbst seine Verflossenen bewunderten ihn noch, nachdem sie ihn längst verlassen hatten.
Irgendwie hatte er es fast immer so einfädeln können, dass sie ihn verließen, wenn er ihrer irgendwann überdrüssig gewesen war. Er konnte nicht nur unglaublich gut mit Frauen umgehen, sondern war jemand, mit dem man einfach Spaß haben konnte. Solange eine Beziehung dauerte, verwöhnte und hofierte er eine Frau und machte jeden Augenblick zu etwas Besonderem. Nahezu jeder bekannte weibliche Hollywoodstar war irgendwann einmal an seiner Seite gesehen worden. Mit seinen mittlerweile siebzig Jahren hatte er es geschafft, zeitlebens Junggeselle und Playboy zu bleiben und dem zu entfliehen, was er als »das Netz« bezeichnete. Und wie siebzig sah er nun wirklich nicht aus.
Er hatte es quasi zu seinem Beruf gemacht, immer auf sich zu achten, und sah nicht einen Tag älter aus als fünfundfünfzig. Und als er jetzt aus diesem wunderschönen Wagen stieg, in seinem Blazer, den grauen Freizeithosen und einem gestärkten und gebügelten blauen Hemd, das in Paris angefertigt worden war, sah man sofort, dass er

breite Schultern, einen athletischen Körper und unglaublich lange Beine hatte. Coop maß 1,95 m, eine Seltenheit für Hollywood, wo die meisten Filmidole von jeher eher kleiner Statur gewesen waren. Als er jetzt den Gärtnern zuwinkte, zeigte er beim Lächeln nicht nur perfekte Zähne, sondern auch seine schönen Hände, die jeder Frau sofort aufgefallen wären. An Cooper Winslow schien einfach alles zu stimmen. Er war eine Persönlichkeit und brachte die Leute dazu, stehen zu bleiben und ihn bewundernd anzulächeln. Mit seinem Charme zog er Männer wie Frauen gleichermaßen an, und nur wenige waren dagegen immun – Abe Braunstein war einer davon.
Livermore hatte Cooper ebenfalls eintreffen hören und öffnete die Tür.
»Du wirkst so zufrieden, Livermore. Ist jemand gestorben?« Coop zog seinen Butler ständig auf. Er betrachtete es als eine Herausforderung, Livermoore zum Lächeln zu bringen. Seit vier Jahren war der Mann jetzt bei ihm, und Coop war überaus zufrieden mit ihm. Er schätzte nicht nur seine gute Arbeit, sondern vor allem sein diskretes Auftreten und den würdevollen Stil. Er verlieh *The Cottage* genau jenes Flair, das Coop anstrebte. Außerdem kümmerte sich Livermore perfekt um Coops Garderobe.
»Nein, Sir. Miss Sullivan und Mr. Braunstein sind in der Bibliothek. Sie haben soeben zu Mittag gegessen.« Livermore verschwieg, dass die beiden bereits seit zwölf Uhr warteten, es hätte Cooper ohnehin nicht interessiert. Aus seiner Sicht arbeitete Abe Braunstein für ihn und konnte ihm die Wartezeit auf die Rechnung setzen.
Als Cooper die Bibliothek betrat, lächelte er Abe gewinnend und mit einem leicht verschmitzten Gesichtsaus-

druck an, als teilten sie seit langer Zeit ein amüsantes Geheimnis. Doch Abe ließ sich davon nicht einwickeln.

»Ich hoffe, man hat euch ein anständiges Mittagessen serviert«, sagte Coop in einem Ton, als wäre er zu früh eingetroffen und nicht fast zwei Stunden zu spät. Er hatte eine Art an sich, die die meisten Leute völlig aus dem Konzept brachte. Sie vergaßen nicht nur ihren Ärger über seine Verspätung, sondern auch, was sie eigentlich von ihm wollten. Abe ließ sich jedoch nicht beirren und kam direkt zum Thema.

»Wir müssen über die Finanzen sprechen, Coop. Es stehen wichtige Entscheidungen an.«

»Unbedingt«, lachte Coop, während er sich auf das Sofa setzte und die Beine übereinander schlug. Er wusste, dass Livermore ihm jeden Augenblick ein Glas Champagner bringen würde, und er täuschte sich nicht. Es war seine Hausmarke *Cristal,* wie immer perfekt temperiert. Coop hatte Dutzende Kisten davon im Keller, neben den besten französischen Weinen. Sein Weinkeller war so berühmt wie sein Geschmack. »Lasst uns auf Liz anstoßen«, sagte er und strahlte sie an. Liz war gerührt, doch leider hatte auch sie schlechte Nachrichten für ihn. Schon die ganze Woche hatte sie sich vor einem Gespräch gedrückt und es bis zu diesem Wochenende aufgeschoben.

»Du musst noch heute das gesamte Personal entlassen«, erklärte Abe ohne Umschweife.

Cooper lachte, während Livermore den Raum verließ, ohne die geringste Gefühlsregung zu zeigen. Es war beinahe so, als wäre kein einziges Wort gefallen. Cooper nippte an seinem Champagner und stellte das Glas dann auf einem Marmortischchen ab, das er in Venedig, als ein Freund von ihm seinen Palazzo verkaufte, erworben hatte.

»Wie originell. Warum kreuzigen wir sie nicht oder erschießen sie wenigstens? Aber entlassen – das ist so alltäglich.«

»Es ist mein Ernst. Die Angestellten müssen gehen. Man hat ihnen gerade ihre Löhne gezahlt, nachdem sie schon drei Monate lang kein Geld mehr bekommen hatten. Und du wirst sie nicht weiter bezahlen können. Mit diesen Ausgaben muss Schluss sein, Coop.« In Abes Stimme schwang Resignation mit, als wisse er, dass er sagen und tun konnte, was er wollte, Coop würde ihn ja doch nicht ernst nehmen. Abe kam sich bei diesen Gesprächen immer vor, als hätte jemand den Ton abgestellt. »Du musst noch heute allen kündigen, und innerhalb der nächsten zwei Wochen müssen sie dieses Haus verlassen haben. Ein Hausmädchen kann bleiben.«

»Großartig. Kann sie Anzüge bügeln? Welche meinst du überhaupt?« Coop hatte drei Hausmädchen, dazu noch eine Köchin und den Hausdiener, der die Sandwiches serviert hatte, den Butler Livermore, acht Gärtner und einen Teilzeit-Chauffeur, von dem sich Coop bei wichtigen Anlässen fahren ließ. Um dieses große Haus in Schuss zu halten, war zwar eine Menge Personal nötig, dennoch hätte er problemlos auf einen Großteil seiner Angestellten verzichten können. Aber Coop ließ es sich nun einmal gern gut gehen, und er schätzte perfekten Service.

»Wir lassen dir Paloma Valdez. Sie hat den niedrigsten Lohn«, erklärte Abe trocken.

»Welche ist das?« Coop blickte Liz fragend an. Er konnte sich an niemanden mit diesem Namen erinnern. Zwei der

Hausmädchen waren Französinnen, Jeanne und Louise, die beiden kannte er, aber mit dem Namen Paloma verband er niemanden.

»Das ist die nette Salvadorianerin, die ich letzten Monat eingestellt habe. Ich dachte, du würdest sie mögen«, sagte Liz in einem Tonfall, als spräche sie mit einem Kind.

Coop wirkte leicht verwirrt.

»Ich dachte, sie hieße Maria, so habe ich sie jedenfalls genannt, und sie hat sich nicht beschwert«, erwiderte er. »Sie kann sich unmöglich allein um das ganze Haus kümmern. Das ist lächerlich«, fuhr er dann fort und lächelte Abe freundlich an. Coop wirkte bemerkenswert ruhig in Anbetracht der Neuigkeiten.

»Du hast keine Wahl«, erklärte Abe geradeheraus. »Du musst das Personal entlassen, deine Autos verkaufen, und du darfst keine Anschaffungen mehr machen – und ich meine absolut gar keine: kein Auto, keinen Anzug, kein Gemälde, nicht einmal ein Paar Socken. Vielleicht gelingt es dir, dich finanziell noch einmal zu berappeln, wenn du das für das ganze nächste Jahr durchhältst. Am liebsten würde ich das Haus verkaufen oder wenigstens zum Teil vermieten, damit ein bisschen Geld hereinkommt. Liz sagte mir, dass du den Gästeflügel des Haupthauses sowieso nicht nutzt. Du solltest ihn vermieten, und das Pförtnerhaus direkt mit. Wahrscheinlich könnten wir einiges dafür verlangen. Du brauchst weder das eine noch das andere.«

Gewissenhaft wie immer hatte Abe alle Möglichkeiten in Betracht gezogen.

»Ich muss damit rechnen, dass jederzeit Leute aus der Stadt zu mir rauskommen. Es ist lächerlich, einen Teil des Hauses zu vermieten. Warum nehmen wir nicht direkt Pensions-

gäste auf, Abe? Oder verwandeln das Anwesen in ein Internat? Vielleicht ein Mädchenpensionat. Deine Ideen sind absolut köstlich.« Coop wirkte grenzenlos amüsiert und schien nicht im Mindesten daran zu denken, überhaupt etwas zu verändern. Abe blickte ihn finster an.
»Du scheinst den Ernst der Lage nicht zu erkennen. Wenn du meine Ratschläge nicht befolgst, wirst du in spätestens sechs Monaten das ganze Haus verkaufen müssen. Du bist fast pleite, Coop.«
»Unsinn. Alles, was ich brauche, ist eine Rolle in einem erfolgreichen Film. Man hat mir heute ein fantastisches Drehbuch vorgelegt«, erwiderte er und wirkte dabei hochzufrieden.
»Wie groß ist die Rolle?«, hakte Abe nach. Er hatte das schon zu oft gehört.
»Weiß ich noch nicht. Sie reden davon, für mich eine Rolle in das Script einzufügen. Die Rolle wäre so groß, wie ich es will.«
»Klingt für mich nach einem Kurzauftritt«, sagte Abe erbarmungslos, und Liz zuckte zusammen. Es tat ihr weh, wenn die Menschen grausam zu Coop waren. Und leider konnte die Realität sehr grausam sein, weswegen er sie wohl auch ignorierte. Er wollte, dass das Leben immerzu angenehm, lustig, leicht und schön war. Dass er sich das nicht mehr leisten konnte, hielt ihn nicht davon ab, so zu leben, wie es ihm behagte. Niemals zögerte er, ein Auto oder ein halbes Dutzend neuer Anzüge zu bestellen oder einer Frau ein schönes Schmuckstück zu schenken. Die Leute machten gern mit ihm Geschäfte. Es verschaffte ihnen ein gewisses Ansehen, wenn Coop seine Garderobe oder seine Autos bei ihnen kaufte. Sie dachten, er würde

bei passender Gelegenheit schon noch bezahlen. Und tatsächlich schaffte Liz es irgendwie, dass die meisten Rechnungen früher oder später beglichen wurden.

»Abe, du weißt genauso gut wie ich: Nur *ein* großer Film, und das Geld fließt wieder. Ich könnte schon nächste Woche einen Vertrag mit einer Gage von zehn Millionen Dollar bekommen, oder sogar fünzehn.«

»Vielleicht eine, wenn du Glück hast. Wahrscheinlich eher fünfhunderttausend, oder drei oder sogar nur zwei. Das große Geld wirst du nicht mehr machen, Coop.« Abe sprach es nicht wörtlich aus, aber Cooper Winslow war abgemeldet, und in Wahrheit konnte er froh sein, wenn er hunderttausend Dollar für eine Rolle bekam. Er war zu alt und kam für die meisten Rollen nicht mehr in Frage, und wenn er noch so gut aussah.

»Du kannst nicht mehr darauf bauen, dass die große Chance schon noch kommen wird. Wenn du deinem Agenten sagst, dass du arbeiten willst, dann kann er dir vielleicht Auftritte in ein paar Werbespots verschaffen. Das bringt fünfzigtausend, vielleicht hunderttausend Dollar, wenn es ein exklusives Produkt ist. Wir können nicht länger darauf warten, dass das große Geld fließt, Coop. Zumindest musst du dich vorerst einschränken. Hör auf, mit Geld um dich zu werfen, trenn dich von deinem Personal und vermiete einen Teil des Hauses. In ein paar Monaten sehen wir dann, wie die Dinge stehen. Aber ich sage es dir noch einmal: Wenn du das nicht tust, wirst du die Villa noch vor Jahresende verkaufen müssen. Meiner Meinung nach wäre es sowieso das Beste, aber Liz denkt, dass du wild entschlossen bist hierzubleiben.«

»*The Cottage* aufgeben?« Coop lachte herzhaft.

»Eine absurde Idee! Ich lebe seit mehr als vierzig Jahren hier.«
»Wenn du nicht anfängst, den Gürtel enger zu schnallen, wird bald jemand anderer hier leben. Das habe ich dir im Übrigen bereits vor zwei Jahren gesagt.«
»Ja, hast du. Und wir sind immer noch hier – weder pleite noch im Gefängnis. Vielleicht solltest du einen Gang runterschalten, Abe. Dann würdest du nicht alles so düster sehen.« Er sagte immer zu Liz, dass Abe aussähe wie ein Beerdigungsunternehmer und sich auch genauso anziehe.
»Das mit dem Personal ist dein Ernst, oder?« Coop warf Liz einen fragenden Blick zu, und sie sah ihn mitfühlend an. Es tat ihr in der Seele weh, mit anzusehen, wie sehr Coop das Gespräch zusetzte.
»Ich denke, Abe hat recht. Die Kosten für das Personal sind immens. Du könntest ja vielleicht eine Zeit lang zurückschrauben, bis es finanziell wieder besser läuft.« Sie versuchte immer, ihm seine Träume zu lassen. Er brauchte sie.
»Und wie soll ein salvadorianisches Dienstmädchen ganz allein dieses Haus in Ordnung halten?«, fragte Coop und wirkte für einen Moment regelrecht fassungslos.
»Das muss sie ja nicht, wenn du einen Teil vermietest«, erklärte Abe pragmatisch. »Das würde zumindest ein Problem lösen.«
»Coop, du hast den Gästeflügel schon bestimmt zwei Jahre nicht mehr benutzt, und das Pförtnerhaus hat seit fast drei Jahren niemand mehr betreten. Ich denke nicht, dass dir eines von beiden fehlen wird«, erinnerte ihn Liz mit sanfter Stimme. Sie klang wie eine Mutter, die ihr Kind dazu bringen will, eines seiner Spielzeuge abzugeben.

»Warum um alles in der Welt sollte ich Fremde in meinem Haus haben wollen?«, fragte Cooper irritiert.

»Ganz einfach, weil du das Haus behalten möchtest und es sonst nicht kannst«, entgegnete Abe mit Nachdruck. »Es ist mir todernst damit, Coop.«

»Gut, ich werde darüber nachdenken«, verkündete Coop, doch es klang ziemlich vage. Diese ganzen Pläne ergaben in seinen Augen keinen Sinn. Er versuchte immer noch, sich vorzustellen, wie sein Leben ohne Personal aussehen würde. Bestimmt nicht sonderlich vergnüglich. »Ich nehme an, du erwartest von mir, dass ich auch selber koche?«, fragte er schließlich.

»Deinen Kreditkartenabrechnungen nach zu urteilen, gehst du sowieso jeden Abend auswärts essen. Du würdest deine Köchin wohl kaum vermissen. Oder einen der anderen Dienstboten. Für die Grundreinigung können wir von Zeit zu Zeit eine Reinigungsfirma beauftragen.«

»Reizende Vorstellung. Einen Hausmeisterdienst vielleicht? Am besten einen Trupp Sträflinge auf Bewährung.« In Coops Augen erschien wieder dieses amüsierte Blitzen, doch Abe wirkte mittlerweile ziemlich entnervt.

»Ich habe die Gehaltsschecks und Kündigungsschreiben dabei«, erklärte er unerbittlich.

»Und ich werde mit einem Makler sprechen«, ergänzte Liz mit sanfter Stimme. Sie regte Coop nur ungern noch mehr auf, aber sie musste ihn vorwarnen. Davon abgesehen hielt sie es für eine gute Idee, Teile des Hauses zu vermieten. Coop würde den Platz nicht vermissen, und sie könnten eine ansehnliche Miete dafür verlangen. Das war nicht die schlechteste Idee von Abe – und sicher leichter für Coop zu ertragen, als das Haus zu verkaufen.

»Okay, okay. Aber pass bitte auf, dass du mir keinen Serienmörder ins Haus schleppst. Und schon gar keine Kinder oder bellende Hunde. Überhaupt – ich will ausschließlich weibliche Mieter, und zwar verdammt attraktive. Ich sollte die Gespräche selbst führen«, sagte Coop mit einem Augenzwinkern.
Liz fand, dass er ungewöhnlich vernünftig reagierte und alles erstaunlich gelassen nahm. Ein Grund mehr, so schnell wie möglich Mieter zu finden, bevor er es sich doch noch anders überlegte.
»Ist das alles?«, fragte Coop, während er aufstand und damit signalisierte, dass er genug habe. Das war eine ziemlich starke Dosis Realität für ihn gewesen. Jetzt war nicht zu übersehen, dass er Abe loswerden wollte.
»Für heute ja«, erwiderte Abe und erhob sich. »Und ich meinte sehr ernst, was ich vorhin gesagt habe, Coop: Du darfst *nichts* mehr kaufen.«
»Versprochen. Ich werde meine Socken und Unterwäsche tragen, bis sie Löcher haben. Wenn du das nächste Mal kommst, darfst du sie inspizieren.«
Abe gab darauf keine Antwort und ging in die Halle. Dort reichte er Livermore die Umschläge mit den Kündigungsschreiben und bat ihn, sie an das Personal zu verteilen.
»Was für ein lästiger Kerl«, sagte Coop lächelnd zu Liz, nachdem Abe gegangen war. »Er muss eine furchtbare Kindheit gehabt haben. Wahrscheinlich hat er als Junge immer den Fliegen die Flügel ausgerissen. Wie kann man nur so knauserig sein!«
»Er meint es gut, Coop. Das war ein hartes Gespräch für dich, es tut mir so leid. Ich gebe mein Bestes, damit Paloma während der nächsten zwei Wochen möglichst viel lernt.

Livermore soll ihr zeigen, wie sie mit deiner Garderobe umzugehen hat.«

»Mich schaudert bei der Vorstellung, was dabei herauskommen wird. Wahrscheinlich steckt sie meine Anzüge in die Waschmaschine. Vielleicht kreiere ich ja einen ganz neuen Look.«

Coop weigerte sich, bei der Vorstellung zu verzagen, und tat äußerst amüsiert, während er Liz ansah. »Es wird hier ziemlich ruhig werden, nur mit dir, mir und Paloma, oder Maria, oder wie auch immer sie heißt.« Ihm entging nicht der sonderbare Ausdruck in Liz' Augen. »Was ist los? Ich soll dich seiner Meinung nach doch nicht auch noch feuern, oder?« Für den Bruchteil einer Sekunde sah sie Panik in seinen Augen aufblitzen, und es zerriss ihr fast das Herz. Es dauerte eine schiere Ewigkeit, bis sie antworten konnte.

»Nein, Coop, das ist es nicht ... aber ich werde gehen ...« Ihre Stimme war kaum mehr als ein Flüstern. Sie hatte es Abe am Tag zuvor gesagt, was der einzige Grund war, warum er für sie kein Kündigungsschreiben mitgebracht hatte.

»Sei nicht albern. Eher würde ich *The Cottage* verkaufen, als dich gehen zu lassen, Liz. Ich würde losziehen und eigenhändig Fußböden schrubben, damit du bleiben kannst.«

»Das ist es nicht ...« Tränen traten ihr in die Augen. »Ich werde heiraten, Coop.«

»Du wirst *was*? Wen? Doch nicht etwa diesen lächerlichen Zahnarzt aus San Diego?«

Er wusste, dass Liz mit diesem Mann fünf Jahre zuvor liiert gewesen war, doch Coop hatte sie nie wieder nach ihm gefragt.

Ein Leben ohne Liz war für ihn undenkbar. Nach dieser langen Zeit war sie für ihn seine Familie.
Tränen liefen ihr über die Wangen, während sie antwortete. »Er ist Börsenmakler und lebt in San Francisco.«
»Und wann hat er die Bühne betreten?«, fragte Coop erschüttert.
»Vor etwa drei Jahren. Letztes Jahr habe ich dir von ihm erzählt. Ich hätte nie gedacht, dass wir einmal heiraten würden. Aber er will sich dieses Jahr zur Ruhe setzen und möchte, dass ich mit ihm auf Reisen gehe. Seine Kinder sind erwachsen, und er meint: Jetzt oder nie. Ich sollte diese Chance ergreifen, so lange sie sich mir noch bietet.«
»Wie alt ist er?« Coop war völlig entsetzt. Trotz der vielen schlechten Nachrichten heute war es diese eine, die ihn niederschmetterte.
»Neunundfünfzig. Er hat gut verdient, besitzt eine Wohnung in London und hatte ein hübsches Haus in San Francisco, das er gerade verkauft hat. Wir werden in einem Appartement in Nob Hill leben.«
»In San Francisco? Du wirst vor Langeweile umkommen oder bei einem Erdbeben verschüttet werden. Liz, du wirst diese Stadt hassen!« Er konnte es immer noch nicht fassen. Wie sollte er ohne Liz zurechtkommen? Sie schnäuzte sich in einem fort und konnte nicht aufhören zu weinen.
»Mag sein. Vielleicht komme ich mit fliegenden Fahnen zurück. Aber ich wollte wenigstens einmal verheiratet sein, dann kann ich mir zumindest sagen, dass ich es versucht habe. Du kannst mich jederzeit anrufen, Coop, wo ich auch bin.«
»Und wer kümmert sich in Zukunft um meine Reservie-

rungen und spricht mit meinem Agenten? Und jetzt sag nicht, Paloma, wer auch immer das ist!«
»Die Agentur hat gesagt, sie würden so viel wie möglich für dich erledigen. Und um die Buchführung kümmert sich Abes Büro. Und viel mehr mache ich doch auch nicht.« Abgesehen davon, dass sie in einem fort Anrufe irgendwelcher Ex-Freundinnen abblockte und seinen Presseagenten mit den neuesten Informationen fütterte, mit wem Mr. Winslow sich gerade traf. Coop würde lernen müssen, seine Anrufe selbst zu erledigen, was ganz sicher eine neue Erfahrung für ihn werden würde. Liz fühlte sich, als hätte sie ihn betrogen und wolle ihn jetzt auch noch verlassen.
»Liebst du diesen Kerl, oder hast du einfach Torschlusspanik?« Es war ihm in all den Jahren nicht in den Sinn gekommen, dass Liz womöglich gerne heiraten würde. Sie hatte ihm gegenüber nie etwas dergleichen erwähnt, und er hatte sie nicht über ihre Beziehungen ausgefragt. Ganz selten kam es vor, dass sie von sich aus etwas erzählte, doch eigentlich hatte sie ohnehin kaum Zeit auszugehen. Sie war so damit beschäftigt, Coops zahllose Verabredungen, Einkäufe, Partybesuche und Reisen zu organisieren, dass sie ihren zukünftigen Mann im letzten Jahr kaum gesehen hatte. Das war auch der Grund, warum dieser schließlich ein Machtwort gesprochen hatte. Seiner Meinung nach war Cooper Winslow ein Narziss und Egomane, aus dessen Klauen er Liz befreien musste.
»Ich glaube schon, dass ich ihn liebe. Er ist ein wunderbarer, liebevoller Mann, der für mich da sein will. Und er hat zwei nette Töchter.«
»Wie alt sind die beiden? Ich kann mir dich nur schwer mit Kindern vorstellen.«

»Neunzehn und dreiundzwanzig. Ich habe sie wirklich gern, und sie scheinen mich auch zu mögen. Ihre Mutter starb, als sie noch klein waren, und Ted hat sie quasi allein großgezogen. Er hat seine Sache gut gemacht. Die eine arbeitet in New York, die andere studiert in Stanford Medizin.«

»Ich glaube das einfach nicht.« Coop wirkte am Boden zerstört. Dieser Tag hatte sich für ihn zu einer einzigen Katastrophe entwickelt. Er hatte schon fast vergessen, dass er das Pförtnerhaus und den Gästeflügel vermieten würde. Das alles war jetzt ohne Belang, für ihn zählte nur, dass er Liz verlieren würde. »Wann wollt ihr denn heiraten?«

»In zwei Wochen, gleich wenn ich von hier weg bin.« Sie hatte es kaum ausgesprochen, da brach sie erneut in Tränen aus. Plötzlich kam es ihr selbst wie eine absurde Idee vor.

»Möchtest du hier feiern?«, bot Coop ihr großzügig an.

»Die Hochzeit findet im Haus eines Freundes in Napa statt«, antwortete sie unter Tränen.

»Klingt schauderhaft. Wird es eine große Feier werden?« Er war wie benommen.

»Nein. Nur wir beide, seine Töchter und das Ehepaar, in dessen Haus wir heiraten. Wenn die Feier auch nur ein bisschen größer wäre, hätte ich dich eingeladen, Coop.« Sie war so sehr damit beschäftigt gewesen, sich um Coop zu kümmern, dass sie nicht einmal Zeit gefunden hatte, eine Hochzeitsfeier zu planen. Und Ted wollte nicht länger warten. Er wusste, wenn er das täte, würde Liz Coop nie verlassen. Sie fühlte sich zu sehr für diesen Mann verantwortlich.

»Wann hast du all das entschieden?«

»Vor einer Woche.« Ted war übers Wochenende bei ihr

gewesen und hatte sie unter Druck gesetzt. Und ihre Entscheidung passte zeitlich perfekt zu Abes Ratschlag, das Personal zu reduzieren. Irgendwie tat sie Coop sogar einen Gefallen, denn schließlich konnte er auch sie nicht mehr bezahlen. Trotzdem würde es für sie beide sehr hart werden, einander Lebewohl zu sagen.
Er war so naiv und hilflos – auf seine eigene, unnachahmliche Weise. Und sie hatte ihn während der letzten zweiundzwanzig Jahre ziemlich verwöhnt. Ständig hatte sie sich um ihn gesorgt und ihn bemuttert. Sich um Coop zu kümmern ersetzte ihr die Kinder, die sie nie gehabt hatte.

Als Liz sich später verabschiedete, hatte Coop sich noch nicht wieder gefangen. Bevor sie ging, nahm sie noch einen Anruf entgegen. Es war Pamela, Coops neueste Romanze. Sie war zweiundzwanzig – was selbst für seine Verhältnisse ziemlich jung war –, arbeitete als Model und träumte von einer Karriere als Schauspielerin.
Er hatte sie bei Fotoaufnahmen für das Männermagazin *GQ* kennengelernt. Die Redaktion hatte ein halbes Dutzend Models angeheuert, die neben Coop standen und ihn bewundernd anhimmelten – und sie war die attraktivste von allen gewesen.
Er traf sich erst seit einem Monat mit ihr, und sie war völlig in ihn vernarrt, obwohl er alt genug war, um ihr Großvater sein zu können. Coop wollte seine Flamme an diesem Abend ins *The Ivy* ausführen, und Liz erinnerte ihn, dass er Pamela um halb acht abholen musste. Er drückte Liz zum Abschied ganz fest und sagte ihr noch einmal, dass sie unbedingt zu ihm zurückkommen müsse, wenn

ihr das Eheleben nicht schmeckte. Dabei wünschte er sich insgeheim, dass es so wäre.

Liz setzte sich weinend ans Steuer. Sie liebte Ted, aber sie konnte sich nicht vorstellen, wie ihr Leben ohne Coop aussehen sollte. Sie hatte all ihre Kraft und ihren ganzen Mut aufbringen müssen, um Teds Heiratsantrag anzunehmen und es Coop zu sagen. Während der letzten Woche hatte sie kaum geschlafen, und als sie an diesem Morgen auf Coop wartete, war ihr ganz elend zumute gewesen. Zum Glück hatte Abe sie ein wenig abgelenkt. Als Liz jetzt durch das Haupttor auf die Straße bog, war sie so durcheinander, dass sie beinahe mit einem vorbeifahrenden Wagen zusammenstieß. Sie hoffte inständig, dass ihre Entscheidung richtig gewesen war.

Nachdem Liz weggefahren war, stand Coop in der Bibliothek und schenkte sich noch ein Glas Champagner ein. Er nahm einen Schluck und ging mit dem Glas in der Hand langsam die Treppe hinauf zu seinem Schlafzimmer. Unterwegs begegnete er einer zierlichen Frau, die eine weiße Schürze trug, auf der ein großer roter Fleck prangte, wie von Tomatensauce oder Suppe. Das Haar hinten zu einem langen Zopf geflochten und eine Sonnenbrille auf der Nase, saugte sie äußerst geräuschvoll die Treppe.

»Paloma?«, fragte er zögernd. Sie trug Turnschuhe mit Leopardenmuster, bei deren Anblick Coop unwillkürlich zusammenzuckte.

»Ja, Mr. Weenglow?« Sie nahm die Brille nicht ab, sondern starrte ihn durch die dunklen Gläser hindurch an. Es war unmöglich einzuschätzen, wie alt sie war, aber er vermutete so etwa Mitte dreißig.

»Ich heiße Winslow, Paloma. Hatten Sie ein kleines Missgeschick?« Er deutete auf den Fleck, der aussah, als hätte sie jemand mit Pizza beworfen.

»Wir Spaghetti haben heute Mittag. Ich meine Löffel haben auf das Juniform fallen lassen. Ich keinen andere habe hier.«

»Lecker«, sagte er, ging weiter und fragte sich, womit er wohl rechnen müsste, wenn sie sich erst um seine Garderobe kümmerte.

Paloma sah zu, wie er die Tür seines Schlafzimmers hinter sich schloss. Dann verdrehte sie die Augen. Es war das erste Mal gewesen, dass er etwas zu ihr gesagt hatte. Sie wusste nicht viel über diesen Mann, aber das wenige genügte, um ihn nicht leiden zu können. Er ging mit Frauen aus, die jung genug waren, um seine Enkelinnen sein zu können, und schien ausschließlich mit sich selbst beschäftigt zu sein. Ihr fiel keine einzige Sache ein, die sie an ihm sympathisch fand, und während sie weiter die Treppe saugte, schüttelte sie missbilligend den Kopf. Sie freute sich auch nicht gerade darauf, mit ihm allein in diesem Haus zu sein. Als sie erfahren hatte, dass sie als Einzige nicht entlassen werden würde, war sie sich vorgekommen, als hätte sie das kürzeste Streichholz gezogen. Aber sie würde bleiben, schließlich hatte sie jede Menge Verwandte in San Salvador, die sie unterstützen musste. Sie brauchte das Geld – auch wenn sie dafür für Leute wie ihn arbeiten musste.

## 2. Kapitel

Mark Friedman unterschrieb die letzten Papiere. Er stand mit der Maklerin in dem leeren Haus und kämpfte mit den Tränen. Gerade einmal drei Wochen hatte es gedauert, einen Käufer zu finden, und als Mark die jetzt kahlen Wände und leeren Räume betrachtete, in denen er und seine Familie zehn Jahre lang gelebt hatten, löste sich der klägliche Rest seiner Träume in Luft auf.
Er hatte das Haus behalten und darin leben wollen, aber Janet war kaum in New York angekommen, da hatte sie von ihm verlangt, es zu verkaufen. In dem Moment wusste er, dass sie – unabhängig von dem, was sie während der letzten Wochen gesagt hatte – nie wieder zu ihm zurückkehren würde. Die Möbel waren bereits auf dem Weg nach New York; Mark hatte ihr und den Kindern alles überlassen. Er selbst wohnte jetzt in einem Hotel in der Nähe seines Büros, und jeden Morgen, wenn er aufwachte, wünschte er, er wäre tot. Zehn Jahre lang hatten sie in Los Angeles gelebt, und seit sechzehn Jahren waren sie verheiratet.
Mark war zweiundvierzig Jahre alt, groß, schlank, blond und hatte strahlend blaue Augen. Er und Janet waren nicht weit voneinander in New York aufgewachsen, hatten sich jedoch erst im anschließenden Jurastudium in Yale kennengelernt. Sie heirateten direkt nach dem Examen, und an ihrem ersten Hochzeitstag kam Jessica zur

Welt. Sie war heute fünfzehn und ihr Bruder Jason dreizehn. Mark arbeitete als Anwalt für Steuerrecht in einer bedeutenden Kanzlei und war vor zehn Jahren von New York nach Los Angeles versetzt worden. Die Friedmans mussten sich an das Leben in dieser Stadt erst gewöhnen, aber am Ende hatten sie sich hier sehr wohl gefühlt. Das Haus in Beverly Hills hatte er damals innerhalb weniger Wochen gefunden, noch bevor Janet und die Kinder aus New York eintrafen. Es war perfekt für sie gewesen, mit einem großen Garten hinter dem Haus und einem kleinen Pool. Das Ehepaar, das das Haus jetzt gekauft hatte, wollte den Vertrag so schnell wie möglich abschließen, da sie in sechs Wochen Zwillinge erwarteten. Als Mark jetzt darüber nachdachte, kam es ihm so vor, als würde das Leben dieser Familie erst beginnen, während seines zu Ende war.

Vor gerade einmal sechs Wochen war er vollkommen glücklich gewesen: Er war mit einer wunderschönen Frau verheiratet, hatte einen Job, den er liebte, ein hübsches Haus und zwei wunderbare Kinder. Sie hatten keine Geldsorgen und erfreuten sich alle bester Gesundheit. Und jetzt stand er in einem leer geräumten Haus und würde bald geschieden sein.

Die Maklerin ließ ihn allein, während er zum letzten Mal durch die Räume schritt. Er konnte an nichts anderes denken als an die schöne Zeit, die Janet und er miteinander gehabt hatten. Aus seiner Sicht hatte in ihrer Ehe alles gestimmt, und Janet hatte bestätigt, dass sie glücklich mit ihm gewesen sei.

»Ich weiß auch nicht, was passiert ist«, hatte sie unter Tränen gesagt, als sie ihm gestand, dass sie sich bis über beide Ohren in einen New Yorker Arzt verliebt habe. »Vielleicht habe ich mich gelangweilt ... vielleicht hätte ich nach Jasons Geburt wieder anfangen sollen zu arbeiten ...« Aber nichts davon lieferte Mark wirklich eine Begründung dafür, warum sie ihn wegen eines anderen Mannes verließ.

Anderthalb Jahre zuvor war Janets Mutter schwer erkrankt. Zuerst ein Herzanfall, dann Gürtelrose und schließlich ein Schlaganfall. Sieben endlose Monate lang war Janet ständig zwischen New York und Los Angeles gependelt. Ihr Vater war am Boden zerstört gewesen und litt zunehmend an Alzheimer, während ihre Mutter von einer gesundheitlichen Krise in die nächste stürzte. Das erste Mal, nach dem Herzanfall, blieb Janet sechs Wochen lang weg, aber sie rief Mark jeden Tag drei- oder viermal an. Nie hatte er Verdacht geschöpft, und Janet hatte ihm hinterher erklärt, dass es nicht plötzlich passiert sei, sondern sich mit der Zeit entwickelt habe. Sie hatte sich in den Arzt ihrer Mutter verliebt. Er war so mitfühlend und nett zu ihr gewesen und hatte sie in der schweren Zeit sehr unterstützt. Eines Abends waren sie ganz spontan zum Essen ausgegangen, und da hatte es angefangen.

Ihre Beziehung zu diesem Mann bestand jetzt schon ein Jahr, und Janet sagte, dieser Zustand würde sie aufreiben. Doch sie versicherte Mark, es wäre nur eine vorübergehende Geschichte, über die sie hinwegkommen würde, und dass sie schon oft versucht hätte, es zu beenden. Mit Adam zusammen zu sein sei wie eine Droge, von der sie nicht loskam, so erklärte sie Mark. Mark schlug eine Therapie vor oder eine Eheberatung, aber Janet lehnte ab. Stattdessen erklärte sie ihm, sie wolle zurück nach New

York ziehen und abwarten, wie sich die Dinge entwickelten. Sie bräuchte Abstand von ihrer Ehe, zumindest eine Zeit lang, um zu sehen, wie ernst es ihr mit dieser Affäre wirklich war. Sobald sie in New York angekommen war, informierte sie Mark, dass sie die Scheidung wolle und er das Haus verkaufen müsse. Mit der ihr zustehenden Hälfte des Erlöses wollte sie sich in New York ein Appartement kaufen.

Als Mark jetzt in ihrem ehemaligen Schlafzimmer stand und mit leerem Blick auf die Wand starrte, dachte er an das letzte Gespräch, das er mit Janet geführt hatte. Nie zuvor hatte er sich so verloren und allein gefühlt. Alles, woran er geglaubt und was er für dauerhaft gehalten hatte, war plötzlich verschwunden. Dabei war er sicher, nichts falsch gemacht zu haben, außer dass er vielleicht gelegentlich zu viel gearbeitet oder Janet nicht oft genug zum Essen ausgeführt hatte. Aber es war ja alles so bequem gewesen, und sie hatte sich nie beklagt.

Schlimm war auch der Tag gewesen, an dem sie den Kindern sagten, dass sie sich trennen würden. Jessica und Jason hatten ihn gefragt, ob er und Mom sich scheiden lassen würden, und er hatte ehrlich geantwortet, dass er nicht sicher sei. Aber jetzt war ihm klar, dass Janet es damals schon wusste. Sie hatte es ihnen nur noch nicht sagen wollen – oder ihm.

Die Kinder hatten gar nicht mehr aufgehört zu weinen, und ohne ersichtlichen Grund gab Jessica ihm die Schuld an allem. Die Kinder verstanden es einfach nicht. Da sie erst fünfzehn und dreizehn Jahre alt waren, ergab das alles für sie noch viel weniger Sinn als für Mark. Er wusste ja wenigstens, aus welchem Grund Janet ihn verließ, aber für die Kinder war es ein völliges Rätsel. Nie hatten sie erlebt, dass ihre Eltern stritten oder sich nicht einigen konnten, was auch tatsächlich selten vorkam. Höchstens darüber, welche Weihnachtskugel wo an den Christbaum gehängt werden sollte. Und einmal hatte Mark einen Wutanfall gehabt, nachdem Janet sein neues Auto zu Bruch gefahren hatte. Aber am Ende hatte er sich bei ihr entschuldigt und gesagt, wie froh er sei, dass ihr nichts passiert sei. Er war ein umgänglicher, ruhiger Typ, und auch Janet war ein eher zurückhaltender Mensch. Adam musste offenbar aufregender sein. Laut Janet war er zweiundvierzig, hatte eine gut gehende Praxis in New York, besaß ein Segelboot, das vor Long Island lag, und war vier Jahre lang als Entwicklungshelfer tätig gewesen. Er war geschieden und kinderlos, hatte einen interessanten Freundeskreis und führte ein geselliges Leben. Seine Frau hatte keine Kinder bekommen können, und Adam freute sich riesig darüber, dass Janet Kinder hatte. Er wünschte sich mit ihr noch zwei weitere – was Janet allerdings weder Mark noch ihren Kindern gegenüber erwähnt hatte. Jessica und Jason wussten ohnehin noch nichts von Adam. Janet wollte ihn in ihr Leben einführen, sobald sie sich in New York etabliert hatten. Und Mark vermutete, dass sie nicht vorhatte, den Kindern zu sagen, dass Adam der Grund für die Trennung gewesen war.

Im Vergleich zu Adam kam Mark sich vor wie ein Langweiler. Seine Arbeit gefiel ihm – die Vermögensplanung lag ihm nun einmal –, aber es war nichts, worüber er sich stundenlang mit Janet unterhalten konnte. Sie hatte sich schon im Studium vor allem für Strafrecht und Kinderfürsorge interessiert, und das Steuerrecht hatte sie immer

tödlich gelangweilt. Sie und Mark hatten mehrmals in der Woche zusammen Tennis gespielt, waren ins Kino gegangen, hatten viel mit den Kindern unternommen und waren mit Freunden zum Essen aus gewesen. Es war für sie alle ein ganz gewöhnliches, angenehmes Leben gewesen. Und jetzt war all das plötzlich vorbei. Mark konnte den Verlust fast körperlich spüren. Während der letzten fünf Wochen hatte er sich gefühlt, als stecke ein Messer in seinem Bauch. Mittlerweile hatte er mit einer Therapie begonnen, zu der ihm sein Arzt geraten hatte. Mark hatte ihn angerufen und um ein Schlafmittel gebeten, weil er kaum noch ein Auge zutat und sein Alltag die reinste Hölle geworden war. Er vermisste Janet und die Kinder – er vermisste sein ganzes früheres Leben.
»Sind Sie so weit, Mark?«, fragte die Maklerin leise und steckte den Kopf durch die Schlafzimmertür. Er stand einfach nur da und starrte gedankenverloren vor sich hin.
»Ja, sicher«, erwiderte er, ging aus dem Zimmer und warf noch einen letzten Blick zurück. Dann folgte er der Maklerin nach draußen. Sie schloss ab. Er hatte ihr bereits alle Schlüssel gegeben. Das Geld war an diesem Nachmittag auf seinem Konto eingegangen, und er hatte Janet versprochen, ihr sofort die Hälfte zu überweisen. Sie hatten einen guten Preis für das Haus erzielt, aber das bedeutete ihm nichts.
»Wollen Sie sich jetzt nach etwas Neuem umsehen?«, fragte die Maklerin hoffnungsvoll. »Ich hätte da ein paar schöne Häuschen oben in den Bergen, und im Hancock Park könnte ich Ihnen ein richtiges Juwel zeigen. Es gäbe auch einige sehr nette Appartements.« Der Februar war ein guter Monat, um eine Immobilie zu suchen. Die Flau-

te während der Weihnachtsferien war vorbei, und jetzt kamen sehr interessante Objekte auf den Markt. Und bei dem, was Mark für sein Haus bekommen hatte, konnte er einiges anlegen. Selbst die Hälfte reichte aus, um ein äußerst attraktives Haus zu kaufen.

»Ich fühle mich ganz wohl in dem Hotel«, sagte er, dankte ihr noch einmal und stieg in seinen Mercedes. Sie hatte großartig gearbeitet und den Verkauf problemlos und in Rekordzeit abgewickelt. Fast wünschte er, sie wäre nicht ganz so effizient, denn er war eigentlich noch nicht bereit gewesen auszuziehen. Ihm ging durch den Kopf, dass er darüber wohl einmal mit seinem neuen Therapeuten sprechen sollte.

Mark war vorher noch nie bei einem Therapeuten gewesen. Dieser schien ein netter Kerl zu sein, aber ob er ihm helfen konnte? Vielleicht was die Schlafstörungen anging, aber bei den anderen Dingen? Ganz gleich, was sie in ihren Sitzungen erarbeiteten, Janet und die Kinder waren und blieben fort, und ohne sie hatte Mark kein Leben. Er wollte nicht irgendeines, sondern das mit seiner Familie. Und die gehörte jetzt bald zu jemand anderem, der den Kindern womöglich sogar besser gefiel. Ein entsetzlicher Gedanke.

Mark fuhr zurück ins Büro und saß mittags bereits wieder am Schreibtisch. Er diktierte einen Stapel Briefe und widmete sich dann einigen Gutachten. Für den Nachmittag war ein Meeting aller Teilhaber zum Thema »Neue Steuergesetze« angesetzt. Mark machte sich nicht die Mühe, mittags etwas zu essen. Während der letzten Wochen hatte er zehn Pfund abgenommen, vielleicht sogar zwölf, doch für ihn ging es nur noch ums Weitermachen, einen

Schritt vor den anderen zu setzen und möglichst nicht nachzudenken. Aber nachts, wenn er allein war, holten ihn die Erinnerungen ein, und wieder und wieder hallten ihm Janets Worte durch den Kopf. Er dachte an seine Kinder, daran, wie sehr sie geweint hatten. Jeden Abend rief er sie an, und er hatte ihnen versprochen, sie in ein paar Wochen zu besuchen. Über die Osterferien würde er mit ihnen in die Karibik fliegen, und im Sommer wollten sie zu ihm nach Los Angeles kommen. Dabei hatte er nicht einmal mehr ein Haus, in dem sie wohnen konnten.
Nachmittags in dem Meeting traf er Abe Braunstein, der über Marks Anblick zutiefst erschrak. Normalerweise wirkte Mark immer so jung und dynamisch auf ihn, hatte trotz seiner zweundvierzig Jahre etwas Jungenhaftes an sich – doch jetzt sah er aus, als würde er unter einer tödlichen Krankheit leiden oder als sei ein Familienangehöriger gestorben.
»Geht es Ihnen gut?«, fragte Abe mit besorgtem Blick.
»Ja, ich bin okay«, erwiderte Mark fast tonlos. Er sah erschöpft aus, und seine Gesichtsfarbe wirkte fast grau.
»Sie sehen aus, als wären Sie schwer krank gewesen. Und Sie haben auch ziemlich abgenommen.« Mark nickte und schwieg. Er fühlte sich wie ein Trottel, weil er Abe nicht in seine Probleme eingeweiht hatte. Bisher hatte er nur mit seinem Therapeuten über die Trennung gesprochen. Er brachte es einfach nicht fertig, es sonst noch jemandem zu sagen. Es war so demütigend und ließ ihn wie einen Verlierer dastehen. Andererseits hatte er das Bedürfnis, mit jemandem zu reden, und fühlte sich hin- und hergerissen zwischen dem Wunsch, laut zu jammern oder sich irgendwo zu verkriechen.

»Janet ist weg«, sagte er scheinbar beiläufig, während Abe und er nach dem Meeting aus dem Konferenzraum gingen. Es war schon fast sechs. Mark hatte nicht einmal die Hälfte von dem mitbekommen, was besprochen worden war, und Abe war auch das nicht entgangen.
»Ist sie verreist?«, fragte Abe irritiert.
»Nein. Für immer«, bekannte Mark niedergeschlagen. Aber irgendwie tat es gut, die Wahrheit auszusprechen. »Sie hat mich vor drei Wochen verlassen und ist mit den Kindern nach New York gezogen. Ich habe soeben das Haus verkauft. Wir werden uns scheiden lassen.«
»Tut mir leid, das zu hören«, erwiderte Abe bedauernd. »Das ist wirklich hart.« Er hatte nicht die leiseste Andeutung gehört, obwohl er viel mit Marks Kanzlei zusammenarbeitete. Allerdings wurde dort auch so gut wie nie über Persönliches gesprochen. »Wo wohnen Sie jetzt?«
»In einem Hotel zwei Blocks von hier entfernt. Es ist nicht gerade das Ritz, aber für den Moment ist es okay.«
»Hätten Sie Lust, einen Happen essen zu gehen?« Abe wurde zu Hause von seiner Frau erwartet, aber Mark sah aus, als könnte er Gesellschaft gebrauchen. Das stimmte zwar, aber Mark fühlte sich nicht wohl genug, um irgendwohin zu gehen. Jetzt, da das Haus verkauft war, wirkte alles noch viel schlimmer. Es war ein handfester Beweis dafür, dass sein Leben mit Janet für immer vorbei war.
»Nein danke.« Mark schaffte es, sich ein Lächeln abzuringen. »Vielleicht ein anderes Mal.«
»Ich werde Sie anrufen«, versprach Abe und ging. Er wusste nicht, auf wessen Konto die Scheidung ging, aber es war nicht zu übersehen, dass Mark unglücklich war. Janet und er hatten auf ihn immer wie das amerikanische

Traumpaar schlechthin gewirkt, der nette Junge und das sympathische Mädchen von nebenan.

Mark blieb noch im Büro und bearbeitete bis um acht Akten, bevor er schließlich ins Hotel zurückging. Er überlegte, sich unterwegs ein Sandwich zu holen, hatte aber eigentlich keinen Hunger. Dabei hatte er sowohl seinem Arzt als auch seinem Therapeuten versprochen, wenigstens zu versuchen, regelmäßig etwas zu essen. Morgen, sagte er sich. Jetzt wollte er sich nur noch ins Bett legen und auf den Fernseher starren – und irgendwann hoffentlich einschlafen.

Als er sein Zimmer betrat, klingelte das Telefon. Es war Jessica. Sie hatte einen erfolgreichen Tag in der Schule gehabt und in einem Test eine Supernote bekommen. Jessica war im zweiten Jahr an der High School, aber sie hasste die neue Schule. Außerdem beklagte sie sich immer darüber, dass die Jungs in New York alle Streber seien. Jason ging es nicht anders; er ging jetzt in die achte Klasse. Es war eine schwere Umstellung für die beiden. Und nach wie vor gaben sie Mark die Schuld an allem, was sie sich im Zusammenhang mit der Scheidung nicht erklären konnten.

Mark sagte seiner Tochter am Telefon nicht, dass er das Haus verkauft hatte und dass sie nie wieder dort leben würde. Stattdessen versprach er, bald nach New York zu kommen, und bat sie, Mom zu grüßen. Nachdem er aufgelegt hatte, saß er einfach nur da und starrte auf den Fernseher, während ihm Tränen über die Wangen liefen.

## 3. Kapitel

Jimmy O'Connor war groß, schlank, von athletischer Statur mit breiten Schultern und muskulösen Armen. Er spielte Golf und Tennis und hatte während seiner Zeit in Harvard dem Eishockeyteam angehört. Bereits in der Schule war er ein hervorragender Sportler gewesen, und daran hatte sich bis heute nichts geändert. Während seines Psychologiestudiums an der Universität von Los Angeles arbeitete er nebenbei ehrenamtlich in Watts, einem sozialen Brennpunkt in Los Angeles. Danach machte er noch sein Examen in Sozialarbeit – und blieb Watts als Arbeitsbereich treu. Jimmy war dreiunddreißig Jahre alt und führte ein glückliches Leben. Er liebte seinen Beruf und fand nebenbei immer noch Zeit, Sport zu treiben. Mit den Jugendlichen, die er betreute, hatte er ein Fußball- und ein Baseballteam auf die Beine gestellt. Daneben kümmerte er sich um Kinder aus gestörten Familienverhältnissen, die zu Hause vernachlässigt, geschlagen oder missbraucht worden waren. Er hatte schon Kinder mit Verbrennungen und Verätzungen auf dem Arm in die Notaufnahme getragen, und mehr als einmal hatte er sie danach mit zu sich nach Hause genommen, wo sie bleiben konnten, bis Pflegeeltern gefunden wurden. Die Menschen, die mit ihm zusammenarbeiteten, sagten immer, Jimmy habe ein Herz aus Gold.
Er hatte klassische, irische Gesichtszüge, pechschwarzes

Haar und große dunkle Augen. Seine Lippen hatten etwas ungeheuer Sinnliches, und sein Lächeln ließ jede Frau dahinschmelzen – so war es auch Maggie von der ersten Sekunde an ergangen. Ihr richtiger Name war Margaret Monaghan. Sie stammten beide aus Boston, hatten sich in Harvard kennengelernt und waren nach dem Abschluss gemeinsam an die Westküste gegangen. Schon während des Studiums zogen sie zusammen, und obwohl sie immer gegen die Ehe gewesen waren, gingen sie vor sechs Jahren zum Standesamt und heirateten. Vor allem, damit ihre Eltern endlich Ruhe gaben. Für sie selbst mache es keinen großen Unterschied, hatten sie immer wieder betont, um dann doch zuzugeben, dass es nicht nur okay sei, sondern sehr schön.

Maggie war ein Jahr jünger als Jimmy und die aufgeweckteste Frau, die er je gekannt hatte. Sie hatte ebenfalls einen Abschluss in Psychologie und spielte mit dem Gedanken zu promovieren. So wie Jimmy betreute auch sie Großstadtkinder aus Problemfamilien. Am liebsten hätte sie eine ganze Schar dieser Kinder adoptiert. Jimmy war ein Einzelkind, sie dagegen das älteste von neun Geschwistern. Sie war irischer Abstammung; ihre Familie kam ursprünglich aus der Grafschaft Cork. Dort wurden noch ihre Eltern geboren, die mit einem ausgeprägten irischen Akzent sprachen, den Maggie fehlerfrei imitieren konnte. Jimmys Familie war dagegen bereits vor vier Generationen aus Irland ausgewandert. Er war ein entfernter Cousin der Kennedys, was er aber konsequent für sich behielt. Maggie fand es jedoch irgendwann heraus und zog ihn gnadenlos damit auf – sie nannte ihn »Schickeria-Junge«. Sie liebte es, ihn ein bisschen zu ärgern. Und er liebte, dass sie so gewitzt, frech, mutig und wunderschön war, mit feuerrotem Haar, grünen Augen und unzähligen Sommersprossen – sie war seine Traumfrau. Es gab nichts, das ihm nicht an ihr gefiel – außer vielleicht, dass sie nicht kochen konnte und ihr das zudem egal war. Doch er übernahm kurzerhand das Kochen für sie beide und war stolz darauf, diese Aufgabe sogar ausgesprochen gut zu meistern.

Jimmy war gerade dabei, die Küche auszuräumen und die Bratpfannen einzupacken, als es an der Tür klingelte. Kurz darauf hörte er, dass jemand die Wohnungstür aufschloss. Es war der Hausverwalter, der sich mit einem lauten »Hallo« bemerkbar machte. Er platzte ungern unangemeldet zu einer Wohnungsbesichtigung herein.

Jimmy hatte das Appartement in der vergangenen Woche gekündigt, und Ende des Monats würde er ausziehen. Wohin wusste er noch nicht, Hauptsache weg. Er wollte überall leben, nur nicht hier.

Der Hausverwalter zeigte das Appartement einem jungen Pärchen, das in Kürze heiraten wollte. Die beiden trugen Jeans, Sweatshirts und Sandalen und wirkten jung und zuversichtlich auf Jimmy. Beide waren Anfang zwanzig, hatten gerade ihr Examen gemacht und stammten aus dem Mittleren Westen. Von dem Appartement waren sie begeistert, Los Angeles fanden sie umwerfend, und Venice gefiel ihnen am allerbesten. Der Hausverwalter stellte die beiden und Jimmy einander vor. Der schüttelte ihnen die Hand, nickte kurz und wandte sich dann wieder seinen Umzugskartons zu. Er überließ es ihnen, sich die Räume allein anzusehen. Das Appartement war winzig, aber in einem ziemlich guten Zustand. Es gab ein kleines Wohnzimmer und ein Schlafzimmer, das kaum größer war als ein Bett, ein Bad, in dem man sich nur zu zweit aufhalten konnte, indem sich der eine auf die Schultern des anderen setzte, und die Küche. Für Maggie und ihn hatte es gereicht, sie brauchten nicht mehr Platz. Außerdem hatte Maggie darauf bestanden, die Hälfte der Miete zu zahlen, und mehr konnte sie sich nicht leisten. In solchen Dingen war sie unglaublich stur. Seit dem Tag, an dem sie sich kennenlernten, hatten sie ihre Ausgaben immer schön säuberlich durch zwei geteilt, selbst als sie schon längst verheiratet waren.

»Ich habe nicht vor, mich aushalten zu lassen, Jimmy O'Connor!«, hatte sie gesagt und den irischen Akzent ihrer Eltern dabei nachgeahmt, während das feuerrote Haar ihr Gesicht umspielte. Er hatte Kinder mit ihr haben wollen, ein ganzes Haus voller rothaariger Rangen. In den letzten sechs Monaten hatten sie tatsächlich mit dem Gedanken gespielt, ein Kind zu bekommen. Maggie wollte aber unbedingt auch welche adoptieren.

»Wie wäre es mit sechs und sechs?«, hatte Jimmy sie aufgezogen. »Sechs eigene und sechs adoptierte. Für welche Hälfte möchtest du die Kosten übernehmen?« Er wusste, dass Maggie am liebsten noch viel mehr Kinder bei sich aufgenommen hätte.

»Gasherd?«, fragte die junge Frau lächelnd und riss Jimmy aus seinen Grübeleien. Jimmy nickte wortlos. »Ich koche unheimlich gern.« *Ich auch*, hätte er erwidern können, aber er wollte sich nicht mit den beiden unterhalten. Wieder nickte er nur und packte weiter. Fünf Minuten später war die Besichtigung vorüber. Der Verwalter rief von der Wohnungstür aus ein lautes »Vielen Dank!« und zog die Tür hinter sich zu. Jimmy konnte hören, dass sich die drei im Hausflur unterhielten, und fragte sich, ob das junge Paar das Appartement nehmen würde. Doch eigentlich war es ihm gleichgültig, irgendjemand würde es schon nehmen. Es war ein gepflegtes Haus in einer netten Umgebung mit einer tollen Aussicht. Darauf hatte Maggie damals bestanden, obwohl es ihr Budget ziemlich strapazierte. Aber sie sagte, es hätte keinen Sinn, in Venice zu leben, wenn man nicht das Meer sehen könnte. Sie hatte es mit diesem wunderbaren irischen Akzent gesagt. Manchmal gingen sie Pizza essen und taten den ganzen Abend so, als wären sie irische Touristen, und jeder fiel darauf herein. Maggie hatte sich selbst Gälisch beigebracht und Französisch. Chinesisch hatte sie auch noch lernen wollen, wegen der chinesischen Einwandererkinder in ihrer Nachbarschaft. Es war ihr wichtig, sich mit ihnen verständigen zu können.

»Besonders freundlich ist er nicht gerade«, flüsterte die junge Frau draußen im Treppenhaus. Sie und ihr Freund hatten sich im Bad kurz beraten und entschieden, das Appartement zu nehmen. Es war bezahlbar, und ihnen gefiel die Aussicht, auch wenn die Zimmer klein waren.

»Er ist schon in Ordnung«, verteidigte der Hausverwalter Jimmy. »Hat nur ziemlich viel durchgemacht«, fügte er nach einer Weile hinzu, unsicher, ob er darüber reden sollte. Aber von irgendjemandem würden die beiden es ja doch erfahren. Die O'Connors waren in dem Haus beliebt, und der Verwalter bedauerte, dass Jimmy auszog. Die neuen Mieter hatten sich schon gefragt, ob ihm die Wohnung gekündigt worden war, weil er ihnen gegenüber beinahe feindselig gewirkt hatte.

»Es ist wegen seiner Frau.«

»Haben die beiden sich getrennt?«, fragte die Frau voller Anteilnahme. Jimmy hatte richtig grimmig ausgesehen, während er Töpfe und Pfannen in einen Karton stapelte.
»Sie ist vor vier Wochen gestorben. Furchtbare Geschichte. Sie war erst zweiunddreißig, wunderschön und blitzgescheit. Seit ein paar Monaten hatte sie immer öfter Kopfschmerzen, sie dachte, es sei Migräne. Vor einem Vierteljahr ging sie dann in die Klinik, um sich untersuchen zu lassen. Computertomografie und was die sonst noch alles mit einem anstellen. Sie fanden einen Hirntumor und versuchten zu operieren, aber er war zu groß und hatte schon überall Metastasen gebildet. Zwei Monate später war sie tot. Letzte Woche hat Mr. O'Connor mir gesagt, dass er auszieht. Er könne hier nicht bleiben – zu viele Erinnerungen.« Der Hausverwalter schluckte.
»Das ist ja furchtbar!« Die Frau war erschüttert. Sie hatte überall im Appartement Fotos hängen sehen, auf denen der Mann mit einer rothaarigen Frau abgebildet war – ein glückliches und sehr verliebtes Paar.
»Seine Frau war unglaublich tapfer. Bis zur letzten Woche haben sie noch Spaziergänge gemacht. Er hat für sie gekocht und sie zum Strand hinuntergebracht, weil sie das Meer so liebte. Es wird lange dauern, bis er darüber hinweg ist – falls es ihm jemals gelingt.«
Der Hausverwalter, den so leicht nichts aus der Fassung brachte, wischte sich unauffällig eine Träne aus dem Augenwinkel und ging, gefolgt von dem jungen Paar, die Treppe hinunter. Die beiden wurden die Geschichte den ganzen Tag über nicht mehr los, und am späten Nachmittag schob der Verwalter einen Zettel unter Jimmys Tür durch, um ihm mitzuteilen, dass die beiden das Appartement nehmen

würden. Damit würde es für ihn in drei Wochen der Vergangenheit angehören.
Jimmy saß einfach nur da und starrte auf den Zettel. Es war das, was er gewollt hatte und was er tun musste – aber wo sollte er jetzt hin? Es war für ihn bedeutungslos geworden, wo er lebte; ein Schlafsack am Straßenrand hätte ihm genügen können. Ihm ging durch den Kopf, dass manche Menschen wahrscheinlich in genau solchen Situationen obdachlos wurden. Es interessierte sie nicht mehr, wo und ob sie überhaupt lebten. Nachdem Maggie gestorben war, hatte Jimmy an Selbstmord gedacht, sich vorgestellt, ins Meer zu gehen und ohne einen einzigen Laut in den Wellen zu versinken. Nach ihrem Tod hatte er stundenlang am Strand gesessen und darüber nachgedacht. Und dann war es plötzlich so gewesen, als hätte er ihre Stimme hören können, die ihm sagte, wie wütend sie das machen würde und was für ein Feigling er sei, wenn er sich das Leben nehme. Er konnte sogar den irischen Akzent heraushören. Erst als es dunkel wurde, war er ins Appartement zurückgegangen, hatte sich aufs Sofa fallen lassen und die ganze Nacht geweint.
Ihre Familien waren an diesem Abend aus Boston eingetroffen, und die nächsten zwei Tage drehte sich alles um die Vorbereitung der Beerdigung. Jimmy hatte es abgelehnt, Maggie in Boston bestatten zu lassen. Sie hatte ihm gesagt, sie wolle mit ihm gemeinsam in Kalifornien bleiben, also ließ er sie auch dort beerdigen. Auch ihre Eltern, Brüder und Schwestern traf der Verlust hart, aber niemand war so am Boden zerstört wie Jimmy. Keiner konnte ermessen, wie viel sie ihm bedeutet hatte. Maggie war sein Leben gewesen, und er wusste ganz sicher, dass er nie wieder eine

Frau so würde lieben können wie sie – falls er sich überhaupt noch einmal verliebte. Er konnte sich nicht vorstellen, dass es jemals eine andere Frau in seinem Leben geben würde. Wer könnte Maggie denn auch nur annähernd das Wasser reichen? Diese Leidenschaft, Begeisterungsfähigkeit, Klugheit und Lebensfreude und vor allem dieser Mut. Nicht einmal vor dem Sterben hatte sie sich gefürchtet, sondern es als ihr Schicksal angenommen. Jimmy war derjenige gewesen, der weinte und Gott anflehte, der schreckliche Angst hatte und sich ein Leben ohne sie nicht vorstellen konnte. Es war gleichermaßen unvorstellbar wie unerträglich. Und jetzt saß er allein hier, und Maggie war tot. Und ihm blieb nichts anderes übrig, als sich durch den verbleibenden Rest seines Lebens zu schleppen.

Eine Woche nach ihrem Tod hatte er wieder angefangen zu arbeiten. Alle hatten ihn behandelt wie ein rohes Ei. Doch selbst bei der Arbeit, die er immer so geliebt hatte, war er ohne jeden Elan. Jimmy konnte sich für nichts mehr begeistern, für ihn ging es nur noch ums Weitermachen. Jeden Morgen aufstehen und einen Fuß vor den anderen setzen – ohne zu wissen, wofür.

Ein Teil von ihm wollte für immer in dem Appartement wohnen bleiben, während ein anderer es nicht ertrug, auch nur ein einziges weiteres Mal ohne Maggie dort aufzuwachen. In Gedanken versunken fuhr er fort, die Umzugskartons zu packen. Als er an Maggies Kleiderschrankhälfte kam, fühlte er sich, als hätte ihm Mike Tyson einen Schlag auf den Brustkorb verpasst. Ihm blieb die Luft weg, so real war sie plötzlich. Er stand einfach nur da, konnte ihr Parfum riechen und spürte sie so intensiv, als stände sie neben ihm.

»Was soll ich denn jetzt bloß machen?«, sagte er laut, während ihm erneut Tränen in die Augen schossen und er sich am Türrahmen festhalten musste.
»Lass dich nicht unterkriegen«, hörte er Maggies Stimme in seinem Kopf sagen. »Du kannst jetzt nicht aufgeben.« Ganz deutlich konnte er den irischen Akzent heraushören.
»Warum zum Teufel denn nicht?« Doch er wusste, dass sie an seiner Stelle es auch nicht getan hätte. Maggie hatte nie aufgegeben und stets bis zum Ende gekämpft. Noch am Tag ihres Todes hatte sie sich wie immer das Haar gewaschen und Lippenstift aufgelegt. Und sie hatte seine Lieblingsbluse angezogen. »Ich will aber nicht mehr!«, schrie er jetzt verzweifelt.
»Setz gefälligst deinen Hintern in Bewegung!«, konnte er sie laut und deutlich hören, und plötzlich musste er lachen, während ihm im selben Moment die Tränen über die Wangen liefen.
»Okay, Maggie ... okay ...«, flüsterte er, nahm ein Kleidungsstück nach dem anderen aus ihrem Schrank und legte es sorgfältig gefaltet in einen Karton, als würde sie eines Tages zurückkommen und die Sachen wieder anziehen.

## 4. Kapitel

Am Sonntag fuhr Liz wieder hinaus auf das Anwesen, um sich mit der Maklerin zu treffen – nur einen Tag, nachdem Coop zugestimmt hatte, das Pförtnerhaus und den Gästeflügel zu vermieten. Sie wollte so schnell wie möglich Tatsachen schaffen, bevor Coop es sich womöglich anders überlegte. Die eingenommene Miete würde sein Konto beträchtlich entlasten, und Liz wollte für Coop tun, was sie nur konnte, bevor sie wegging.

Sie hatte sich mit der Maklerin für elf Uhr verabredet. Als sie beide dort eintrafen, war Coop bereits mit Pamela zum Frühstücken ins *Beverly Hills Hotel* gefahren. Außerdem hatte er der jungen Frau versprochen, am nächsten Tag mit ihr auf dem Rodeo Drive einkaufen zu gehen.

Pamela war zwar wunderschön – hatte aber nichts zum Anziehen. Und Frauen zu verwöhnen zählte zu den Dingen, die Coop am besten konnte. Er liebte es, mit seinen Freundinnen einkaufen zu gehen, und verschwendete keinen Gedanken daran, ob er sich die Einkäufe überhaupt leisten konnte. Er hatte Pamela zugesagt, mit ihr zu Theodore und Valentino zu gehen, außerdem zu Dior und Ferré und wohin immer sie sonst noch gehen wollte, und anschließend zu Fred Segal. Die Einkaufsorgie würde Coop ganz sicher 50 000 Dollar kosten, wenn nicht sogar mehr. Vor allem, wenn sie bei Van Cleef oder Cartier Station machten, weil Coop im Vorbeigehen etwas Schönes in der Auslage entdeckt hatte. Und Pamela würde es niemals in den Sinn kommen, ihm zu sagen, dass er zu großzügig sei, denn für die junge Frau aus Oklahoma ging ein Traum in Erfüllung.

»Es überrascht mich, dass Mr. Winslow Mieter auf dem Anwesen duldet«, sagte die Maklerin zu Liz, während sie gemeinsam zum Gästeflügel hinübergingen. Sie wollte zu gern ein paar Klatschgeschichten hören, die sie an zukünftige Mieter weitergeben könnte. Genau diese Art von Neugier war es, die Liz zu schaffen machte. Nichtsdestoweniger war es ein unvermeidliches Übel, dass die Leute jetzt mehr Einblick in Coops Privatleben erhalten würden, und die daraus entstehenden Gerüchte würden mit Sicherheit nicht gerade erfreulich sein – wie so oft, wenn es um gefeierte Filmstars oder andere berühmte Persönlichkeiten ging. Dies war nun einmal die Kehrseite des Ruhms.

»Selbstverständlich verfügt der Gästeflügel über einen separaten Eingang«, erläuterte Liz. »Die Mieter werden Coop normalerweise nicht über den Weg laufen. Und so häufig wie er verreist, wird er wahrscheinlich gar nicht merken, dass jemand da ist. Für ihn ist es außerdem beruhigend, wenn sich herumspricht, dass das Haus die ganze Zeit bewohnt ist.« So hatte die Maklerin es noch gar nicht gesehen, aber es ergab in ihren Augen durchaus Sinn. Obwohl sie immer noch den Verdacht hegte, dass mehr dahintersteckte. Cooper Winslow war seit Jahren kaum noch auf der Leinwand zu sehen gewesen. Sie konnte sich nicht einmal mehr an seine letzte große Rolle erinnern. Trotzdem war er immer noch ein Star und sorgte für jede Menge Rummel, wo immer er auftauchte. Er war eine der großen Hollywood-Legenden, was ihr sicher helfen würde, die beiden Objekte zu einem stolzen Preis zu vermieten. Zwei unvergleichliche Prestigeobjekte mit einem gut aussehenden Filmstar als Nachbarn. Mit ein bisschen Glück würden die Mieter hin und wieder einen Blick auf ihn erhaschen können, wenn er sich auf dem Tennisplatz oder am Pool aufhielt. Das musste sie unbedingt in das Exposé aufnehmen.

Die Tür zum Gästeflügel quietschte leise beim Öffnen, und in diesem Moment wünschte Liz, sie hätte Zeit gehabt, vorher jemanden zum Saubermachen hineinzuschicken. Zu ihrer Erleichterung war alles in einem akzeptablen Zustand. Der Gästeflügel war so beeindruckend wie der Rest des Hauses: lichtdurchflutete, hohe Räume mit zahlreichen Verandatüren, durch die man einen wundervollen Ausblick auf den Park genoss. Die Natursteinterrasse war von einer Hecke umgeben und mit antiken Marmorbänken und Tischen bestückt, die Cooper vor Jahren in Italien erworben hatte. Das Wohnzimmer war mit französischen Antiquitäten eingerichtet. Direkt daneben gab es ein kleines Arbeitszimmer, das sich hervorragend als Büro eignete. Über ein paar Stufen gelangte man in ein riesiges Schlafzimmer. Es war ganz in blauem Satin gehalten und mit Art-déco-Möbeln aus Frankreich ausgestattet.

An das Schlafzimmer angrenzend befanden sich ein großes, weißes Marmorbad sowie ein Ankleidezimmer mit mehr Kleiderschränken, als die meisten Menschen brauchen würden – nur für Coop wären es immer noch zu wenige gewesen. Auf der anderen Seite des Wohnzimmers lagen zwei etwas kleinere, aber immer noch sehr geräumige Schlafzimmer. Hier dominierten Chintzbezüge mit verspielten englischen Blumendekors die Einrichtung. Als die beiden Frauen in die riesige Wohnküche mit dem großen Esstisch in der Mitte kamen, bekundete die Maklerin spontan, wie sehr sie dieser Raum an die Provence erinnere. Die Wohnung besaß zwar kein separates Esszimmer, aber Liz wies darauf hin, dass das Wohnzimmer groß genug sei, um dort einen Esstisch aufzustellen. Auch in die Küche könne man sich setzen, was sehr gemütlich und viel zwangloser sei. Es gab einen massiven alten französischen Herd, einen Kachelofen in einer Ecke und wunderschöne handbemalte Fliesen an den Wänden. Alles in allem war es die perfekte Wohnung inmitten eines der schönsten Anwesen von Bel Air, mit Nutzungsmöglichkeit von Tennisplatz und Pool.

»Und wie viel will er dafür verlangen?« Die Augen der Maklerin glänzten vor Aufregung. Sie hatte noch nie etwas Schöneres gesehen und konnte sich gut vorstellen, einen anderen Filmstar als Mieter zu ködern. Vielleicht jemanden, der gerade in Los Angeles einen Film drehte oder nur für ein Jahr in der Stadt bleiben wollte. Dass die Wohnung so geschmackvoll möbliert war, stellte einen zusätzlichen Vorteil dar. Mit ein paar frischen Blumen und frisch geputzt würde dieser Ort zum Leben erwachen – das hatte die Maklerin auf den ersten Blick erkannt.

»Was würden Sie empfehlen?«, fragte Liz unsicher. Sie hatte seit Jahren nichts mit dem Wohnungsmarkt zu tun gehabt und lebte seit zwanzig Jahren in ihrem bescheidenen kleinen Appartement.

»Nun, ich würde sagen mindestens 10 000 pro Monat. Vielleicht sogar zwölf. Wenn wir den richtigen Mieter finden, könnten wir die Miete womöglich bis auf 15 hoch-

schrauben. Aber weniger als zehn auf keinen Fall.« Klingt gut, dachte Liz, denn zusammen mit der Miete für das Pförtnerhaus hätte Coop dann jeden Monat ein hübsches Finanzpolster – solange sie seine Kreditkarten von ihm fernhalten konnten. Sie war ernsthaft besorgt, was er anstellen könnte, wenn sie nicht mehr da wäre. Niemand würde ihn dann noch im Auge behalten und hin und wieder zur Vernunft bringen. Nicht dass Liz ihn wirklich unter Kontrolle gehabt hätte, aber immerhin konnte sie ihn von Zeit zu Zeit ermahnen, sich nicht noch höher zu verschulden.
Nachdem Liz die Tür des Gästeflügels abgeschlossen hatte, fuhren sie zum Nordende des Grundstücks. Das im rustikalen Stil erbaute Pförtnerhäuschen lag verborgen in einem verwunschen anmutenden Garten und wirkte wie ein eigenständiges Anwesen. Liz hatte das hübsche kleine Natursteinhaus mit den Weinranken an einer Seite immer an ein englisches Landhaus erinnert. Im Innern beeindruckte es durch eine geschmackvolle Mischung aus gediegenen Holztäfelungen und groben Natursteinwänden und wirkte dadurch ganz anders als die elegante französische Ausstattung des Gästeflügels.
»O mein Gott, das ist ja märchenhaft!«, entfuhr es der Maklerin begeistert, als sie den Rosengarten durchquerten und eintraten. »Als wäre man plötzlich in einer anderen Welt.«
Die Räume des Pförtnerhäuschens waren klein, aber gut geschnitten. Sichtbare Holzbalken an den Decken und die englischen Möbel im Landhausstil gaben dem Ganzen einen rustikalen Anstrich. Das Haus wirkte urgemütlich, vor allem durch den großen Kamin im Wohnzimmer und

eine sehr schöne Ledercouch, die Coop in einem Club in England entdeckt hatte. In der geräumigen Küche hing antikes Kochgeschirr an den Wänden. Im oberen Stockwerk gab es zwei mittelgroße Schlafzimmer in klassischem Streifendesign, was den Räumen eine maskuline Note verlieh. Die George-III-Möbel hatte Coop eine Zeit lang gesammelt. In allen Räumen lagen kostbare Teppiche, und in dem kleinen, eleganten Esszimmer standen eine Anrichte mit antikem Silber und ein Geschirrschrank voller feinstem, englischem Porzellan. Man hätte vermutet, sich in England zu befinden, und nicht in Bel Air. Das Gebäude lag näher am Tennisplatz und dafür weiter vom Pool entfernt, der fast an den Gästeflügel grenzte.

»Für den richtigen Mieter ist es das Traumhaus schlechthin!«, schwärmte die Maklerin. »Am liebsten würde ich selbst einziehen.«

»So ging es mir auch immer«, erwiderte Liz lächelnd. Sie hatte Coop irgendwann einmal gefragt, ob sie das Pförtnerhaus übers Wochenende nutzen könnte, es dann aber nie wahrgenommen. Wie der Gästeflügel war es komplett ausgestattet mit feinster Tisch- und Bettwäsche, Geschirr, Besteck und sämtlichen Kochutensilien.

»Dafür kann ich auch mindestens 10 000 monatlich verlangen«, sagte die Maklerin und wirkte sehr zufrieden. »Vielleicht sogar mehr. Es ist zwar klein, aber wunderschön und besitzt einen ganz eigenen Charme.« Ganz sicher würde sie beide Objekte im Nu vermietet haben. »Ich würde gern in der nächsten Woche noch einmal herkommen, um ein paar Fotos zu machen. Außerdem werde ich in unserer Datei nachsehen, wer von unseren Interessenten für diese Objekte in Frage kommt. Solche Immobilien laufen einem nicht jeden Tag über den Weg, und für Cooper Winslow möchte ich unbedingt die passenden Mieter finden.«

»Das ist ihm auch sehr wichtig«, betonte Liz nachdrücklich.

»Gibt es irgendwelche Auflagen, von denen ich wissen sollte?«, fragte die Maklerin, während sie sich ein paar Notizen zu Größe, Ausstattung und Anzahl der Räume machte.

»Um ehrlich zu sein, ist er nicht gerade wild auf Kinder. Ich bin auch nicht sicher, ob er sonderlich begeistert wäre von einem Hund. Das war's aber auch schon. Solange es jemand Seriöses ist, der die Miete zahlen kann, wird es keine Probleme geben.« Dass Coop unbedingt weibliche Mieter haben wollte, unterschlug sie lieber.

»Ich werde es im Hinterkopf behalten. Dies sind zwei ziemlich mondäne und nicht gerade preiswerte Mietobjekte, das wird ungeeignete Leute ohnehin abschrecken«, sagte die Maklerin. In Gedanken fügte sie hinzu, dass sie diese Objekte keinesfalls an Rockstars vermieten würde, da sie in dieser Beziehung bereits zu viele schlechte Erfahrungen gemacht hatte.

Die Maklerin verabschiedete sich kurz nach zwölf, und nachdem Liz sich vergewissert hatte, dass im Haupthaus alles in Ordnung war, fuhr sie in ihr Appartement zurück.

Das Personal hatte die Kündigung noch nicht verdaut, obwohl es nicht völlig unerwartet gekommen war. Livermore hatte bereits verkündet, dass er nach Monte Carlo gehen und für einen arabischen Prinzen arbeiten würde.

Dieser hatte schon seit Monaten versucht, den Butler abzuwerben, und an diesem Morgen hatte Livermore ihn angerufen, um das Angebot anzunehmen. Coop zu verlassen schien ihn nicht sonderlich zu erschüttern, und falls doch, so ließ er sich wie immer nichts anmerken. Für Coop würde es hingegen ein ziemlicher Schlag sein. Livermore beabsichtigte, bereits am kommenden Wochenende nach Südfrankreich zu fliegen.

Am späten Nachmittag kamen Coop und Pamela zurück. Sie hatten im *Beverly Hills Hotel* ausgiebig zu Mittag gegessen, am Pool gesessen und mit einigen von Coops Freunden geplaudert, alles bekannte Hollywoodgrößen. Pamela konnte gar nicht glauben, in welchen Kreisen sie sich auf einmal bewegte. Sie war so beeindruckt, dass sie während der Fahrt zum Anwesen kaum ein Wort sagte. Eine halbe Stunde später lag sie mit Coop im Bett, perlenden *Cristal* in einem Champagnerkühler neben seiner Bettseite. Die Köchin servierte ihnen das Abendessen auf Tabletts im Bett, und Pamela bestand darauf, zwei von Coops alten Filmen auf Video anzusehen. Danach fuhr er sie nach Hause, weil er früh am nächsten Morgen einen Termin mit seinem Fitnesstrainer und Akupunkteur hatte – und wenn er wirklich schlafen wollte, gelang es ihm besser, wenn keine schöne Frau an seiner Seite lag.

Am nächsten Morgen hatte die Maklerin schon ausführliche Exposés zu den beiden Mietobjekten zusammengestellt. Dann hängte sie sich ans Telefon und rief einige ihrer Klienten an, die auf der Suche nach etwas Besonderem waren. Für das Gästehaus vereinbarte sie drei Besichtigungstermine mit Junggesellen. Den Gästeflügel würde sie einem jungen Pärchen zeigen, das gerade nach Los Angeles gezogen war und ein Haus renovieren ließ, was noch mindestens ein Jahr, wenn nicht gar zwei in Anspruch nehmen würde. Kurz darauf klingelte ihr Telefon. Es war Jimmy.

Mit ruhiger, selbstbewusster Stimme sagte er ihr, dass er auf der Suche nach einem Mietobjekt sei. Es sollte nicht zu groß, aber mit einer ordentlichen Küche ausgestattet und leicht in Ordnung zu halten sein. Momentan kochte er zwar nicht, aber irgendwann würde er damit wieder anfangen. Neben Sport gehörte es zu den wenigen Dingen, die ihn entspannten. Es spielte für ihn auch keine Rolle, ob das Objekt möbliert war oder nicht. Die nötigsten Sachen besaß er zwar, allerdings hatten weder Maggie noch er sonderlich an ihren Möbeln gehangen, es würde ihm also nichts ausmachen, alles einzulagern, zumal ihn die Sachen doch nur an Maggie erinnert hätten. Je länger er darüber nachgedacht hatte, desto mehr war er zu der Überzeugung gelangt, dass er fremde Möbel bevorzugen würde. Die einzigen Erinnerungsstücke, die er mitnehmen würde, waren ihre gemeinsamen Fotos. Maggies persönliche Dinge würde er in Kisten packen und einlagern, damit er sie nicht jeden Tag vor Augen hätte.

Die Maklerin fragte ihn, ob er eine bestimmte Wohngegend bevorzugen würde, was er verneinte. Es könnte Hollywood, Beverly Hills, Los Angeles oder auch Malibu sein. Er sagte, er liebe das Meer, obwohl ihm in diesem Moment klar wurde, dass ihn auch das nur an Maggie erinnern würde. Es würde schwer sein, einen Ort zu finden, an dem das nicht der Fall war.

Da er kein Wort über Geld verlor, entschied die Maklerin, die Gelegenheit beim Schopf zu packen, und beschrieb ihm das Pförtnerhaus. Die Höhe der Miete nannte sie zunächst einmal nicht. Jimmy zögerte kurz, sagte dann aber, dass er es sich gern ansehen würde. Sie vereinbarten einen Termin für fünf Uhr an diesem Nachmittag. Dann fragte ihn die Maklerin noch, in welchem Stadtteil er arbeite.
»Watts«, erwiderte er abwesend und auf eine Art, als fände er daran nichts Ungewöhnliches. Die Maklerin zuckte jedoch zusammen.
»Ah, verstehe.« Sie fragte sich, ob er Afroamerikaner sei, konnte ihn aber schlecht fragen. Allerdings bekam sie Zweifel, ob er eine so hohe Miete aufbringen könnte.
»Haben Sie ein Budget, Mr. O'Connor?«
»Eigentlich nicht«, erwiderte Jimmy leicht ungeduldig. Er hatte eine Verabredung mit einer Familie wegen zwei Pflegekindern und musste allmählich los. »Wir sehen uns dann um fünf«, verabschiedete er sich. Inzwischen fragte sich die Maklerin, ob es überhaupt Sinn hatte, diesem Interessenten das Pförtnerhaus zu zeigen. Jemand, der in Watts arbeitete, würde sich die Miete wohl kaum leisten können. Und als sie Jimmy an diesem Nachmittag sah, war sie endgültig davon überzeugt.
Er kam in seinem verbeulten Honda Civic vorgefahren, den Maggie unbedingt hatte kaufen wollen, obwohl er gern die Unterhaltskosten für einen etwas spritzigeren Wagen übernommen hätte. Er hatte versucht, ihr klar zu machen, dass ein großes Auto in Los Angeles einfach zum Leben dazugehörte, aber wie so oft hatte sie ihn vom Gegenteil überzeugt. Sie fand es unmöglich, bei ihrer Arbeit in einem teuren Auto vorzufahren, und wenn er es sich

noch so problemlos hätte leisten können. Tatsächlich stammte Jimmy aus einer sehr reichen Familie, die zum alten Geldadel zählte. Dieses Geheimnis hatten Maggie und er aber immer gut gehütet, sogar gegenüber Freunden.

Jimmy trug alte, ausgefranste Jeans mit einem Loch über dem Knie, ein verwaschenes Harvard-Sweatshirt, das er schon seit mehr als zwölf Jahren besaß, und abgenutzte, feste Arbeitsschuhe. In der Gegenden, in der er arbeitete, gab es oft Ratten, und er wollte nicht gebissen werden. Einen gewissen Kontrast zu seiner Kleidung stellte die Tatsache dar, dass er gründlich rasiert war, intelligent, offenkundig sehr gebildet und kürzlich erst beim Friseur gewesen.

»Was machen Sie beruflich, Mr. O'Connor?«, fragte die Maklerin in lockerem Plauderton, während sie das Gartentor zum Pförtnerhaus aufschloss. Sie hatte es an diesem Nachmittag bereits drei Klienten gezeigt, aber dem ersten war es zu klein gewesen, dem zweiten zu abgelegen, und der dritte wollte doch lieber ein Appartement. Es war also immer noch zu haben, doch die Maklerin war mittlerweile sicher, dass Jimmy es sich nicht würde leisten können. Jedenfalls nicht vom Gehalt eines Sozialarbeiters. Aber da sie nun einmal einen Termin vereinbart hatten, musste sie es ihm wenigstens zeigen.

Als sie die Gartenhecke passierten, sog Jimmy hörbar die Luft ein. Das Gebäude sah aus wie ein irisches Landhaus und erinnerte ihn an die Reisen, die er mit Maggie nach Irland unternommen hatte. Und in dem Moment, als er das Wohnzimmer betrat, hatte Jimmy endgültig das Gefühl, in England oder Irland zu sein. Es war das perfekte

Häuschen für einen Junggesellen, mit einer schlichten, klaren Ausstrahlung und trotzdem gemütlich. Küche und Schlafzimmer sagten ihm ebenfalls zu. Am besten fand er jedoch das Gefühl, auf dem Land zu sein. Diese Art von Abgeschiedenheit gefiel ihm, sie passte zu seiner Stimmung.
»Möchte Ihre Frau es sich auch noch ansehen?«, fragte die Maklerin, um unauffällig herauszubekommen, ob er verheiratet war. Er war ein gut aussehender Bursche im besten Alter. Sie warf einen Seitenblick auf sein Sweatshirt und fragte sich, ob er wirklich in Harvard gewesen war oder es aus Prestigegründen gekauft hatte.
»Nein, sie ...«, setzte Jimmy an. »Ich ... ich werde allein hier leben.« Er brachte das Wort »verwitwet« einfach nicht über die Lippen. Jedes Mal, wenn er es versuchte, war es, als würde ihm ein Messer ins Herz gestoßen. Und »ledig« klang in seinen Ohren so Mitleid erregend und außerdem verlogen. Manchmal hätte er am liebsten immer noch gesagt, er sei verheiratet. »Es gefällt mir«, sagte er leise, ging noch einmal durch die Räume und sah in die Schränke. Auf diesem Anwesen zu wohnen kam ihm zwar ein bisschen protzig vor, aber wenn er jemanden von der Arbeit mit nach Hause brachte, konnte er ja sagen, er wäre der Haussitter, oder er brauchte dafür keine Miete zu zahlen, weil er den Garten in Schuss hielt. Wenn es sein musste, konnte man den Leuten eine Menge erzählen.
Jimmy wusste, dass Maggie dieses Haus geliebt hätte, obwohl sie mit Sicherheit niemals zugestimmt hätte, hier zu leben, weil sie ihre Hälfte der Miete nicht hätte bezahlen können. Bei diesem Gedanken musste Jimmy lächeln. Er war versucht, der Maklerin direkt zuzusagen, entschied

aber, noch eine Nacht darüber zu schlafen, und versprach der Frau, sie am nächsten Tag anzurufen. »Ich werde es mir überlegen«, sagte er, während sie hinausgingen. Die Maklerin war sicher, dass er nur das Gesicht wahren wollte. Trotzdem behandelte sie ihn überaus freundlich, schließlich wusste man nie, mit wem man es zu tun hatte. Manchmal entpuppten sich verlotterte Typen als reiche Erben. Diese Erfahrung hatte sie in ihrem Beruf sehr schnell machen müssen, folglich blieb sie Klienten gegenüber immer zuvorkommend.

Während der Rückfahrt dachte Jimmy über das Haus nach. Es war ein wunderschöner, friedlicher Ort und hatte etwas von einem Refugium, in das man sich zurückziehen konnte. Wie gern hätte er mit Maggie dort gelebt. Vielleicht beunruhigte ihn ja genau das? Es war so schwer geworden zu wissen, was das Richtige war, und seinem Kummer konnte er nirgendwo entgehen. Sobald er wieder zu Hause war, fuhr er mit dem Kistenpacken fort. Das Appartement war mittlerweile fast leer. Dann kochte er sich eine Suppe. Nach dem Essen saß er einfach nur da und starrte aus dem Fenster.

Fast die ganze Nacht lang lag er wach, dachte an Maggie und daran, was sie ihm raten würde. Er hatte überlegt, sich ein Appartement nahe an Watts zu nehmen, was sicher praktisch wäre. Jimmy hätte auch keine Bedenken gehabt, dass dies nicht gerade die sicherste Gegend war. Auch irgendein Allerweltsappartement mitten in Los Angeles wäre eine Möglichkeit gewesen. Aber während er so dalag und nachdachte, schoss ihm immer wieder das Pförtnerhaus durch den Kopf. Er konnte es sich leisten und wusste, dass Maggie es wunderschön gefunden hätte. Viel-

leicht sollte er sich dieses eine Mal in seinem Leben etwas gönnen, und die Geschichte, er würde den Garten pflegen, um weniger Miete zu zahlen, gefiel ihm. Es klang plausibel. Außerdem liebte er die Küche, das Wohnzimmer mit dem Kamin und den Garten.
Um acht Uhr am nächsten Morgen rief er die Maklerin auf ihrem Handy an. »Ich nehme es.« Während er die Worte aussprach, lächelte er – zum ersten Mal seit Wochen.
»Wirklich?« Die Maklerin klang überrascht. Sie war sicher gewesen, nie wieder von ihm zu hören, und fragte sich jetzt, ob er den Preis richtig eingeschätzt hatte. »Die Miete beträgt 10 000 im Monat, Mr. O'Connor. Das ist Ihnen bewusst?« Noch mehr zu verlangen, wagte sie nicht, da sie nicht mehr sicher war, ob das Objekt wirklich so leicht zu vermieten war. Es hatte schon einen sehr eigenen Charakter. Es war nicht jedermanns Sache, so abgeschieden zu wohnen, aber ihm schien genau das daran zu gefallen.
»Das geht in Ordnung«, versicherte er ihr. »Brauchen Sie einen Scheck als Sicherheit oder eine Kaution?« Nachdem sein Entschluss einmal gefasst war, wollte er kein Risiko eingehen.
»Nein … ich … muss natürlich erst die Kreditwürdigkeit überprüfen.« Sie war sich sicher, dass die Sache für ihn danach bestimmt gestorben wäre, aber sie war von Rechts wegen verpflichtet, den ganzen Prozess zu durchlaufen.
»Ich möchte es mir nicht durch die Lappen gehen lassen, weil in der Zwischenzeit ein anderer Interessent auftaucht.« Er klang besorgt. Dass er nicht mehr so lässig mit allem umging und sich viel schneller Sorgen machte, war ihm bereits aufgefallen. Früher hatte Maggie es übernommen, solche Angelegenheiten zu regeln.

»Ich reserviere es Ihnen natürlich.«
»Wie lange wird es dauern, die Kreditwürdigkeit zu überprüfen?«
»Ein paar Tage. Die Banken bearbeiten derartige Anfragen heutzutage ziemlich langsam.«
»Warum rufen Sie nicht einfach meinen Banker an?« Er nannte ihr den Namen des Leiters für Privatkundengeschäfte der *Bank of America Securities*. »Vielleicht kann er die Dinge ein bisschen beschleunigen.« Jimmy war immer äußerst diskret, was seine finanzielle Situation anging, aber er wusste, dass die Sache wie geschmiert laufen würde, sobald die Maklerin diesen Anruf getätigt hatte. Seine Kreditwürdigkeit war nun wirklich kein Problem.
»Mache ich gern, Mr. O'Connor. Unter welcher Nummer kann ich Sie heute telefonisch erreichen?«
Jimmy nannte ihr seine Büronummer und sagte, sie könne auf dem Anrufbeantworter eine Nachricht hinterlassen, wenn er nicht da sei. Er würde dann so schnell wie möglich zurückrufen. »Den ganzen Vormittag über werde ich aber dort sein.« Auf seinem Schreibtisch türmten sich ganze Aktenberge, die dringend bearbeitet werden mussten.
Um zehn Uhr rief die Maklerin bereits zurück.
Die Überprüfung war genau so verlaufen, wie Jimmy es sich gedacht hatte. Sobald die Maklerin dem Banker Jimmys Namen genannt hatte, war ihr mitgeteilt worden, dass es auch nicht den Hauch eines Zweifels an Jimmys Kreditwürdigkeit gäbe. Man könne keinerlei Auskünfte über sein Vermögen machen, aber er gehöre zu ihren wichtigsten Klienten.
»Beabsichtigt Mr. O'Connor, das Haus zu kaufen?«, fragte der Banker interessiert. Er hoffte es insgeheim, denn

nach der kürzlich eingetretenen Tragödie wäre es ein gutes Zeichen gewesen, und die Finanzierung war nun wirklich kein Problem. Wenn Jimmy wollte, könnte er *The Cottage* kaufen. Aber das hatte der Banker lieber für sich behalten.

»Nein, er möchte es mieten.« Um sich noch einmal bestätigen zu lassen, dass nicht doch ein Missverständnis vorlag, fügte die Maklerin hinzu: »Die monatliche Miete beträgt 10 000, außerdem brauchen wir die erste Miete im Voraus sowie eine Kaution von 25 000 Dollar.« Wieder wurde ihr versichert, dass es in Ordnung gehe. Das weckte ihre Neugier, und in einem Anfall von Indiskretion fragte sie: »Wer ist er?«

»Genau der, der er zu sein behauptet: James Thomas O'Connor. Einer unserer solventesten Kunden.« Mehr wollte der Banker nicht verraten, was das Interesse der Maklerin nur noch steigerte.

»Ich war ein bisschen besorgt. Für einen Sozialarbeiter ist es schon ungewöhnlich, dass er sich eine so hohe Miete leisten kann.«

»Es ist bedauerlich, dass es nicht mehr Menschen wie ihn gibt. Kann ich sonst noch etwas für Sie tun?«

»Würde es Ihnen etwas ausmachen, mir eine kurze schriftliche Bestätigung zu faxen?«

»Kein Problem. Sollen wir in seinem Namen einen Scheck ausstellen, oder wird er das selbst tun?«

»Ich werde ihn fragen«, hatte sie erwidert, und in diesem Moment war ihr erst bewusst geworden, dass sie soeben Cooper Winslows Pförtnerhaus vermietet hatte.

Als sie jetzt noch einmal bei Jimmy anrief, berichtete sie von den guten Neuigkeiten und sagte, er könnte jederzeit

die Schlüssel haben und einziehen. Er versprach, mittags bei ihr vorbeizukommen, um den Scheck abzugeben. Einziehen wolle er jedoch erst, wenn er sein Appartement komplett geräumt hätte. Er klammerte sich noch ein bisschen daran, weil es ihn so sehr an Maggie erinnerte, aber ihm war klar, dass er Maggie im Herzen mitnähme, wohin auch immer er ginge.
»Ich hoffe, Sie werden dort glücklich sein, Mr. O'Connor. Das Haus ist wirklich ein Kleinod. Und es wird Ihnen sicher Vergnügen machen, Mr. Winslow kennenzulernen.«
Nachdem Jimmy aufgelegt hatte, stellte er sich vor, was Maggie dazu gesagt hätte, dass sein neuer Vermieter ein Filmstar war, und er musste laut lachen. Dieses eine Mal würde er es genießen, etwas Verrücktes zu tun. Und tief in seinem Herzen spürte er die Gewissheit, dass Maggie es nicht nur gebilligt hätte, sondern ihm zuliebe auch ihren Spaß daran gehabt hätte.

## 5. Kapitel

Als Mark morgens ins Büro kam, hatte er wieder eine albtraumhafte, schlaflose Nacht hinter sich. Kaum war er eingetroffen, da klingelte schon sein Telefon. Abe Braunstein war am Apparat.
»Hat mich richtig mitgenommen, was Sie mir gestern erzählt haben«, sagte Abe mitfühlend. Er hatte am Vorabend noch lange darüber nachgedacht und sich gefragt, ob Mark nicht vielleicht auf der Suche nach einem Appartement war. Schließlich konnte er schlecht bis in alle Ewigkeit in einem Hotel wohnen. »Hören Sie, Mark, ich hatte letzte Nacht eine verrückte Idee. Ich weiß nicht, ob Sie auf der Suche nach einer neuen Bleibe sind und was Ihnen so vorschwebt, aber es gibt da ein äußerst ungewöhnliches Objekt, das gerade erst auf den Markt gekommen ist. Cooper Winslow, einer meiner Klienten, vermietet den Gästeflügel seines Hauses. Er sitzt ganz schön in der Klemme – diese Information ist natürlich streng vertraulich. Winslow besitzt ein fantastisches Anwesen in Bel Air und wird den Gästeflügel und das Pförtnerhaus vermieten. Ich wollte Ihnen unbedingt Bescheid sagen, denn es ist wirklich traumhaft, hat so ein bisschen Country-Club Atmosphäre. Sie könnten es sich ja einmal unverbindlich ansehen.«
»Ehrlich gesagt habe ich noch gar nicht über das Thema nachgedacht«, gestand Mark. Er war eigentlich noch nicht

so weit, obwohl er sich eingestehen musste, dass es sich nicht schlecht anhörte, auf Cooper Winslows Anwesen in Bel Air zu leben.

»Wenn Sie wollen, hole ich Sie heute Mittag ab und fahre mit Ihnen gemeinsam hin. Sich das Anwesen einmal anzusehen ist in jedem Fall ein Erlebnis. Tennisplatz, Swimmingpool und ein fünfeinhalb Hektar großer Park mitten in der Stadt.«

»Gern.« Mark wollte nicht unhöflich sein, obwohl er nicht in der Stimmung für Hausbesichtigungen war, selbst wenn es sich um Cooper Winslows Anwesen handelte. Aber er beschloss, dass er es sich trotzdem einmal ansehen sollte, schließlich brauchte er irgendwann mehr Platz, damit seine Kinder ihn besuchen konnten.

»Ich hole Sie um halb eins ab. Der Maklerin gebe ich Bescheid, dass sie uns dort treffen soll. Es ist nicht gerade preiswert, aber ich denke, Sie können es sich leisten.« Abe lächelte, wohl wissend, dass Mark einer der am besten verdienenden Partner der Kanzlei war. Das Steuerrecht war vielleicht nicht aufregend, aber lukrativ. Allerdings trug Mark das nicht nach außen. Der einzige Luxus, den er sich gönnte, war ein teurer Mercedes. Mark stand mit beiden Beinen fest auf dem Boden und war immer eher bescheiden gewesen.

Abe holte ihn pünktlich ab. Während der ganzen Fahrt sprachen sie über ein neues Steuergesetz, das einige Schlupflöcher aufzuweisen schien. Sie waren so in ihr Gespräch vertieft, dass Mark überrascht aufschaute, als sie plötzlich vor dem Haupttor von *The Cottage* hielten, das allein schon äußerst beeindruckend wirkte. Nachdem Abe das Tor mithilfe des Codes geöffnet hatte, fuhren sie unter

Bäumen entlang über die gewundene Zufahrt durch die riesige, gepflegte Gartenanlage. Als Mark das Haus sah, lachte er laut auf. Er konnte sich nicht im Traum vorstellen, in einem solchen Palast zu residieren.
»Du liebe Güte, wohnt er wirklich hier?« Er sah eine Marmortreppe und Marmorsäulen sowie einen riesigen Springbrunnen, der ihn an den Place de la Concorde in Paris erinnerte.
»Das Anwesen wurde einst für Vera Harper gebaut. Seit mittlerweile vierzig Jahren gehört es Winslow, und der Unterhalt kostet ihn ein Vermögen.«
»Kann ich mir denken. Wie viele Hausangestellte hat er?«
»An die zwanzig. Aber in zwei Wochen werden nur noch das Hausmädchen und drei der acht Gärtner übrig sein. Er ist natürlich nicht sonderlich glücklich darüber. Dabei rate ich ihm auch dringend, seine Autos zu verkaufen. Falls Sie also einen Rolls oder Bentley benötigen … Winslow ist übrigens durchaus eine interessante Persönlichkeit, aber verwöhnter, als die Polizei erlaubt. Auch wenn ich es nur ungern zugebe: Dieser Ort passt zu ihm.« Abe verkörperte alles, was Coop fremd war: Er war pragmatisch, realistisch, genügsam, ohne jeden Hauch von Eleganz oder Stil. Und doch besaß Abe mehr Mitgefühl, als Coop sich vorstellen konnte. Das hatte ihn auch dazu bewogen, Mark hierher zu bringen. Der Bursche tat ihm leid, und er wollte ihm gern helfen. Abe hatte den Gästeflügel noch nie betreten, aber Liz hatte ihm gesagt, er sei sagenhaft – und sie sollte recht behalten.
Die Maklerin ließ sie eintreten, und Mark stieß einen leisen Pfiff aus. Bewundernd betrachtete er die hohen

Decken und genoss die wunderbare Aussicht durch die Terrassentüren. Der Garten war absolut fantastisch, Mark kam sich vor wie in einem französischen Schloss. Auch die Möbel gefielen ihm. Die Küche war vielleicht ein bisschen altertümlich, aber das störte ihn nicht, denn – wie die Maklerin zu Recht betonte – sie wirkte sehr gemütlich. Das prächtig ausstaffierte Hauptschlafzimmer amüsierte ihn. Blauer Satin war nicht gerade das, was er für sein Schlafzimmer auswählen würde, aber schick war es in jedem Fall. In letzter Zeit hatte er manchmal überlegt, nach New York zurückzugehen, um in der Nähe der Kinder zu sein, aber er wollte nicht den Eindruck erwecken, Janet nachzulaufen. Außerdem hatte er eine Menge Klienten in Los Angeles, die auf ihn zählten. Auf alle Fälle wollte Mark nichts überstürzen, und sicher würde es ihm leichter fallen, wenn er wieder ein Zuhause hätte – auch wenn es nur gemietet war. Außerdem wäre es längst nicht so deprimierend, wie in einem Hotel zu wohnen, wo er nachts wach lag und hörte, wie andere Gäste die Toilettenspülung betätigten oder mit den Türen knallten.

»Das Haus ist ein echtes Erlebnis.« Er kam sich vor wie in einer anderen Welt. Nicht einmal im Traum hätte er gedacht, dass es Menschen gab, die so lebten. Sein eigenes Haus war äußerst komfortabel und schick eingerichtet gewesen, aber dieser Gästeflügel wirkte im Vergleich dazu wie eine Filmkulisse. Hier zu wohnen hätte etwas von einem Abenteuer, und die Kinder wären bestimmt begeistert, insbesondere über den Tennisplatz und den Pool. Außerdem gab es ihm ein gutes Gefühl, dass die ganze Anlage umzäunt und gesichert war. »Ich bin froh, dass Sie mich hergebracht haben.« Er lächelte Abe dankbar an.

»Es war eine spontane Idee, aber ich dachte, es lohnt sich vielleicht, einen Blick darauf zu werfen. Sie können schlecht auf Dauer in einem Hotel wohnen.« Da Mark Janet die ganzen Möbel überlassen hatte, war es auch von Vorteil, dass der Gästeflügel komplett eingerichtet war. Hier zu wohnen war für Mark in vielerlei Hinsicht die perfekte Lösung, jedenfalls so lange, bis er herausgefunden hatte, wie es mit seinem Leben weitergehen sollte.
»Wie hoch ist die Miete?«, wandte er sich an die Maklerin.
»10 000 im Monat«, erwiderte sie, ohne mit der Wimper zu zucken. »Sie finden allerdings auch nichts Vergleichbares. Viele Leute würde das Zehnfache zahlen, um hier leben zu können. *The Cottage* ist ein einzigartiges Anwesen. Gerade heute Morgen habe ich übrigens das Pförtnerhaus an einen sehr netten jungen Mann vermietet.«
»Tatsächlich?«, hakte Abe interessiert nach. »An jemanden, den wir kennen?« Er war es gewohnt, die Namen gefeierter Persönlichkeiten und Filmstars zu hören, sowohl was seinen Klientenstamm anging als auch Coops Freundeskreis.
»Ich denke nicht. Er ist Sozialarbeiter«, erwiderte sie trocken.
»Kann er sich das leisten?«, fragte Abe überrascht. Als Coops Steuerberater hatte er ein begründetes Interesse, derartige Fragen zu stellen. Sie durften keinesfalls einen Mieter ins Haus holen, der dann die Miete nicht zahlen konnte.
»Offenbar. Der Leiter der Privatkundengeschäfte der *Bank of American Securities* versicherte mir, der Mann sei einer ihrer solventesten Kunden. Nur zehn Minuten später

schickte er mir eine schriftliche Bestätigung per Fax, und bevor ich hier herausfuhr, kam der neue Mieter und überreichte mir einen Scheck über zwei Monatsmieten plus Kaution. Ich werde ihm den Mietvertrag noch heute Abend vorbeibringen. Er wohnt derzeit in Venice Beach.«

»Interessant«, murmelte Abe, doch dann widmete er seine Aufmerksamkeit wieder Mark, der gerade die Kleiderschränke in Augenschein nahm. Mark gefiel es besonders gut, dass es noch zwei weitere Schlafzimmer gab – sie wären perfekt für seine Kinder. Überhaupt wären sie bestimmt begeistert von diesem Haus. Es war elegant und mondän, aber dennoch gemütlich und vor allem sehr geschmackvoll.

Mark dachte über die hohe Miete nach, während er sich weiter umsah. Er wusste zwar, dass er sie sich leisten könnte, fragte sich aber, ob er wirklich so viel ausgeben wollte. In diesem Fall schlüge er zum ersten Mal in seinem Leben über die Stränge, so wie Janet es getan hatte, als sie geradewegs aus der Tür hinaus in die Arme eines anderen Mannes marschiert war. Während er nichts weiter täte, als sich ein Jahr lang eine teure Wohnung zu gönnen, eine, in der er wirklich gern wohnen würde. Inmitten dieses friedlichen Parks würde er vielleicht sogar wieder besser schlafen können. Er könnte ein paar Bahnen im Pool schwimmen, wenn er abends von der Arbeit kam, oder Tennis spielen, falls er einen Partner fand. Cooper Winslow zu einem Match herauszufordern, konnte er sich allerdings nicht so recht vorstellen. »Ist Mr. Winslow überhaupt jemals da?«, fragte er die Maklerin neugierig.

»Offenbar reist er sehr viel, was auch der Grund ist,

warum er Mieter haben möchte. Auf diese Art wäre das Anwesen immer bewohnt, und zwar nicht nur von Dienstboten.« Das ist jedenfalls die offizielle Version, dachte Abe, und ihm war klar, dass es Liz gewesen sein musste, die es der Maklerin gegenüber so dargestellt hatte. Sie war immer diplomatisch und darum bemüht, Coops guten Ruf zu wahren. Abe hatte auch nicht vor, die Maklerin darauf hinzuweisen, dass in zwei Wochen gar keine Dienstboten mehr hier lebten.

»Das ergibt Sinn«, nickte Mark. »So kann er sich insgesamt sicherer fühlen«, fügte er hinzu, wobei er sich nur zu gut an das erinnerte, was Abe ihm im Vertrauen über Coops Finanzsituation gesagt hatte.

»Sind Sie verheiratet, Mr. Friedman?«, fragte die Maklerin höflich. Sie wollte sichergehen, dass er nicht mit zehn Kindern hier einzog, obwohl sie sich eingestehen musste, dass er dafür gar nicht der Typ war.

»Ich … äh … nein … ich lebe in Scheidung.« Nur mit Mühe brachte er die Worte heraus.

»Leben Ihre Kinder bei Ihnen?«

»Nein, die sind in New York.« Auch dieses Eingeständnis brach ihm fast das Herz. »Ich werde Sie, sooft es geht, dort besuchen, hierher können sie nur während der Ferien kommen. Sie wissen ja, wie Kinder sind, sie wollen lieber in der Nähe ihrer Freunde bleiben. Ich kann mich glücklich schätzen, wenn sie wenigstens einmal im Jahr herkommen«, fügte er traurig hinzu. Die Maklerin stellte erleichtert fest, dass Mark der perfekte Mieter war, ein alleinstehender Mann mit Kindern, die weit weg lebten und wahrscheinlich so gut wie nie zu Besuch kämen. Etwas Besseres würde sie kaum finden. Und da Abe ihn mitgebracht hatte, durfte er auch zahlungskräftig sein. Noch während sie darüber nachdachte, ging Mark noch einmal ins Wohnzimmer und rief: »Ich nehme es.« Sogar Abe wirkte überrascht, aber Mark strahlte, und die Maklerin war hochzufrieden. In nur zwei Tagen hatte sie beide Objekte zu einem ansehnlichen Betrag vermietet.

Mark war schlichtweg begeistert und hatte plötzlich das Gefühl, als könne er gar nicht schnell genug aus dem Hotel ausziehen. Die Maklerin sagte ihm, er könne innerhalb weniger Tage einziehen, sobald seine Kreditwürdigkeit überprüft sei und er ihr den Scheck übergeben hätte. Trotzdem übergab sie ihm schon einmal die Schlüssel. Liz hatte ihr gesagt, dass beide Objekte vor dem Einzug der Mieter von einer Reinigungsfirma in Ordnung gebracht würden, was sie jetzt so an Mark weitergab.

»Ich denke, ich werde nächstes Wochenende einziehen«, sagte er glücklich, während er und die Maklerin den Abschluss mit einem Handschlag besiegelten. Danach bedankte sich Mark überschwänglich bei Abe, dass der ihm diesen guten Tipp gegeben hatte.

»Das ging schneller, als ich gedacht hätte«, sagte Abe lächelnd, während sie auf dem Highway in die Stadt zurückfuhren.

»Das ist wahrscheinlich das Verrückteste, das ich je getan habe, aber genau das brauche ich jetzt vielleicht«, bekannte Mark. Ihm ging durch den Kopf, dass er sonst immer sehr ernst und verantwortungsbewusst war und jeden seiner Schritte gründlich abwägte. Jetzt fragte er sich, ob er Janet vielleicht aus genau diesem Grund an einen anderen Mann verloren hatte, der vermutlich viel aufregender war als er selbst. »Vielen Dank, Abe. Ich bin begeistert von

dem Anwesen. Das ist Luxus pur, den ich mir ein Jahr lang gönnen werde.«
»Es wird Ihnen guttun«, sagte Abe aufmunternd.
Noch am selben Abend rief Mark Jessica und Jason in New York an, um ihnen zu erzählen, dass er den Gästeflügel von Cooper Winslows Haus gemietet hatte.
»Wer soll das sein?«, fragte Jason, der ganz offenbar nicht die leiseste Ahnung hatte.
»Ich glaube, das ist so ein steinalter Typ, der in Filmen mitgespielt hat, als Dad noch ein Kind war«, erklärte Jessica ihm. Sie führten dieses Telefonat zu dritt.
»So ungefähr«, bestätigte Mark zufrieden. »Aber das Entscheidende ist, dass wir einen eigenen Flügel in seinem Haus haben werden. Es liegt in einem wundervollen Park mit Tennisplatz und Swimmingpool. Ihr zwei werdet euren Spaß haben, wenn ihr hier seid.«
»Ich vermisse unser altes Haus«, sagte Jason bedrückt.
»Und ich hasse meine neue Schule«, fügte Jessica hinzu. »Die Mädchen sind alle gemein und die Jungs Langweiler.«
»Ihr müsst der Sache ein bisschen Zeit geben«, argumentierte Mark diplomatisch. Es war schließlich nicht seine Idee gewesen, sich scheiden zu lassen und die beiden nach New York zu verpflanzen. Aber er wollte Janets Verhalten nicht vor den Kindern kritisieren. Welche Unstimmigkeiten es auch immer zwischen ihnen geben mochte – sie mussten es unter sich ausmachen. »Es dauert, bis man sich an eine neue Schule gewöhnt hat. Und bald sehen wir uns wieder«, versuchte er seine Kinder aufzumuntern. Im Februar würde er übers Wochenende nach New York fliegen, und im März hatten die Kinder Ferien, dann würden

sie zu dritt Urlaub in der Karibik machen, auf St. Barts. Mark überlegte sogar, für diesen Urlaub ein kleines Boot zu chartern. Er versuchte, wo es nur ging, aus seinem altbekannten Trott auszubrechen. »Wie geht es Mom?«
»Ganz gut, sie geht viel aus«, antwortete Jason mit einem leicht klagenden Unterton. Bisher hatten die Kinder kein Wort über einen neuen Mann verloren, und Mark vermutete, dass Janet ihn den beiden noch gar nicht vorgestellt hatte. Sie wartete bestimmt ab, bis sich alles etwas eingespielt hatte, und schließlich waren sie gerade einmal knapp vier Wochen in New York. Keine lange Zeit, obwohl es Mark vorkam wie eine halbe Ewigkeit.
»Warum können wir unser Haus nicht behalten?«, fragte Janet traurig, und als Mark sagte, dass er es bereits verkauft hatte, weinten die beiden. Wieder einmal wurde die Stimmung während ihres Gesprächs immer gedrückter, so war es bisher jedes Mal gewesen. Und Jessica musste dann immer jemandem die Schuld geben – meistens ihrem Vater. Sie hatte noch nicht herausgefunden, dass es ihre Mutter war, die die Scheidung wollte, und Mark wollte die Kinder nicht von sich aus darauf stoßen. Er wartete lieber ab, bis Janet von selbst die Verantwortung für ihr Handeln übernahm. Bisher hatte sie den Kindern einfach gesagt, ihr Daddy und sie kämen nicht mehr miteinander zurecht, was eine glatte Lüge war. Sie waren prima miteinander ausgekommen – bis Adam auf der Bildfläche erschien. Mark fragte sich, was sie den Kindern über ihn erzählen würde, vielleicht dass sie ihn gerade erst getroffen hatte. Es würde Jahre dauern, bis Jason und Jessica die Wahrheit entdeckten, womöglich käme es sogar niemals dazu – eine Vorstellung, die Mark zusätzlich deprimierte.

Dann würden seine Kinder nämlich ihm bis in alle Ewigkeit die Schuld an der Scheidung geben. Und seine größte Sorge war, dass die beiden ebenso begeistert von Adam waren wie ihre Mutter und ihren leiblichen Vater darüber vergaßen. Schließlich lebte er dreitausend Meilen weit weg und sah sie seltener, als ihm lieb war. Mark konnte es kaum erwarten, bis sie endlich nach St. Barts flogen. Er hatte dieses Ziel ausgesucht, weil er hoffte, dass sie dort alle drei viel Spaß haben würden.

Nachdem er den Kindern wie immer versprochen hatte, sie am nächsten Tag wieder anzurufen, sagte er im Hotel Bescheid, dass er am Wochenende ausziehen würde. Er konnte es kaum erwarten. Mark freute sich sehr auf seine neue Wohnung; der bevorstehende Umzug war die erste positive Sache, seit Janet ihn mit der Hiobsbotschaft konfrontiert hatte. An diesem Abend zog er noch einmal los und aß einen Hamburger. Zum ersten Mal seit Wochen war er richtig hungrig.

Freitagabend packte er seine Kleidung in zwei Koffer, und am nächsten Morgen machte er sich auf den Weg zu Winslows Anwesen. Er kannte bereits den Code für das Tor. Als er den Gästeflügel betrat, bemerkte er sofort, dass alles peinlich sauber war. Überall war gesaugt und Staub gewischt worden, und die Möbel glänzten von der frischen Politur. Auch die Küche strahlte vor Sauberkeit, und das Bett war frisch bezogen. Zu seiner eigenen Überraschung fühlte sich Mark, als käme er nach Hause.

Nachdem er ausgepackt hatte, unternahm er einen ausgiebigen Spaziergang durch den Park. Dann fuhr er in den Supermarkt und besorgte sich Vorräte und ein paar

Lebensmittel für das Mittagessen. Anschließend legte er sich an den Pool, um ein bisschen Sonne zu tanken. Als er nachmittags die Kinder anrief, war er in Hochstimmung. Bei ihnen war es bereits Abend und schneite. Die beiden klangen gelangweilt. Sie waren es leid, immer zu Hause herumzuhängen. Jessica würde abends mit Freunden ausgehen, aber Jason hatte nichts vor. Er vermisste seinen Dad, das Haus, seine Freunde und die alte Schule. Es schien rein gar nichts zu geben, das ihm an New York gefiel.

»Halte durch, Kumpel«, versuchte Mark seinen Sohn aufzumuntern. »In zwei Wochen bin ich da. Dann wird uns schon etwas einfallen, das wir unternehmen können. Hattest du diese Woche ein Fußballspiel?« Mark bemühte sich um einen lockeren Plauderton, während Jason sich in einem fort beklagte.

»Wir spielen doch nie, wegen des Schnees.« Jason hasste New York. Er war nun einmal seit seinem dritten Lebensjahr in Kalifornien aufgewachsen und konnte sich nicht einmal mehr daran erinnern, vorher in New York gelebt zu haben. Er wollte einfach nur zurück in seine Heimat Kalifornien.

Sie unterhielten sich noch eine Weile, bis Mark sich schließlich verabschiedete. Dann machte er sich mit der Küchenausstattung vertraut. Abends sah er sich ein Video an und stellte amüsiert fest, dass Cooper Winslow darin eine Statistenrolle hatte. Er war in der Tat ein äußerst attraktiver Mann, und Mark fragte sich, ob und wann sie einander wohl über den Weg laufen würden. Am Nachmittag war kurz hinter ihm ein Rolls-Royce-Cabrio auf das Grundstück gefahren, aber auf die Entfernung konnte

Mark nur erkennen, dass ein Mann mit silbergrauem Haar am Steuer saß und auf dem Beifahrersitz eine Frau mit langem blonden Haar. Dieser Coop führte allem Anschein nach ein weitaus aufregenderes Leben als er selbst. Nach sechzehn Jahren als treuer Ehemann war es Mark schwer vorstellbar, sich auch nur zu verabreden – und er hatte nicht einmal Verlangen danach. Zu viele Erinnerungen gingen ihm durch den Kopf, außerdem grübelte er oft über die Situation seiner Kinder. Momentan wäre in seinem Leben gar kein Platz für eine neue Frau – in seinem Leben vielleicht, korrigierte er sich selbst, aber nicht in seinem Herzen. In dieser Nacht schlief er endlich wieder gut und erwachte am nächsten Morgen zufrieden. Er hatte geträumt, seine Kinder würden wieder bei ihm leben. Ihm ging durch den Kopf, dass sein Leben dann wieder nahezu perfekt wäre. Immerhin hatte sich seine Situation gegenüber dem Leben im Hotelzimmer schon entscheidend verbessert, und in zwei Wochen würde er Jason und Jessica endlich sehen. Das war etwas, worauf er sich freuen konnte, und mehr brauchte er momentan nicht.

Als er sich Frühstück machen wollte, musste er feststellen, dass der Herd in der Küche nicht funktionierte. Er fand es nicht weiter schlimm und nahm sich vor, der Maklerin Bescheid zu sagen. Für den Augenblick taten es auch Orangensaft und Toast. Er war sowieso kein großer Koch und stand eigentlich nur am Herd, wenn die Kinder da waren.

Im Haupthaus machte Coop gerade ähnliche Erfahrungen. Seine Köchin war Anfang der Woche gegangen, nachdem sie eine neue Stelle gefunden hatte. Die beiden Haus-

mädchen hatten über das Wochenende frei und würden Anfang der Woche gehen. Der Hausdiener hatte bereits woanders eine Anstellung gefunden, und Paloma war am Wochenende grundsätzlich nicht hier. Mit Bikinihöschen und einem von Coops T-Shirts bekleidet bereitete Pamela das Frühstück zu. Sie hatte behauptet, ein wahres Genie in der Küche zu sein, wovon der Berg trockenen Rühreis mit angebranntem Schinken in ihren Augen offenbar zeugte, den sie ihm auf einem Teller im Bett servierte.
»Was bist du doch für ein tüchtiges Mädchen«, lobte Coop sie bewundernd und mit besorgtem Blick auf die Eier. »Ich nehme mal an, die Tabletts konntest du nicht finden?«
»Was für Tabletts, Liebling?«, fragte sie in ihrem gedehnten Oklahoma-Akzent. Sie war so stolz auf ihr Werk, dass sie im Eifer des Gefechts Servietten und Messer vergessen hatte. Sie ging noch einmal zurück, um beides zu holen. Coop stocherte vorsichtig in dem Ei herum und probierte ein winziges Stück. Die Eier waren nicht nur trocken, sondern auch kalt. Er ahnte, dass Pamela während des Kochens mit einer Freundin telefoniert hatte. Kochen war entgegen ihrer Behauptung nie ihre Stärke gewesen, das, was sie im Bett mit Coop anstellte, aber schon – folglich war er zufrieden. Das einzige Problem war, dass man mit ihr nicht reden konnte, höchstens über ihre Frisur, ihr Make-up, ihre Feuchtigkeitscreme oder ihren letzten Fototermin. Sie war ziemlich beschränkt, aber es war schließlich nicht ihr Intellekt, der ihn anzog. Diese jungen Mädchen übten auf ihn eine geradezu belebende Wirkung aus. Coop konnte fabelhaft mit Frauen in Pamelas Alters umgehen, er war charmant, lustig, weltgewandt, kultiviert

– und fuhr fast jeden Tag mit ihnen zum Einkaufen. Nie zuvor in ihrem Leben hatte Pamela so viel Spaß gehabt wie mit Coop, und dabei ihr sein Alter völlig egal. Sie besaß jetzt eine komplette neue Garderobe, und in der vergangenen Woche hatte er ihr Diamantohrringe mit einem dazu passenden Armband gekauft. Keine Frage: Cooper Winslow verstand es zu leben.

Er spülte die Eier in der Toilette weg, während Pamela noch einmal in die Küche ging, um ihm ein Glas Orangensaft zu holen. Als sie zurückkam, war sie mächtig stolz, dass er alles aufgegessen hatte. Sobald auch sie mit dem Frühstück fertig war, lotste er sie wieder ins Bett, wo sie den ganzen Nachmittag verbrachten. Abends führte er sie ins *Le Dôme* zum Essen aus. Sie ging auch sehr gern mit ihm ins *Spago*. Sie fand es unglaublich aufregend, dass alle Leute sie anstarrten, sobald sie Coop erkannt hatten, und dann wissen wollten, wer die Frau an seiner Seite war. Die Männer warfen ihm neidische Blicke zu, und die Frauen zogen pikiert die Augenbrauen hoch – Pamela entzückte beides.

Nach dem Abendessen fuhr er sie zurück zu ihrem Appartement. Das Wochenende mit ihr war äußerst nett gewesen, aber jetzt hatte Coop eine anstrengende Woche vor sich. Er musste für eine Autowerbung posieren, was ganz gut bezahlt wurde. Außerdem war es Liz' letzte Woche auf dem Anwesen.

Coop war froh, sich an diesem Abend allein in sein Bett legen zu können. Pamela war zwar amüsant, aber auch ein großes Kind – und im Gegensatz zu ihr brauchte er seinen Schönheitsschlaf. Er legte sich um zehn Uhr hin und schlief wie ein Stein – bis Paloma am nächsten Morgen mit lautem Knall die Fensterläden aufstieß. Coop saß mit einem Satz aufrecht im Bett und war schlagartig hellwach.

»Was zum Teufel tun Sie hier?« Coop hatte im ersten Moment nicht den blassesten Schimmer, was die junge Frau in seinem Zimmer zu suchen hatte. Erleichtert stellte er fest, dass er sich am Vorabend einen Seidenpyjama angezogen hatte – sonst hätte er splitterfasernackt auf dem Bett ausgestreckt gelegen. Paloma trug eine saubere, weiße Schürze, eine strassbesetzte Sonnenbrille und knallrote Pumps. Sie wirkte wie eine Mischung aus einer Krankenschwester und einer wahrsagenden Zigeunerin. Coop war alles andere als amüsiert.

»Miss Liz gesagt, du wollen aufstehen um acht«, sagte sie und starrte ihn an. Dass sie ihn nicht ausstehen konnte, war unübersehbar. Aber Coop konnte sie umgekehrt genauso wenig leiden.

»Konnten Sie nicht einfach an die Tür klopfen?«, herrschte er sie an, ließ sich aufs Bett zurückfallen und schloss die Augen. Sie hatte ihn aus tiefstem Schlaf gerissen.

»Ich versuchen. Du nicht antworten. Also ich kommen rein. Jetzt du sein wach. Miss Liz sagen, du müssen gehen zu Arbeit.«

»Vielen Dank«, sagte er betont freundlich und hielt die Augen geschlossen. »Würde es Ihnen etwas ausmachen, mir Frühstück zu bringen?« Außer ihr war niemand mehr da, der es tun könnte. »Ich hätte gern Rührei und Roggentoast, Orangensaft und schwarzen Kaffee. Danke.«

Sie murmelte etwas, das wohl nicht unbedingt für seine Ohren bestimmt war, und verließ das Zimmer. Coop stöhnte. Das versprach eine äußerst anstrengende Bezie-

hung zu werden. Warum zum Teufel hatte ausgerechnet sie bleiben müssen? Weil sie am wenigsten kostet, dachte er und seufzte. Als er aber zwanzig Minuten später aus der Dusche zurückkehrte und ein Tablett mit seinem Frühstück auf dem Bett vorfand, musste er zugeben, dass die Eier gut waren. In jedem Fall besser als Pamelas – obwohl Paloma *Huevos Rancheros* gemacht hatte. Normalerweise hätte er sich beschwert, aber es schmeckte köstlich, und er verdrückte alles bis auf den letzten Krümel.
Eine halbe Stunde später war er durch die Tür, in Blazer, grauen Freizeithosen und blauem Hemd. Sein Haar lag perfekt wie immer. Als er in seinen alten Rolls stieg und davonfuhr, war er die Eleganz und Kultiviertheit in Person. Mark fuhr in seinem Wagen direkt hinter ihm. Er war auf dem Weg ins Büro und fragte sich, wohin Coop zu dieser frühen Stunde wollte, zudem ohne Begleitung, was selten vorkam.
Liz kam den beiden auf halbem Weg entgegen und winkte Coop im Vorbeifahren zu. Sie konnte immer noch nicht glauben, dass dies ihre letzte Woche auf dem Anwesen sein sollte.

## 6. Kapitel

Liz' letzte Arbeitstage als Coops Angestellte hatten für sie beide eine bittersüße Note. Coop überschlug sich fast vor Nettigkeit und übertraf sich selbst an Großzügigkeit. Er schenkte ihr einen Diamantring, den angeblich einst seine Mutter getragen hatte, doch Liz brachte dieser Geschichte die gebotene Skepsis entgegen. Aber wem der Ring auch gehört haben mochte, er war wunderschön und passte wie angegossen. Sie versprach Coop, ihn immer zu tragen, da dieser Ring sie an ihn erinnern würde.
Freitagabend führte er sie ins *Spago* aus, wo sie ein bisschen zu viel trank. Und als er sie schließlich vor ihrer Haustür absetzte, sagte sie weinend, dass sie sich ohne ihn schrecklich fühlen würde. Er hatte sich mittlerweile damit abgefunden und versicherte ihr, dass sie die richtige Entscheidung getroffen habe. Dann verabschiedete er sich und eilte nach Hause, wo seine neueste Flamme auf ihn wartete.
Während Pamela zu einem Fotoshooting in Mailand war, hatte er Charlene kennengelernt, als er für die Autowerbekampagne posieren musste. Sie sah fantastisch aus und war neunundzwanzig – für Coops Verhältnisse schon recht alt. Aber sie hatte den tollsten Körper, den er je gesehen hatte – und er hatte nicht wenige gesehen. Ihrer war es allemal wert, in die Cooper-Winslow-Ruhmeshalle aufgenommen zu werden.

Charlene hatte riesige Brüste, auf deren Echtheit sie bestand, und eine Taille, die Cooper mit beiden Händen umfassen konnte. Ihr langes, pechschwarzes Haar und die großen grünen Augen hatte sie angeblich von ihrer japanischen Großmutter geerbt. Zu Coops großer Erleichterung war sie intelligenter als Pamela. Charlene war in Brasilien aufgewachsen, hatte zwei Jahre lang in Paris gelebt, die Sorbonne besucht und nebenbei gemodelt. Sie verkörperte eine wunderbare Mischung internationaler Einflüsse – und war schon am zweiten Tag des Fotoshootings mit ihm ins Bett gegangen. Coop hatte eine fantastische Woche hinter sich.
Er hatte sie eingeladen, das Wochenende mit ihm zu verbringen, und sie hatte mit einem Begeisterungsschrei zugestimmt. Coop dachte bereits darüber nach, mit ihr nach Südfrankreich ins *Hôtel du Cap* zu fahren. Oben ohne am Pool würde sie sagenhaft aussehen. Als er vom Abendessen mit Liz nach Hause kam, wartete sie in seinem Bett, und er konnte es kaum erwarten, sich zu ihr zu gesellen. Nach einer aufregenden, fast schon akrobatischen Nacht fuhren sie am Sonntag zum Mittagessen nach Santa Barbara und waren pünktlich zum Abendessen in der *L'Orangerie* wieder zurück. Er hatte viel Spaß mit Charlene und spürte, dass es an der Zeit war, Pamela den Laufpass zu geben.
Als Paloma am Montagmorgen zur Arbeit erschien, war Charlene immer noch da. Coop bat Paloma, ihnen beiden Frühstück ans Bett zu bringen, was sie mit unverhohlenem Missfallen tat.
Während sie Coop mit mürrischem Blick fixierte, knallte sie die Tabletts auf das Bett und stolzierte auf ihren pink-

farbenen Pumps aus dem Zimmer. Die Accessoires, die sie zu ihrer Uniform trug, faszinierten ihn jedes Mal.

»Sie mag mich nicht«, sagte Charlene geknickt. »Ich glaube, sie findet es nicht gut, dass ich hier bin.«

»Mach dir darüber keine Gedanken. Sie liebt mich abgöttisch. Und bekomm bloß keine Angst, wenn sie aus Eifersucht eine Szene macht«, erwiderte er mit einem sarkastischen Unterton, während sie vorsichtig die unter einer dicken Schicht Pfeffer verborgenen Rühreier probierten. Coop hatte das Gefühl, als brannte ihm der Rachen, während Charlene einen Niesanfall bekam. Das Ganze war das krasse Gegenteil zu den köstlichen Huevos Rancheros der letzten Woche. Diese Runde ging an Paloma, aber Coop nahm sich vor, ein Wörtchen mit ihr zu reden, sobald Charlene weg war, was am frühen Nachmittag der Fall war.

»Ein interessantes Frühstück haben Sie heute Morgen serviert, Paloma.« Coop stand lässig in der Küche und sah Paloma bei der Arbeit zu. »Der Pfeffer hat dem Ganzen eine durchaus individuelle Note verliehen. Und um die Eier durchzuschneiden, brauchte ich eine Kreissäge. Verraten Sie mir Ihr Rezept – war es Zement oder simpler Kleister?«

»Ich nix wissen, was du reden von«, erwiderte sie, während sie mit einem Lappen an einem Silbergefäß herumrieb, von dem Livermore ihr gesagt hatte, es müsse jede Woche poliert werden. Sie trug wieder die Sonnenbrille mit den Strasssteinen. Das war wohl ihr Lieblingsstück und wurde es allmählich auch für Coop.

»Dir nicht schmecken meine Eier?«, flötete sie engelsgleich.

»Sie wissen genau, was ich meine.«
Er betrachtete sie mit finsterem Blick, während sie unbeeindruckt weiterpolierte. Coop fragte sich, ob es wohl den Hauch einer Chance gäbe, sie zu der erwünschten Arbeitsweise zu bewegen.
»Miss Pamela rief übrigens heute Morgen um acht Uhr aus Italien an«, bemerkte Paloma plötzlich. Coop erstarrte.
»Was haben Sie da gerade gesagt?« Ihn verblüffte nicht so sehr das, *was* sie gesagt hatte, sondern vielmehr die Art und Weise. Ihr Akzent schien wie durch Zauberhand verschwunden zu sein.
»Ich sagte …«, sie grinste ihn unschuldig an, »Missis Pamela rufen an acht Uhr in die Morgen.« Coop begriff, dass sie mit ihm spielte.
»So haben Sie es vor einer Minute aber nicht gesagt, Paloma. Was zum Teufel soll das?« Er war wütend, und für einen Augenblick wirkte sie leicht verlegen. Dann zuckte sie jedoch mit den Schultern und drehte den Spieß herum.
»Ist es nicht das, was Sie von mir erwartet haben? Sie haben mich zwei Monate lang Maria genannt.« Er konnte immer noch einen Hauch San Salvador heraushören, aber nur ganz schwach, ihr Englisch war nahezu perfekt.
»Wir sind einander nie richtig vorgestellt worden«, verteidigte er sich. Und auch wenn er es ihr gegenüber nie zuzugeben hätte, so war er doch amüsiert und beeindruckt. Sie hatte ihm aus dem Weg gehen wollen, indem sie vorgab, kaum Englisch zu sprechen. Er vermutete, dass sie nicht nur clever, sondern wahrscheinlich auch eine verdammt gute Köchin war. »Welchen Beruf haben Sie in Ihrer Heimat eigentlich ausgeübt, Paloma?« Er war plötzlich neugierig geworden auf diese Frau.

»Ich bin Krankenschwester«, erwiderte sie und polierte weiter das Silber. Es war eine lästige Aufgabe, und in diesem Augenblick vermisste sie Livermore fast so sehr, wie Coop ihn vermisste.

»Zu schade aber auch«, sagte Coop grinsend. »Ich hatte schon gehofft, Sie seien in Wahrheit Schneiderin. Dann hätten Sie sich optimal um meine Garderobe kümmern können. Eine Krankenschwester brauche ich zum Glück nicht.«

»Ich verdiene hier als Dienstmädchen mehr. Und du haben zu viele von diese Anzüge«, sagte sie, wobei sie den Akzent ein- und ausschaltete, so wie man ein Kleidungsstück an- und auszieht.

»Herzlichen Dank für diesen fachmännischen Kommentar. Sie haben auch ein paar sehr interessante Accessoires«, antwortete er mit Blick auf ihre pinkfarbenen Pumps. »Übrigens, warum haben Sie mir nicht Bescheid gesagt, als Pamela anrief?«

Er hatte sich zwar bereits entschieden, seine Geliebte auszutauschen, aber es war ihm wichtig, mit den Verflossenen freundschaftlich verbunden zu bleiben. Und so großzügig, wie er sich dabei zeigte, vergaßen die Frauen gern seine Launen und kleinen Sünden. Bei Pamela würde es ganz sicher nicht anders sein.

»Sie waren zu dem Zeitpunkt gerade mit der anderen beschäftigt. Wie heißt sie noch?«

»Charlene.« Paloma wirkte ein bisschen verunsichert.

»Danke, Paloma«, sagte Coop leise und beschloss zu gehen, solange er Oberwasser hatte.

Offenbar notierte Paloma niemals eine Nachricht, sondern sagte ihm nur Bescheid, wenn es ihr gerade einfiel –

was nicht gerade beruhigend für ihn war. Aber sie schien genau zu wissen, wem hier welche Bedeutung zukam. Bisher zumindest.

In der Woche zuvor war Paloma zum ersten Mal Mark begegnet. Als er ihr erzählte, dass die Waschmaschine im Gästeflügel kaputt sei, bot sie ihm spontan an, einen Teil seiner Wäsche zu waschen. Da sein Herd ebenfalls nicht funktionierte, sagte sie ihm, er könne bei Bedarf ruhig die Küche im Haupthaus benutzen, und gab ihm einen Schlüssel für die Verbindungstür zwischen Haupthaus und Gästeflügel. Morgens käme Coop nie in die Küche, hatte Paloma erklärt. Mark fertigte eine Liste aller kaputten Gegenstände an und setzte auch die Espressomaschine darauf. Die Maklerin versprach ihm, dass alles repariert würde. Aber Liz war nicht mehr da, und somit gab es niemanden außer Coop, der sich darum kümmern konnte. Und dass er etwas unternehmen würde, schien doch sehr fraglich. Also brachte Mark den Großteil seiner Wäsche in die Wäscherei, während sich Paloma um seine Bettwäsche und die Handtücher kümmerte. Und am Wochenende benutzte er Coops Espressomaschine – damit waren seine Bedürfnisse zunächst einmal gedeckt. Sein Essen bereitete er ohnehin in der Mikrowelle zu, sodass er den Herd erst brauchen würde, wenn die Kinder zu Besuch kamen. Bis dahin war das Gerät sicher in Ordnung gebracht worden, und notfalls würde er sich selbst darum kümmern. Aber Coop rief weder bei der Maklerin noch bei Mark je zurück. Er hatte in dieser Woche eine Menge Termine wegen einer neuen Werbekampagne – dieses Mal für Kaugummi. Es war ein alberner Werbespot, aber die Bezahlung war wieder recht gut, sodass sein Agent ihn dazu hatte überreden können. Insgesamt arbeitete er etwas mehr als gewöhnlich, obwohl ein neuer Film nach wie vor nicht in Sicht war. Sein Agent hatte schon überall nachgefragt, aber ohne Erfolg. Coops Ansprüche waren in Hollywood bestens bekannt, und für die Rollen, die er spielen wollte – Hauptrollen als romantischer Liebhaber –, war er schlichtweg zu alt. Eine Vater- oder gar Großvaterrolle zu übernehmen, war er nicht bereit, und an alternden Playboys gab es schon seit Jahren keinen Bedarf.

Charlene übernachtete in dieser Woche fast täglich bei Coop. Sie versuchte einen Job als Schauspielerin zu finden, bekam aber genauso wenige Angebote als Coop. Das Einzige, was sie bisher gedreht hatte, waren zwei nicht jugendfreie Videos, von denen eines nachts um vier im Fernsehen ausgestrahlt wurde. Und ihr Agent hatte sie schließlich davon überzeugt, dass keines von den beiden sich sonderlich gut in ihrem Lebenslauf machen würde. Sie hatte Coop gefragt, ob er nicht seine Kontakte für sie spielen lassen könne, und er versprach zu sehen, was sich machen ließ. Allerdings hatte er Zweifel, was ihre Fähigkeiten als Schauspielerin anging. Sie behauptete, in Paris sehr viel gemodelt zu haben, konnte aber nie ihre Mappe finden. Ihre Talente lagen wohl doch eher in einem Bereich, der für Coop ohnehin interessanter war und der rein gar nichts mit Modeln oder Schauspielern zu tun hatte.

Coop genoss es außerordentlich, mit ihr zusammen zu sein. Und als Pamela ihm nach ihrer Rückkehr aus Mailand mitteilte, sie hätte sich bei den Aufnahmen in den Fotografen verliebt, war Coop erleichtert. Seine Affären hatten die angenehme Eigenschaft, von selbst im Sande zu verlaufen, und nur wenn er mit bekannten Schauspielerinnen ausging, forcierte er Gerüchte über Verlobungen und Hochzeitsglocken. Aber in Bezug auf Charlene wollte er davon nichts wissen. Mit ihr würde er eine nette Zeit verbringen, bei der sie beide auf ihre Kosten kamen. Er hatte bereits zwei ausgedehnte Einkaufsbummel mit ihr gemacht und dabei die ersten Schecks seiner Mieter vollständig ausgegeben. Aber Coop fand, dass Charlene es wert sei. Das erklärte er auch Abe, der anrief und wieder mit dem Verkauf des Hauses drohte, wenn Coop sich nicht zusammenriss.

»Du solltest die Finger von diesen magersüchtigen Models und Schauspielerinnen lassen und dir lieber eine reiche Frau suchen.« Coop lachte und sagte, er würde darüber nachdenken. Aber in Wahrheit hatte ihn die Ehe noch nie gelockt, und er wollte einfach nur Spaß haben, möglichst bis zum Ende seiner Tage.

Am Wochenende besuchte Mark seine Kinder in New York. Er hatte Paloma bereits alles über die beiden erzählt. Sie war zum Putzen bei ihm gewesen, und er hatte darauf bestanden, sie dafür zu bezahlen, obwohl sie es gar nicht verlangt hätte. Der Mann tat ihr leid, weil seine Frau ihn wegen eines anderen verlassen hatte. Seitdem Mark ihr von seinem Kummer erzählt hatte, fand er fast regelmäßig frisches Obst oder selbst gemachte Tortillas auf seinem Küchentisch. Paloma hörte ihm gern zu, wenn er von den Kindern redete. Es war nicht zu übersehen, dass er sehr an ihnen hing, denn überall standen Fotos der beiden, neben Aufnahmen von ihm und seiner Frau.

Jetzt würde Mark die Kinder zum ersten Mal sehen, seit sie mehr als einen Monat zuvor Los Angeles verlassen hatten. Janet war der Meinung, er hätte mit seinem Besuch noch warten sollen, bis sich die Kinder besser an die neue Situation gewöhnt hätten. Sie führte in den vergangenen Wochen ein Doppelleben – wenn sie mit den Kindern zusammen war, gab sie vor, ungebunden zu sein, während sie zugleich heimlich ihre Affäre auslebte. Adam wiederum wollte wissen, wann er endlich die Kinder kennenlernen würde. Bald, hatte sie ihm versprochen, wollte aber andererseits nicht, dass die beiden den wahren Grund herausfanden, warum sie nach New York gezogen waren. Sie befürchtete, die Kinder würden Adam dann ablehnen und einen Kleinkrieg mit ihr beginnen, schon allein aus Loyalität zu ihrem Vater. Als Mark Janet sah, wirkte sie angespannt und gestresst, und er fragte sich, was wohl alles schieflief. Die Kinder dagegen waren außer sich vor Freude, ihren Vater wiederzusehen.

Sie wohnten bei ihm im Plaza und bestellten alles Mögliche beim Zimmerservice. Er ging mit ihnen ins Theater und ins Kino. Mit Jessica machte er einen Einkaufsbummel und mit Jason einen langen Spaziergang im Regen, bei dem sie über die neue Situation sprachen und versuchten zu verstehen, was eigentlich passiert war. Am Sonntagnachmittag hatte Mark das Gefühl, als wäre die Zeit nur so verflogen, und die Vorstellung, seine Kinder wieder verlassen zu müssen, war ihm zuwider. Den ganzen Rückflug über war er total deprimiert und überlegte ernsthaft, nach New York zu ziehen.

Auch am nächsten Wochenende beschäftigte ihn dieses Thema noch. Während er sonntags am Pool lag und grübelte, beobachtete er aus dem Augenwinkel, dass jemand ins Pförtnerhaus einzog. Neugierig schlenderte er hinüber, und als er sah, dass sein zukünftiger Nachbar Kisten aus einem Van lud und ins Haus schleppte, bot er ihm spontan seine Hilfe an.

Jimmy zögerte zunächst, nahm dann das Angebot jedoch dankbar an. Er war selbst überrascht, wie viel er besaß. Das meiste hatte er eingelagert, aber zahlreiche gerahmte Fotos, etliche Trophäen, seine Sportausrüstungen und seine Kleidung brachte er mit. Dazu kam die große Stereoanlage, von der ein Teil Maggie gehört hatte. Selbst zu zweit brauchten sie ganze zwei Stunden, bis der Van ausgeräumt war, und am Ende waren sie beide völlig erschöpft. Bisher hatten sie einander nur flüchtig vorgestellt, und als sie sich jetzt zum ersten Mal setzten, bot Jimmy Mark ein Bier an, das dieser dankbar annahm.

»Sie haben wirklich eine Menge Zeug«, sagte Mark grinsend, während er genüsslich einen Schluck Bier nahm. »Schwere Sachen vor allem. Sammeln Sie Bowlingkugeln?«

Jimmy lachte und zuckte mit den Schultern.

»Das frage ich mich auch. Und dabei hatten wir vorher nur ein Zweizimmerappartement, und die meisten Sachen habe ich eingelagert.«

Trotzdem ließ sich alles problemlos in den unzähligen Schubladen und Schränken des Pförtnerhäuschens verstauen. Als Jimmy den ersten Karton öffnete, nahm er ein Bild heraus, stellte es auf den Kaminsims und betrachtete es lange. Es war eines seiner Lieblingsfotos von Maggie, aufgenommen bei einer ihrer Irlandreisen. Sie hatte beim Angeln in einem See einen Fisch gefangen und präsentierte ihn stolz der Kamera. Dabei sah sie so glücklich aus,

das leuchtend rote Haar war hochsteckt zu einem Dutt, und die grünen Augen funkelten im Sonnenlicht. Sie wirkte wie ein junges Mädchen, dabei war die Aufnahme erst vor sieben Monaten gemacht worden, in dem Sommer vor ihrem Tod. Es kam Jimmy vor, als sei es eine Ewigkeit her. Jimmy drehte sich um, und als er sah, dass Mark ihn fragend ansah, schaute er weg.
»Hübsche Frau. Ihre Freundin?«
Jimmy schüttelte den Kopf und brauchte lange, bis er antworten konnte. Als es ihm schließlich gelungen war, den Kloß in seinem Hals hinunterzuschlucken, sagte er leise: »Meine Frau.«
»Tut mir leid«, sagte Mark bedauernd in der Annahme, die beiden seien geschieden. »Wie lang ist es her?«
»Morgen Abend sind es genau sieben Wochen«, antwortete Jimmy und holte tief Luft. Er sprach nie darüber, wusste aber, dass er es lernen musste, und jetzt damit anzufangen war genauso gut wie jeder andere Moment. Mark schien ein netter Kerl zu sein, und vielleicht würden sie sich ja anfreunden, schließlich waren sie ab heute Nachbarn.
»Bei mir sind es sechs. Letztes Wochenende habe ich zum ersten Mal meine Kinder in New York besucht. Ich vermisse sie sehr. Meine Frau hat mich wegen eines anderen verlassen«, erklärte Mark mit düsterer Stimme.
»Das ist hart«, meinte Jimmy mitfühlend. »Wie alt sind Ihre Kinder?«
»Fünfzehn und dreizehn, ein Mädchen und ein Junge: Jessica und Jason. Großartige Kinder. Sie finden es schrecklich, in New York zu leben. Wenn meine Frau sich schon in jemand anderen verlieben musste, warum konnte er

dann nicht wenigstens hier aus der Gegend sein? Dabei wissen die Kinder noch gar nichts von dem Kerl. Was ist mit Ihnen? Kinder?«

»Nein. Wir haben zwar davon gesprochen, hatten aber noch keine.« Jimmy war selbst erstaunt, wie viel er Mark bereitwillig erzählte. Sie beide verband etwas miteinander, ein tragischer Verlust, der ihr Leben unerwartet in eine Tragödie verwandelt hatte.

»Ist vielleicht gut so. Könnte leichter sein, sich dann zu trennen – oder auch nicht. Wer weiß das schon?«, sagte Mark mit einer Mischung aus Mitgefühl und Niedergeschlagenheit. Plötzlich verstand Jimmy, was Mark dachte.

»Wir haben uns nicht scheiden lassen«, sagte er mit erstickter Stimme.

»Na, vielleicht kommen Sie ja wieder zusammen«, erwiderte Mark und begann Jimmy ein wenig zu beneiden, als er plötzlich den Ausdruck in seinen Augen sah.

»Meine Frau ist gestorben.«

»O mein Gott … es tut mir so leid … ich dachte … Was ist passiert? Ein Unfall?« Er schielte zu dem Foto, entsetzt bei der Vorstellung, dass diese junge schöne Frau nicht mehr lebte.

»Ein Gehirntumor. Sie hatte auf einmal ständig Kopfschmerzen … richtige Migräne. Zwei Monate später war sie tot. Ich rede sonst nie darüber. Sie hätte diesen Ort hier geliebt. Ihre Familie stammt aus Irland, aus der Grafschaft Cork. Sie war durch und durch Irin. Eine bemerkenswerte Frau. Ich wünschte, ich wäre nur halb so ein wunderbarer Mensch, wie sie es war.«

Mark schluckte. Er sah, dass Tränen in Jimmys Augen glitzerten, aber er konnte nicht mehr für ihn tun, als ihn

voller Mitgefühl ansehen. Dann half er ihm noch, die Kisten auf die richtigen Zimmer zu verteilen, wobei er mindestens die Hälfte der schweren Kartons nach oben schleppte. Währenddessen schwiegen die beiden Männer, und schließlich schien Jimmy sich wieder gefasst zu haben. »Ich kann Ihnen gar nicht genug danken. Hierher zu ziehen kommt mir so verrückt vor. Wir hatten ein hübsches kleines Appartement in Venice Beach. Aber ich musste da einfach weg. Und für den Augenblick scheint das hier genau das Richtige zu sein.«
»Ich habe in einem Hotel zwei Blocks von meinem Büro entfernt gewohnt und mir die ganze Nacht lang das Husten anderer Leute angehört. Ein Steuerberater, mit dem ich zusammenarbeite, ist auch für Coop tätig und wusste von dessen Vermietungsplänen. Ich habe mich sofort in dieses Anwesen verliebt. Meine Kinder werden von der Parkanlage begeistert sein. Vor zwei Wochen bin ich eingezogen, und seitdem schlafe ich wieder wie ein Kind in der Wiege. Möchten Sie mal rüberkommen und sich meine Wohnung ansehen? Sie ist ganz anders als das Pförtnerhaus, aber ich denke, der Gästeflügel eignet sich auch besser für meine Kinder.«
Er konnte an nichts andere denken als an die beiden, besonders seit er am Wochenende gesehen hatte, wie unglücklich sie in New York waren. Jessica stritt pausenlos mit ihrer Mutter, und Jason schien sich völlig in sich selbst zurückzuziehen. Die beiden waren in keiner guten Verfassung, ebenso wenig wie ihre Mutter. Noch nie hatte er Janet so angespannt erlebt. Mark fragte sich, ob sie vielleicht gerade feststellte, dass ihr neues Leben nicht ganz so idyllisch war, wie sie es sich vorgestellt hatte. Sie hatte sich

für einen beschwerlichen und steinigen Weg entschieden, und das bekam nicht nur ihre Familie, sondern auch sie selbst zu spüren.

»Jetzt muss ich erst mal unter die Dusche«, sagte Jimmy und lächelte Mark an. »Aber später könnte ich noch bei Ihnen vorbeikommen. Hätten Sie heute Nachmittag vielleicht Lust auf eine Partie Tennis?« Seit Maggies Tod hatte er nicht mehr gespielt.

»Sicher. Ich habe mir den Platz noch gar nicht angeschaut – mir fehlte bisher der Tennispartner. Den Pool habe ich schon genutzt, er ist sehr hübsch und liegt nahe beim Gästeflügel. Eigentlich wollte ich jeden Abend nach der Arbeit ein paar Runden schwimmen, aber meistens fehlt mir dann doch die Zeit.«

»Haben Sie Cooper Winslow schon gesehen?«, fragte Jimmy mit einem amüsierten Grinsen. Mark fiel auf, dass es ihm wieder besser zu gehen schien.

»Nur von Weitem, wenn er mit dem Auto rein- oder rausfährt. Übrigens fast immer in Begleitung umwerfend gut aussehender Frauen. Er scheint eine ganze Schar junger Mädchen um sich zu haben.«

»Zumindest hat er den Ruf. Und damit verbringt er offenbar auch seine komplette Zeit. Auf der Leinwand habe ich ihn schon seit Jahren nicht mehr gesehen.«

»Vermutlich ist er arbeitslos und pleite oder steckt finanziell zumindest in der Klemme – und deshalb leben wir jetzt als Mieter hier«, lautete Marks Fazit.

»Etwas Ähnliches hatte ich mir auch schon gedacht. Warum sonst sollte er sogar einen Teil des Haupthauses vermieten? Es muss ein Vermögen kosten, dieses Anwesen zu unterhalten.«

»Sein Steuerberater hat gerade erst dafür gesorgt, dass nahezu das komplette Personal entlassen wurde. Vielleicht sehen wir Cooper ja demnächst bei der Gartenarbeit.« Bei der Vorstellung mussten sie beide lachen. Kurz darauf ging Mark zurück zum Gästeflügel. Dabei ging ihm durch den Kopf, dass das Schicksal wohl kaum härter zuschlagen kann als bei Jimmy. Er selbst hatte ja wenigstens noch die Kinder, und Janet hatte ihm zwar das Herz gebrochen und sein Leben zerstört, aber sie war nicht tot.

Eine halbe Stunde später stand Jimmy vor seiner Tür, frisch geduscht, in Shorts und T-Shirt. Er hatte seinen Tennisschläger mitgebracht. Als er sah, wie Mark in dem Gästeflügel lebte, war er ziemlich beeindruckt. Ihm persönlich gefiel das Pförtnerhaus besser, aber für Kinder war dieser Teil des Hauses tatsächlich besser geeignet. Es gab mehr Platz, und die Wohnung lag näher am Pool.

»Hatte Coop eigentlich keine Einwände wegen Ihrer Kinder?«, erkundigte sich Jimmy, während sie zum Tennisplatz gingen.

»Nein. Wieso?«, fragte Mark überrascht zurück. »Ich habe der Maklerin allerdings auch gesagt, dass sie in New York leben und nicht oft hier sein werden, höchstens während der Ferien. Es ist einfacher, wenn ich rüberfliege.«

»Mir hat die Maklerin das Gefühl vermittelt, dass er Kinder nicht leiden kann. Wenn ich mich hier umschaue, verstehe ich auch warum. Überall steht teures Zeug herum. Mir kommt es allerdings ganz gelegen, dass es möbliert ist. Wir hatten nicht gerade viele Möbel in unserem winzigen Appartement, und die waren mittlerweile auch ziemlich abgenutzt. Ich habe alles eingelagert. Es tut mir gut, ganz neu anzufangen. Wie ist es bei Ihnen?«

»Ich habe alles Janet überlassen. Die Kinder sollten wenigstens ihre vertrauten Möbel um sich haben. Diese Wohnung hier ist wirklich optimal für mich. Wenn ich mir erst noch eine komplette Einrichtung hätte kaufen müssen, wäre ich wahrscheinlich im Hotel geblieben. Zumindest noch eine ganze Weile. Ich war noch nicht so weit, dass ich es geschafft hätte, mir ein Appartement einzurichten und mich mit all dem zu beschäftigen, was damit verbunden ist. Hier bin ich mit meinem Koffer reinmarschiert, habe ihn ausgepackt, und Hokuspokus, Simsalabim – war ich zu Hause.«

»Ja, genauso ging es mir auch.« Jimmy grinste.

Der Tennisplatz war nicht schwer zu finden, sie mussten jedoch enttäuscht feststellen, dass er in einem miserablen Zustand war. Der Boden war holperig und hatte überall Risse. Schon bald gaben sie es auf, ein Match zu spielen, und schlugen einfach nur den Ball hin und her. Trotzdem hatten sie ihren Spaß. Danach schlenderten sie zum Pool. Mark schwamm ein paar Bahnen, während Jimmy faul in der Sonne lag. Bevor er schließlich zurück ins Pförtnerhaus ging, lud er Mark für abends zum Essen ein. Er wollte Steaks grillen und hatte aus alter Gewohnheit für zwei eingekauft.

»Klingt gut. Ich bringe den Wein mit«, bot Mark sofort an. Eine Stunde später fand er sich mit einer Flasche guten Cabernets auf Jimmys Terrasse ein. Sie aßen, tranken und redeten: über das Leben, Sport, ihre Jobs, Marks Kinder, Jimmys Kinderwunsch, der ja vielleicht irgendwann doch noch erfüllt würde – und so wenig wie möglich über ihre Frauen. Mark gestand, dass es ihm noch sehr schwerfiel, sich zu verabreden, und Jimmy war nicht sicher, ob er es jemals wieder können würde. Momentan sei es ihm unvorstellbar, aber mit dreiunddreißig sei er etwas zu jung für eine endgültige Entscheidung. Nach einer Weile landete ihr Gespräch bei Coop. Jimmy vertrat die Theorie, dass ein Mensch, der so lange in Hollywood lebte wie Coop, irgendwann den Sinn für die Realität verlieren musste. Nach allem, was sie beide über Coop gelesen hatten, klang das plausibel.

In genau diesem Moment lag Coop im Haupthaus mit Charlene im Bett und war wieder einmal verblüfft, was für Techniken sie kannte. Coop hatte Sachen mit ihr gemacht, an die er schon seit Jahren nicht einmal mehr gedacht hatte. Er fühlte sich wieder richtig jung und war bester Laune. Sie hatte etwas Anmutiges an sich, das ihn unglaublich erregte, und nur einen Augenblick später war sie eine wilde Löwin, die von ihm bezwungen werden wollte. So hielt sie ihn fast die ganze Nacht auf Trab. Am nächsten Morgen ging sie hinunter in die Küche, um für sie beide Frühstück zu machen. Sie wollte ihn mit einem perfekten Frühstück überraschen – und dann fortsetzen, was sie die ganze Nacht lang getan hatten. Während sie mit nichts außer einem String und hohen Plateauschuhen aus rotem Satin bekleidet in der Küche stand, hörte sie plötzlich, wie jemand die Tür aufschloss und öffnete. Sie drehte sich um und sah Mark in Unterwäsche vor sich stehen, der mit seinem blonden, von der Nacht verwuschelten Haarschopf wie ein achtzehnjähriger Junge wirkte, der gerade aus dem Bett gestiegen war. Chalene grinste ihn an und machte nicht die geringsten Anstalten, ihre Blöße zu bedecken.

»Hi, ich bin Charlene«, sagte sie auf eine Art, als wäre es

eine völlig normale Situation. Er war so überwältigt von ihren großen Brüsten, dem, was der String alles nicht verdeckte, und ihren langen Beinen, dass er bestimmt eine Minute brauchte, bis sein Blick den Weg zu ihrem Gesicht gefunden hatte.

»Oh … das ist mir jetzt aber furchtbar unangenehm … Paloma sagte, dass Coop am Wochenende nie in die Küche kommt … mein Herd funktioniert nicht, und die Espressomaschine ist auch kaputt … ich wollte mir nur rasch einen Kaffee machen … sie hat mir den Schlüssel gegeben …« Er stammelte wie ein Schuljunge, während Charlene kein bisschen aus der Fassung gebracht schien.

»Ich werde Ihnen einen Kaffee machen. Coop schläft noch.« Mark nahm an, dass sie Model oder Schauspielerin und eine von Coops Freundinnen war. Vor ein paar Wochen hatte er Coop in Begleitung einer Blondine gesehen. Aber wo auch immer die beruflichen Schwerpunkte dieser Damen lagen, Mark vermutete, dass sie in jedem Fall über reichlich Talent im Bett verfügten.

»Danke, nein … ich gehe lieber wieder … tut mir wirklich leid …« Sie stand einfach nur da, und ihre Brüste sprangen ihm förmlich entgegen.

»Ist schon in Ordnung.« Es machte ihr offenbar wirklich nicht das Geringste aus, nackt zu sein, und wenn Mark nicht so verlegen gewesen wäre, hätte er wahrscheinlich über diese Situation gelacht. Er kam sich völlig linkisch vor, wie er da stand, während sie ihm einen Kaffee machte.

»Sind Sie der Mieter?«, fragte sie leichthin, während er schon die Tasse mit dem dampfenden Kaffee in der Hand hielt und sich zum Gehen wandte.

»Genau. Und ich werde mir schnellstens eine Kaffeemaschine kaufen. Vielleicht wäre es besser, wenn Sie Coop nichts von unserer Begegnung erzählen«, sagte er nervös. Sie sah einfach umwerfend aus.

»Okay«, meinte sie liebenswürdig, während sie eine Karaffe mit Orangensaft aus dem Kühlschrank holte und ein Glas für Coop füllte. Dann schaute sie Mark an. »Möchten Sie vielleicht Saft?«

»Nein danke ... wirklich nicht. Alles bestens. Danke für den Kaffee«, erwiderte er und verschwand, so schnell es nur ging. Er schloss die Tür wieder ab und stand dann noch eine Weile grinsend in dem Flur hinter seinem Wohnzimmer, von dem die Verbindungstür abging. Er konnte nicht glauben, was er gerade erlebt hatte. Sobald er angezogen war, konnte er nicht widerstehen, zu Jimmy hinüberzugehen, um ihm von seiner Begegnung mit Charlene zu erzählen. Im Übrigen hatte er sich bereits geschworen, noch an diesem Nachmittag eine neue Kaffeemaschine zu kaufen.

Jimmy saß auf der Veranda, trank Kaffee und las Zeitung. Als er aufblickte, sah er Mark mit einem breiten Grinsen im Gesicht auf sich zukommen.

»Du wirst nicht glauben, wo ich heute Morgen Kaffee getrunken habe und vor allem mit wem.«

»Wohl nicht, aber deinem Gesichtsausdruck nach zu urteilen, war es nett.«

Mark erzählte Jimmy die ganze Geschichte: von Paloma und dem Schlüssel, dem kaputten Herd und der Kaffeemaschine und seinem Zusammentreffen mit Charlene, die praktisch nackt vor ihm gestanden und Kaffee gemacht hatte.

»Es war wie eine Szene in einem Film. Du lieber Himmel,

stell dir vor, er wäre da reingeplatzt. Wahrscheinlich hätte er mich im hohen Bogen rausgeworfen.«
»Oder Schlimmeres.« Jimmy musste ebenfalls grinsen. Eine köstliche Vorstellung: Mark in Unterwäsche, der sich von einer nackten Frau Kaffee servieren ließ.
»Sie hat mir auch noch Orangensaft angeboten. Aber ich dachte, dass ich zu hoch pokere, wenn ich auch nur eine Minute länger bleibe.«
»Möchtest du vielleicht noch eine Tasse Kaffee? Wenn ich auch einräumen muss, dass der Service hier recht langweilig ist.«
»Sicher, gern.«
Die beiden Männer kamen sich vor wie zwei Jungs, die beide neu in ein Viertel gezogen waren und sich gesucht und gefunden hatten. Und da sie beide versuchten, von ihrem bisherigen Leben Abstand zu gewinnen, und deshalb auch ihren bisherigen Freundes- und Bekanntenkreis mieden, passten sie gut zusammen. Das Mitleid der Leute, die sie mit ihrem Ehepartner erlebt hatten, war ihnen unerträglich. Der Umzug bedeutete für jeden einen kompletten Neuanfang, und war genau das, was sie jetzt brauchten.
Eine halbe Stunde später ging Mark wieder zurück zum Gästeflügel, da er sich aus dem Büro Arbeit mit nach Hause gebracht hatte. Am Nachmittag trafen sie sich dann am Pool. Jimmy war mittlerweile mit dem Auspacken fertig. Er hatte ein halbes Dutzend Fotos von Maggie im Haus verteilt aufgestellt. Verrückterweise fühlte er sich weniger allein, wenn er ihr Gesicht betrachten konnte. Manchmal, mitten in der Nacht, überkam ihn plötzlich Angst, er könnte vergessen, wie sie aussah.

»Bist du mit deiner Arbeit fertig?«, fragte Jimmy, während er sich behaglich in einem Liegestuhl räkelte.

»Bin ich.« Mark lächelte. »Und ich habe mir eine neue Kaffeemaschine gekauft. Morgen früh gebe ich Paloma den Schlüssel zurück.« Bei der Erinnerung an Charlene im String musste er unwillkürlich grinsen.

»Hättest du bei unserem Vermieter etwas anderes erwartet?«, fragte Jimmy, der sofort wusste, was Mark amüsierte.

»Nein. Ich hatte nur nicht damit gerechnet, von einem Logenplatz aus an seinem Sexualleben teilhaben zu können.«

»Das würde dich vermutlich auch ganz schön auf Trab halten«, grinste Jimmy zurück. Sie plauderten noch etwa eine halbe Stunde über dieses und jenes. Plötzlich hörten sie, wie das Gartentor knarrend geöffnet wurde und wieder zufiel.

Nur einen Augenblick später stand ein großer Mann mit silbergrauem Haar vor ihnen und lächelte sie an. Er trug Jeans, ein perfekt gebügeltes weißes Hemd und Slipper aus braunem Krokodilleder ohne Strümpfe. Er wirkte so makellos, dass die beiden aufsprangen wie zwei Schuljungen, die bei irgendeinem Unfug erwischt worden waren. Dabei hatte Coop die beiden von seiner Terrasse aus gesehen und wollte sie einfach nur begrüßen. Charlene war gerade unter der Dusche und wusch ihr Haar.

»Hallo, ich bin Cooper Winslow«, sagte er mit einem gewinnenden Lächeln. »Lassen Sie sich bitte nicht stören. Ich wollte nur kurz Guten Tag sagen und Sie als Gäste in meinem Haus willkommen heißen.« Die beiden hörten belustigt, dass er sie als »Gäste« bezeichnete – immerhin zahlte jeder von ihnen im Monat 10 000 Dollar für diese Gastfreundlichkeit.

»Wer von Ihnen wohnt wo?«, fuhr Coop fort, während er zuerst Jimmy und dann Mark die Hand schüttelte. »Kannten Sie sich schon vorher?« Er war genauso neugierig auf die beiden wie sie auf ihn.

»Ich bin Mark Friedman und lebe im Gästeflügel. Und nein, wir haben uns erst gestern bei Jimmys Einzug kennen gelernt.«

»Ich bin Jimmy O'Connor«, stellte sich Jimmy vor, während er dem ihn überragenden Mann die Hand schüttelte. Coop wirkte liebenswürdig, ungezwungen und äußerst elegant. Selbst die perfekt gebügelte Jeans saß bei ihm wie ein Maßanzug, und die beiden hätten ihn auf höchstens Mitte fünfzig geschätzt. Unvorstellbar, dass dieser Mann siebzig sein sollte. Allmählich verstanden sie, was die Frauen an Coop fanden. Sogar in Jeans strahlte er Stil und Glamour aus, und wie er sich jetzt auf einen Stuhl setzte und die beiden anlächelte, entsprach ganz der Vorstellung einer Hollywoodlegende.

»Ich hoffe, Ihnen beiden gefällt Ihr neues Domizil?«

»Sehr sogar«, beeilte sich Mark zu versichern und hoffte inständig, dass Charlene Coop nichts von ihrer Begegnung in der Küche erzählt hatte. Er fürchtete insgeheim, dass Coop genau aus diesem Grund hergekommen sein könnte. »Schlichtweg beeindruckend – einfach alles hier«, fuhr er mit bewunderndem Tonfall fort und versuchte, nicht immerzu an die Frau im String zu denken. Jimmy wusste, was in Mark vorging, und grinste.

»Ich bin auch immer wieder überwältigt von diesem Anwesen«, sagte Coop. »Sie beide müssen mich einmal im

Haupthaus besuchen. Vielleicht kommen Sie irgendwann zum Abendessen vorbei.« Coop hatte es kaum ausgesprochen, da fiel ihm ein, dass er keine Köchin mehr hatte und auch niemanden, der bei Tisch servieren konnte. Wenn er jetzt Leute zum Essen einlud, musste er einen Caterer beauftragen. Von Paloma würde er sich bestenfalls Pizza und Tacos zubereiten lassen. Mit oder ohne Akzent – sie war ein Rebell und unberechenbar. »Woher stammen Sie beide?«
»Ich komme ursprünglich aus Boston«, antwortete Jimmy, »und bin vor acht Jahren hierher gezogen, nach dem Ende des Studiums. Kalifornien gefällt mir sehr.«
»Und ich bin vor zehn Jahren aus New York hierhergekommen«, erklärte Mark. Er konnte es sich gerade noch verkneifen zu sagen: »Mit meiner Frau und meinen Kindern.« Aber dann hätte er womöglich noch mehr erzählen müssen.
»Eine gute Entscheidung. Ich stamme auch von der Ostküste, fand aber das Wetter unerträglich, vor allem die Winter. Hier ist das Leben um einiges schöner.«
»Insbesondere auf einem Anwesen wie diesem«, sagte Jimmy bewundernd.
Dieser Cooper Winslow faszinierte ihn. Er schien sich in seiner eigenen Haut absolut wohl zu fühlen und war es offensichtlich gewohnt, im Mittelpunkt zu stehen. Zweifellos wusste er, wie sehr er Menschen in seinen Bann schlug. Schließlich verdiente er seit einem halben Jahrhundert sein Geld damit.
»Nun, ich hoffe, Sie werden sich hier wohl fühlen. Melden Sie sich, falls Sie irgendetwas brauchen.« Mark hatte nicht vor, über den defekten Herd oder die Kaffeemaschi-

ne zu sprechen. Er hatte bereits entschieden, derlei Reparaturen selbst durchführen zu lassen und die Kosten von der nächsten Miete abzuziehen.

Coop lächelte die beiden auf seine gewinnende Art an, plauderte noch ein paar Minuten weiter und ließ sie dann wieder allein. Sobald er gegangen war, starrten Mark und Jimmy einander sprachlos an. Sie warteten ein paar Minuten, um sicher zu sein, dass Coop wieder im Haus war und sie nicht mehr hören konnte.

»Heiliger Strohsack!«, entfuhr es Mark. »Sieht er nicht unglaublich aus?! Wie soll man dagegen ankommen können?« Cooper Winslow war der attraktivste Mann, den er je gesehen hatte. Jimmy wirkte nicht ganz so beeindruckt.

»Das Ganze hat nur einen entscheidenden Haken«, sagte er im Flüsterton, damit Coop ihn auf keinen Fall hörte. »Wenn jemand so attraktiv ist, fragt man sich unweigerlich, ob es hinter all dem Charme, guten Aussehen und der perfekt sitzenden Kleidung auch so etwas wie ein Herz gibt.«

»Nun ja, vielleicht genügt ja das gute Aussehen schon.« Mark dachte an Janet, die einen Mann wie Cooper Winslow sicher nie verlassen hätte. Neben ihm kam sich Mark vor wie der letzte Langeweiler. All seine Selbstzweifel waren durch Coops Anblick erneut aufgeflammt.

»Tut es nicht«, erwiderte Jimmy überzeugt. »Dieser Bursche ist nichts als Fassade. Alles, was er sagt, sind reine Phrasen und dreht sich immer nur um Schönheit und oberflächliche Themen. Guck dir doch die Frauen an, die er an Land zieht. Möchtest du in dreißig Jahren ein Dummchen haben, das dir halb nackt Kaffee serviert, oder lieber eine Frau, mit der du reden kannst?«

»Wie lange bekomme ich Bedenkzeit?«, fragte Mark, und sie mussten beide lachen.

»Ja, okay, eine Zeit lang ist es bestimmt ganz amüsant, aber dann? Mich würde es wahnsinnig machen.« Voller Wehmut dachte Jimmy, dass Maggie einfach alles gehabt hatte: Sie war clever, schön und sexy gewesen, und man konnte Spaß mit ihr haben. »Die Frau mit den Riesenbrüsten kann er von mir aus behalten. Wenn ich die Wahl hätte, würde ich die Krokodillederslipper nehmen. Die waren echt super.«

»Du kriegst die Schuhe, ich nehme das Dummchen. Zum Glück hat er meine Begegnung mit ihr in der Küche mit keinem Wort erwähnt«, sagte Mark sichtlich erleichtert.

»War mir klar, dass du es befürchtet hast, als er hier aufkreuzte.« Jimmy lachte. Er konnte Mark gut leiden und fand, dass er ein netter Kerl mit vernünftigen Vorstellungen war. Es machte Spaß, mit ihm zu reden, und Jimmy freute sich über ihre gerade entstehende Freundschaft. Der Anfang war jedenfalls ebenso ungewöhnlich wie vielversprechend. »Tja, nun haben wir ihn also kennengelernt. Er sieht auch in natura aus wie ein Filmstar, findest du nicht?«, fragte Jimmy, während er noch einmal ihre kurze Begegnung mit Coop Revue passieren ließ. »Wer wohl seine Klamotten bügelt? Meine wirken seit dem Tag knitterig, an dem ich bei meinen Eltern ausgezogen bin. Maggie hat sich geweigert zu bügeln. Sie sagte, es verstoße gegen ihren Glauben.« Sie war überzeugte Katholikin – und leidenschaftliche Feministin gewesen. Als Jimmy sie zum ersten und einzigen Mal gefragt hatte, ob sie sich um die Wäsche kümmern könnte, hätte sie ihn fast geohrfeigt.

»Ich bringe jetzt sogar meine Unterwäsche in die Reini-

gung«, gab Mark bereitwillig zu. »Letzte Woche gingen mir plötzlich die sauberen Hemden aus, und ich musste mir sechs neue kaufen. Hausarbeit ist nicht gerade meine Stärke. Ich bezahle Paloma dafür, dass sie im Gästeflügel ein bisschen sauber macht. Wenn du sie fragst, macht sie das vielleicht auch im Pförtnerhaus.« Sie war wirklich ausgesprochen nett und schien nicht nur tüchtig zu sein, sondern auch ganz schön clever. Er hatte lange mit ihr über seine Kinder gesprochen, und ihre Antworten hatten ihm gezeigt, wie mitfühlend und verständnisvoll sie war.
»Ich komme schon klar«, erwiderte Jimmy lächelnd. »Am Staubsauger und mit einer Flasche Allzweckreiniger in der Hand bin ich ein wahrer Künstler. Auch das war nicht Maggies Ding.« Mark wagte nicht zu fragen, was denn ihr Ding gewesen war. Da Jimmy so von ihr schwärmte, musste sie schon ihre Qualitäten gehabt haben. In jedem Fall war sie bestimmt ziemlich intelligent gewesen, denn Jimmy hatte ihm erzählt, dass sie sich in Harvard kennengelernt hatten.
»Janet und ich sind uns während des Jurastudiums begegnet. Aber sie hat nie als Juristin gearbeitet. Kurz nach unserer Hochzeit wurde sie das erste Mal schwanger und ist dann zu Hause geblieben, um sich um die Kinder zu kümmern.«
»Genau aus dem Grund hatten wir noch keine Kinder. Maggie war immer hin- und hergerissen zwischen dem Wunsch nach Kindern und ihrer Karriere. In der Hinsicht war sie sehr irisch. Sie fand, Mütter sollten zu Hause bleiben und für die Kinder da sein. Ich dachte immer, früher oder später würde es schon klappen.«
Nachdem die beiden Männer noch eine Weile über Coop

geredet hatten, ging Jimmy um sechs Uhr zum Pförtnerhaus zurück. Er hatte ein paar Freunden versprochen, mit ihnen zu Abend zu essen, und lud Mark ein mitzukommen. Doch der lehnte ab und sagte, er wolle noch ein paar Unterlagen durchgehen, da er sich mit den neuen Steuergesetzen beschäftigen musste. Aber die beiden verabredeten, irgendwann in der nächsten Woche gemeinsam zu Abend zu essen. Nachdem sie sich verabschiedet hatten, kam jeder von ihnen zu dem Schluss, dass es ein gutes Wochenende gewesen sei. Sie hatten Freundschaft geschlossen und Cooper Winslow kennengelernt – und der hatte ihre Erwartungen in keiner Weise enttäuscht.
Und während Jimmy den Weg zum Pförtnerhaus entlangschlenderte, ging Mark in den Gästeflügel zurück. Bei dem Gedanken an die morgendliche Begegnung mit der nackten Schönheit musste er erneut grinsen. Dieser Cooper Winslow hatte es wirklich faustdick hinter den Ohren.

## 7. Kapitel

Am nächsten Morgen rief Liz an, worüber Coop sich sehr freute. Sie war jetzt seit einer Woche verheiratet und auf Hochzeitsreise. Aber sie machte sich Sorgen um ihn.

»Wo steckst du?«, fragte er und lächelte beim Klang ihrer Stimme.

Es war ein komisches Gefühl, nicht mehr jeden Tag ihr Gesicht zu sehen.

»Auf Hawaii«, verkündete sie stolz. Sie genoss die Ehe in vollen Zügen und bedauerte, diesen Schritt nicht schon früher gemacht zu haben. Mit Ted verheiratet zu sein war wie ein Traum.

»Wie gewöhnlich«, zog Coop sie auf. »Ich bin ja immer noch der Meinung, du solltest ihn abservieren und zurückkommen. Wir können diese Eheschließung um Nu annullieren lassen, ich muss nur die dementsprechenden Leute anrufen.«

»Untersteh dich! Es ist wundervoll, eine ehrbare, verheiratete Frau zu sein.«

»Liz, du enttäuschst mich. Von dir hätte ich mehr Standhaftigkeit erwartet. Wir beide waren die letzten uneinnehmbaren Festungen. Jetzt bin nur noch ich übrig.«

»Vielleicht solltest du auch heiraten. Es ist wirklich nicht übel. Man spart sogar Steuern.«

»Genau das behauptet Abe auch immer und liegt mir in

den Ohren, ich solle mir eine reiche Frau suchen. Dieser Bursche ist so etwas von ungehobelt.«

»Die Idee ist aber nicht schlecht«, zog sie ihn auf. Dabei konnte sie sich Coop als Ehemann beim besten Willen nicht vorstellen.

»Mir ist schon seit Jahren keine wohlhabende Frau mehr über den Weg gelaufen. Ich weiß nicht, wo die sich alle verstecken. Und davon abgesehen würde ich ohnehin ihre Töchter bevorzugen.« Oder ihre Enkelinnen – seinen Gespielinnen der letzten Jahre nach zu urteilen – was aber keiner von ihnen aussprach. Er hatte durchaus Beziehungen zu wohlhabenden Frauen gehabt, sogar eine indische Prinzessin war darunter gewesen. Aber wie attraktiv und reich sie auch sein mochten, früher oder später wurde Coop ihrer überdrüssig. Jedes Mal traf er eine noch schönere, noch aufregendere Frau.

»Ich wollte mich nur vergewissern, dass du dich auch anständig benimmst«, sagte Liz schmunzelnd. In Wahrheit fehlte er ihr. »Wie läuft es mit Paloma?«

»Sie ist eine echte Perle«, sagte Coop mit bewegter Stimme. »Ihr Rührei ist wie Gummi, sie schüttet löffelweise Pfeffer auf meinen Toast, hat meine Kaschmirsocken in Babyschühchen verwandelt und kleidet sich umwerfend geschmackvoll. In ihre Strassbrille bin ich schon richtig verliebt. Ganz zu schweigen von den knallroten Pumps, die sie zu ihrer Schürze trägt, wenn sie nicht gerade die Leopardensneakers anhat. Sie ist ein richtiges Juwel, Liz. Weiß der Himmel, wo du sie aufgetrieben hast.«

Aber sosehr Paloma ihm auch auf die Nerven ging – er fing an, Gefallen an ihrer gegenseitigen Antipathie zu finden.

»Sie ist eine sehr nette Frau, Coop. Sag ihr, was sie wissen muss, und sie wird schnell lernen. Immerhin hat sie noch einen ganzen Monat lang mit den anderen zusammengearbeitet. Da wird sie sich ein bisschen was abgeguckt haben.«

»Livermore hielt sie wahrscheinlich mit Fußketten im Keller eingekerkert. Vielleicht sollte ich das auch versuchen. Ach übrigens: Gestern habe ich meine Hausgäste kennengelernt.«

»Hausgäste?«, fragte Liz überrascht. Davon wusste sie gar nichts.

»Die beiden Männer, die im Pförtnerhaus beziehungsweise im Gästeflügel wohnen.«

»Ach, *die* Hausgäste meinst du. Wie sind sie denn so?«

»Machen einen ganz anständigen Eindruck. Einer ist Anwalt. Der andere Sozialarbeiter, war in Harvard und sieht irgendwie aus wie ein kleiner Junge. Der Anwalt wirkte ein bisschen nervös, war aber ausgesprochen liebenswürdig. Ich bin ganz zuversichtlich, dass sie nicht anfangen, Bierflaschen in den Pool zu werfen oder Scharen von Waisenkindern zu adoptieren. Auf den ersten Blick habe ich auch keinerlei Anzeichen dafür entdeckt, dass sie drogenabhängig oder kriminell sind. Wir haben wohl mächtig Glück gehabt.«

»Klingt so. Die Maklerin hat mir versichert, dass es nette Leute seien.«

»Sie könnte recht haben. Aber für ein endgültiges Urteil ist es noch zu früh.« Liz war erleichtert, das zu hören. »Wieso rufst du überhaupt an? Du solltest jetzt eigentlich leidenschaftlichen Sex am Strand haben – mit diesem Klempner, den du geheiratet hast.«

»Er ist Börsenmakler und spielt gerade Golf mit einem seiner Klienten.«
»Er schleppt auf eurer Hochzeitsreise Klienten an? Liz, das ist ein ganz schlechtes Zeichen. Lass dich auf der Stelle scheiden.« Coop lachte laut, und Liz war froh, dass er so guter Dinge zu sein schien.
»Er hat den Klienten zufällig hier getroffen«, erwiderte sie ebenfalls lachend. »In einer Woche bin ich wieder zu Hause. Dann melde ich mich. Benimm dich anständig und kauf diese Woche kein einziges Diamantarmband. Abe Braunstein bekommt sonst ein Magengeschwür.«
»Geschähe ihm nur recht. Er ist der humor- und geschmackloseste Mann auf diesem Planeten. Ich sollte dir eines schenken, nur um ihn zu ärgern. Außerdem hättest du es verdient.«
»Ich trage schon den wunderschönen Ring, den du mir zum Abschied geschenkt hast. Ich rufe dich an, sobald ich zurück bin. Pass auf dich auf, Coop.«
»Mach ich, Liz. Und danke, dass du angerufen hast.« Er genoss es, mit ihr zu reden, und gestand sich nur ungern ein, dass sie ihm fehlte. Sehr sogar. Seit sie nicht mehr da war, fühlte er sich wie auf einem steuerlosen Schiff, das auf dem Meer trieb.
Als er an diesem Morgen in seinen Terminkalender geschaut hatte, war ihm ihre zierliche Handschrift ins Auge gefallen. Am Abend wurde er bei den Schwartzes zu einer Dinnerparty erwartet. Seit zwanzig Jahren waren die beiden der gesellschaftliche Mittelpunkt Hollywoods. Er hatte einen Namen als bedeutender Produzent, und sie war in den Fünfzigern eine bekannte Schauspielerin und absolute Schönheit gewesen. Coop hatte keine rechte Lust

hinzugehen, aber er mochte Arnold und Louise Schwartz ganz gern und wusste auch, dass sie ihm eine Absage übel nehmen würden. Viel lieber hätte Coop allerdings noch eine Nacht mit Charlene verbracht. Zu dieser Party konnte er sie auf keinen Fall mitnehmen; sie war ein bisschen zu auffallend für diesen Kreis. Charlene war die Art Mädchen, mit der er sich gern vergnügte, aber sicher nicht bei offiziellen Dinnerpartys gesehen werden wollte. Er teilte Frauen in unterschiedliche Kategorien ein. Charlene war ein Mädchen für zu Hause. Mit wichtigen Filmstars zeigte er sich gern bei Premieren und Eröffnungsfeiern, bei denen sie als Paar ihre Attraktivität für die Presse verdoppeln konnten. Und dann gab es noch eine ganze Schar junger Schauspielerinnen und Models zum Ausgehen. Aber zu den Partys bei den Schwartzens ging er lieber allein. Sie hatten immer eine Menge interessanter Leute zu Gast, und Coop wusste nie, wen er dort treffen würde. Er hatte mehr davon, wenn er allein hinging, und sie begrüßten ihn auch am liebsten als Junggesellen unter ihren Gästen. Also rief er Charlene an und sagte ihr, dass sie sich an diesem Abend nicht sehen könnten. Sie nahm es gelassen und erwiderte, dass sie eine Nacht allein zu Hause ganz gut gebrauchen könne. Sie müsse ihre Beine wachsen, Wäsche waschen und brauche ihren »Schönheitsschlaf«. Coop wusste, das Charlene morgens immer hinreißend aussah, auch wenn sie die ganze Nacht wach gewesen war. Und normalerweise überzeugte er sich zu jeder Tages- und Nachtzeit nur zu gern selbst davon. Aber der heutige Abend gehörte den Schwartzens.
Zum Mittagessen traf er sich mit einem Produzenten, danach musste Coop erst zur Massage und dann zur

Maniküre. Anschließend hielt ein Mittagsschläfchen und trank nach dem Aufwachen ein Gläschen Champagner. Abends um acht trat er elegant wie immer im Smoking aus der Haustür. Vor dem Eingang stand Coops Bentley bereit.

»Guten Abend, Mr. Winslow«, begrüßte ihn der Fahrer höflich. Er fuhr schon seit Jahren nicht nur Coop, sondern auch andere Stars auf Bestellung und verdiente ganz gut damit.

Als Coop in dem riesigen Anwesen der Schwartzes am Brooklyn Drive eintraf, tummelten sich bereits etwa hundert Leute in der Halle, tranken Champagner und wurden von den Gastgebern begrüßt. Louise Schwartz sah umwerfend elegant aus in ihrem dunkelblauen Abendkleid, zu dem sie erlesenen Saphirschmuck trug. Coop entdeckte unter den geladenen Gästen die üblichen Verdächtigen: Ex-Präsidenten mit ihren Frauen, Politiker, Kunsthändler, Produzenten, Regisseure, international renommierte Anwälte und jede Menge Filmstars. Einige von ihnen waren zwar momentan angesagter als Coop, aber keiner so berühmt wie er. Im Nu war er umringt von weiblichen und männlichen Bewunderern. Eine Stunde später begaben sich alle zum Essen. Coop saß unter anderem mit einem anderen bekannten Schauspieler seines Jahrgangs sowie zwei berühmten Schriftstellern und einem wichtigen Hollywood-Agenten zusammen. Auch der Leiter eines bedeutenden Filmstudios saß an demselben Tisch, und Coop nahm sich vor, ihn nach dem Essen anzusprechen. Er hatte gehört, dass in den Studios ein Film gedreht werden sollte, in dem es die perfekte Rolle für ihn gäbe. Auch die Frau zu seiner Rechten war ihm nicht fremd – eine bekannte Hollywood-Größe, die ständig erfolglos versuchte, mit ihren Partys denen von Louise Schwartz Konkurrenz zu machen. Zu seiner Linken saß eine junge Frau, die Coop nicht kannte. Sie hatte feine, aristokratische Gesichtszüge, große braune Augen, elfenbeinfarbene Haut und dunkles Haar, das hinten zu einem Dutt hochgesteckt war, wie bei den Ballerinen von Degas.

»Guten Abend«, begrüßte Coop sie freundlich. Ihm fiel auf, wie schlank und zierlich sie war, und er fragte sich, ob sie womöglich wirklich eine Tänzerin war. Während ein ganzes Heer von Kellnern den ersten Gang servierte, sprach er sie kurzerhand darauf an, worauf sie herzhaft lachte. Diese Frage wurde ihr nicht zum ersten Mal gestellt, trotzdem fühlte sie sich geschmeichelt. Sie wusste nur zu gut, wer er war, und hatte es aufregend gefunden, ihn als Tischnachbarn zu bekommen. Ihrer Platzkarte war zu entnehmen, dass sie Alexandra Madison hieß, doch der Name sagte Coop nichts.

»Ich bin Neonatologin«, sagte sie auf eine Art, als würde das alles erklären. Coop konnte damit jedoch reichlich wenig anfangen.

»Neonatologin?«, fragte er leicht amüsiert. Sie entsprach nicht seinem bevorzugten Frauentyp, war aber auffallend hübsch, hatte schöne, gepflegte Hände mit kurzen, unlackierten Fingernägeln und trug ein weißes Satinkleid. Ihr Gesicht und ihre Figur wirkten wie die eines jungen Mädchens.

»Assistenzärztin in der Uniklinik.«

»Wie interessant«, sagte er beeindruckt. »Welche Fachrichtung? Eine, die mir nützlich sein könnte?«

»Nun, das kommt darauf an. Neonatologen behandeln Frühgeborene und Kinder, die krank zur Welt kommen.«
»Kinder finde ich schrecklich«, sagte er mit einem Lächeln, das seine perfekten, weißen Zähne zeigte.
»Das kann ich gar nicht glauben«, erwiderte sie belustigt.
»Wirklich. Und die meisten Kinder hassen mich auch. Ich mag sie erst, sobald sie sich in Erwachsene verwandelt haben, vorzugsweise in Frauen.« Tatsächlich hatte Coop schon ein Leben lang eine Aversion gegen Kinder gehabt und sich möglichst nur mit kinderlosen Frauen eingelassen. Kinder machten immer alles sofort kompliziert. Sie hatten ihm schon mehr als einen vielversprechenden Abend ruiniert. Mit kinderlosen Frauen war alles viel leichter. Man musste nicht nach Hause hetzen, um den Babysitter zu erlösen. Niemand wurde in letzter Minute krank, bekleckerte einen mit Orangensaft oder sagte einem charmant mitten ins Gesicht: »Ich mag dich nicht.« Das war einer von vielen Gründen, warum er jüngere Frauen bevorzugte. Die über Dreißigjährigen schienen fast alle Kinder zu haben. »Warum können Sie denn nicht irgendeinen netteren Beruf haben? Zum Beispiel Löwenbändigerin. Ballerina würde auch gut zu Ihnen passen. Sie sollten ernsthaft über einen Karrierewechsel nachdenken – noch ist es nicht zu spät.« Alexandra amüsierte sich köstlich mit ihm als Tischnachbar. Er war ein wirklich beeindruckender Mann, und sie hatte ihr Vergnügen an seinen Späßen. Und Coop mochte sie – trotz ihres sonderbaren Berufs und der strengen Frisur.
»Ich kann ja mal darüber nachdenken. Was ist mit Tierärztin? Wäre das besser?«, fragte sie betont unschuldig.
»Hunde mag ich auch nicht. Sie sind schmutzig, verteilen

überall ihre Haare, beißen und bellen. Fast so schlimm wie Kinder. Wir müssen schon eine völlig andere Karriere für Sie ins Auge fassen. Wie wäre es mit Schauspielerin?«
»Keine gute Idee«, lachte sie, während ein Kellner Kaviar auf ihre Blini löffelte. Coop liebte das Essen bei den Schwartzens, und Alexandra schien sich ebenfalls wohl zu fühlen. Sie strahlte eine Anmut und Souveränität aus, als wäre sie in Räumen wie diesen aufgewachsen, auch wenn sie nicht mit kostbaren Juwelen behängt war. Sie trug lediglich eine Perlenkette und mit Perlen und Diamanten besetzte Ohrstecker. Trotzdem roch sie förmlich nach Geld. »Was ist mit *Ihnen*?«, drehte sie schließlich den Spieß um. Sie war intelligent, und auch das gefiel ihm an ihr. Als Gesprächspartnerin stellte sie eine echte Herausforderung dar. »Warum sind Sie Schauspieler?«
»Ich finde es ganz unterhaltsam. Stellen Sie sich vor, jeden Tag in eine andere Rolle zu schlüpfen und ausgefallene Kostüme anzuziehen. Das macht Spaß. Wesentlich mehr als das, was Sie tun. Sie tragen einen zerknitterten weißen Kittel, auf den sich ständig irgendwelche Kinder übergeben, die anfangen zu schreien, wenn Sie sich ihnen nur nähern.«
»Ich trage zwar einen weißen Kittel, aber die Kinder, mit denen ich auf der Frühgeborenenintensivstation zu tun habe, sind zu klein, um viel Unfug anzurichten.«
»Grauenhaft«, stöhnte er und gab sich entsetzt. »Sie sind wahrscheinlich nicht größer als Mäuse. Womöglich stecken Sie sich mit Tollwut an. Das ist ja noch schlimmer, als ich dachte.« Der Mann gegenüber betrachtete ihn amüsiert. Coop dabei zuzusehen, wie er eine Frau mit seinem Charme umgarnte, war, als würde man einem Künstler bei

der Arbeit zusehen. Aber Alexandra war ihm eine ebenbürtige Gegenspielerin. Sie war feinfühlig und clever genug, sich von Coop weder einwickeln noch verunsichern zu lassen. »Und was machen Sie in Ihrer Freizeit?«, wollte Coop als Nächstes wissen.
»Fliegen – mit achtzehn habe ich meinen Pilotenschein gemacht. Und ich liebe das Drachenfliegen. Fallschirmspringen ist auch wunderbar, aber meine Mutter war strikt dagegen. Ich spiele Tennis, fahre Ski. Motorradrennen bin ich auch schon gefahren, musste aber meinem Vater versprechen, diesen Sport an den Nagel zu hängen. Und vor dem Medizinstudium habe ich ein Jahr lang in Kenia in einem Distriktkrankenhaus gearbeitet.«
»Klingt, als wären Sie stark selbstmordgefährdet und hätten Eltern, die sich ständig in Ihre sportlichen Aktivitäten einmischen. Sehen Sie einander oft?«
»Nur wenn ich muss«, erwiderte sie selbstbewusst. Sie hatte unglaubliches Selbstvertrauen und viel Persönlichkeit. Coop war fasziniert von dieser Frau.
»Wo leben Ihre Eltern?«, fragte er interessiert.
»In Winter in Palm Beach, im Sommer in Newport. Ihr Leben ist fürchterlich langweilig und eingefahren – dafür bin ich nicht geschaffen.«
»Sind Sie verheiratet?« Er hatte natürlich längst gesehen, dass sie keinen Ring trug, und sie machte auf ihn auch keinen verheirateten Eindruck – für diese Dinge hatte er einen siebten Sinn.
»Nein.« Sie zögerte. »Aber ich wäre es fast gewesen.« Normalerweise redete sie nicht darüber, aber Coop war so entwaffnend, dass es ihr leichtfiel, ihm gegenüber ehrlich zu sein.

»Und? Was ist passiert?«
Obwohl sie weiterhin lächelte, bekam ihre Miene etwas Eisiges, und ihre Augen wirkten traurig. Außer Coop konnte es niemand sehen. »Er hat mich vor der Hochzeit sitzen gelassen – genau genommen in der Nacht vorher.«
»Wie geschmacklos. Ich hasse Leute, die keinen Stil haben, Sie nicht auch?« Coop versuchte, humorvoll damit umzugehen, weil er sah, dass ihr das Gespräch zusetzte. Offenbar hatte sie diese Geschichte noch nicht verdaut, und er bedauerte seine Frage. »Hoffentlich ist er danach in eine Schlangengrube gefallen oder in einen Tümpel voller Alligatoren. Das hätte er verdient.«
»Ist er auch – er hat meine Schwester geheiratet.«
»Das ist ja barbarisch. Reden Sie noch mit ihr?«
»Nur wenn ich es nicht vermeiden kann. Die Trennung von meinem Verlobten war auch der Grund, warum ich nach Kenia gegangen bin. Mein Aufenthalt dort war übrigens höchst interessant.« Mit diesem Wink gab sie ihm zu verstehen, dass sie nicht weiter über die geplatzte Hochzeit reden wollte, was Coop sofort akzeptierte. Sie war schonungslos ehrlich zu ihm gewesen – mehr als er es einem Fremden gegenüber gewesen wäre –, und dafür bewunderte er sie. Bereitwillig wechselte er das Thema und erzählte von seiner letzten Safari, die sich als der reinste Horrortrip entpuppt hatte. Er war in einen Wildpark eingeladen gewesen und fest davon überzeugt, dass die Gastgeber nichts ausgelassen hatten, um ihn zu martern. Jede einzelne Minute war die reinste Tortur gewesen, aber ihm jetzt zuzuhören war äußerst amüsant, und Alex lachte bereits herzhaft, als Coop noch dabei war, den Schauplatz zu beschreiben. Sie hatten so viel Spaß miteinander, dass

sie ihre übrigen Tischnachbarn während des gesamten Dinners ignorierten. Coop bedauerte, als Alexandra sich nach dem Essen erhob, um Bekannte zu begrüßen, die sie an einem anderen Tisch entdeckt hatte. Es waren Freunde ihrer Eltern, mit denen sie wenigstens ein paar Worte wechseln sollte. Zum Abschied sagte sie ihm, wie sehr sie es genossen habe, ihn kennenzulernen – und das war keineswegs nur eine Höflichkeitsfloskel. An diesen Abend würde sie sich noch lange erinnern.

»Ich gehe nur selten aus, meistens fehlt mir die Zeit dazu. Mrs. Schwartz ist eine Freundin meiner Eltern und war so nett, mich einzuladen. Und ausnahmsweise konnte ich mich im Krankenhaus frei machen. Ich bin froh, dass ich hergekommen bin.« Sie verabschiedete sich mit einem festen Händedruck von Coop und ging. Nur Sekunden später stand Louise Schwartz leise kichernd neben ihm.

»Vorsicht, Coop«, warnte sie ihn. »Sie ist ziemlich schwierig. Und wenn du sie unglücklich machst, bringt ihr Vater dich um.«

»Wie das? Gehört er zur Mafia? Sie macht auf mich einen äußerst seriösen Eindruck.«

»Das ist sie auch. Genau deshalb wird er dich ja umbringen. Er heißt übrigens Arthur Madison.« Es gab wohl niemanden, dem dieser Name nichts sagte. Arthur Madison gehörte zum alteingesessenen Industrieadel und war der vermögendste Stahlmagnat im Land. Abe Braunsteins Worte schossen Coop durch den Kopf. Alex Madison musste also nicht nur reich sein, sondern stammte aus einer der reichsten Familien überhaupt. Trotzdem war sie natürlich, unprätentiös – und eine der aufgewecktesten Frauen, die er je kennengelernt hatte. Mehr noch, sie hatte

Esprit, und es war schwer, nicht von ihr angezogen zu sein. Coop beobachtete sie interessiert, während sie sich mit einer Reihe von Leuten unterhielt. Als er gerade gehen wollte, liefen sie sich erneut über den Weg. Coop wies auf seinen Bentley.
»Kann ich Sie mitnehmen?«, fragte er zuvorkommend. Wieder fiel ihm auf, wie sehr sie ihm gefiel. Und sie war ganz eindeutig eine Frau, die keine Spielchen dulden würde. Besser noch – oder schlimmer –, sie war verletzt worden und jetzt sehr vorsichtig. Wer sie war, beziehungsweise ihr Vater, vervollständigte das Bild von ihrer Person lediglich. Sie übte auf ihn einen unwiderstehlichen Reiz aus, und das hätte sie auch getan, ohne eine reiche Erbin zu sein. Während Coop sie unauffällig musterte, wurde ihm zu seinem eigenen Erstaunen klar, dass er Alexandra um ihrer selbst willen mochte.
»Ich bin selbst mit meinem Wagen da, aber vielen Dank«, entgegnete sie freundlich. Just in diesem Moment fuhr einer der Parkwächter ihren alten, verbeulten VW-Käfer vor, und Alexandra lächelte Coop an.
»Ich bin beeindruckt. Das nenne ich Understatement.«
»Ich mag es einfach nicht, für Autos Geld zum Fenster hinauszuwerfen. Und da ich es sowieso kaum brauche, weil ich ständig arbeite …«
»Ich weiß, mit diesen Mäusebabys. Wie wäre es mit Hairstylistin? Haben Sie daran schon einmal gedacht?«
»Das war mein erster Berufswunsch, aber ich habe die Aufnahmeprüfung nicht bestanden – bin bei der Dauerwelle durchgefallen.« Sie war genauso schlagfertig und unbefangen wie er.
»Es war schön, Sie kennengelernt zu haben, Alexandra«,

sagte er und sah sie mit seinen blauen Augen auf jene Art an, die ihn zur Legende gemacht hatte und auf die Frauen unwiderstehlich wirkte.
»Nennen Sie mich Alex. Die Freude über unsere Begegnung ist ganz meinerseits, Mr. Winslow.«
»Vielleicht sollte ich Sie Dr. Madison nennen. Wie wäre das?«
»Perfekt.« Sie grinste ihn an und setzte sich in ihren zerbeulten Käfer. Es machte ihr offenbar nicht das Geringste aus, dass sie zu einer Party bei den Schwartzens in einem Auto erschienen war, das man eher mit einem Motorschaden irgendwo am Straßenrand vermutet hätte.
»Gute Nacht!«, rief sie ihm zu und winkte noch einmal zu Abschied.
Als sie losfuhr, rief er ihr nach: »Gute Nacht, Doktor! Nehmen Sie zwei Aspirin und rufen Sie mich morgen früh an.« Er konnte sehen, dass sie lachte, während sie die Auffahrt hinunterfuhr. Lächelnd setzte sich Coop in den Fond des Bentleys. Morgen früh musste er Louise unbedingt Blumen schicken. Und zwar einen großen Strauß. Er war so froh, dass er sich gegen eine Nacht mit Charlene entschieden hatte. Dafür hatte er einen wundervollen Abend mit Alex Madison genießen können. Sie war eine ungewöhnliche Frau und eröffnete ihm zudem eine vielversprechende Perspektive.

## 8. Kapitel

Am nächsten Morgen schickte Coop Louise Schwartz ein riesiges Blumenbukett. Er überlegte, ihre Sekretärin anzurufen und um Alex Madisons Telefonnummer zu bitten, entschied dann aber, direkt im Krankenhaus anzurufen und sie auf eigene Faust ausfindig zu machen. Er ließ sich mit der Intensivstation für Frühgeborene verbinden. Alex wurde angepiept, aber dann sagte man ihm, sie sei momentan zu beschäftigt, um ans Telefon zu kommen. Er hinterließ seine Nummer, doch sie rief auch später nicht zurück. Zu seinem eigenen Erstaunen stellte Coop fest, dass er darüber tatsächlich enttäuscht war.
Zwei Tage später war er wieder mit Fliege und Smoking unterwegs. Wie jedes Jahr hatte er eine Einladung zur Vergabe der Golden Globes, obwohl er selbst seit mehr als zwanzig Jahren nicht mehr nominiert worden war. Aber gemeinsam mit all den anderen bekannten Stars verlieh er der Veranstaltung den nötigen Glamour. Die wichtigen gesellschaftlichen Ereignisse besuchte er gern in Begleitung von Rita Waverly, einem der größten Hollywoodstars der letzten drei Jahrzehnte, und so war es auch an diesem Abend. Die Aufmerksamkeit, die ihnen als Paar von der Presse zuteil wurde, war kaum noch steigerungsfähig, und im Laufe der Jahre hatte man ihnen immer wieder gern eine Affäre angedichtet. Coops Presseagent hatte irgendwann einmal durchsickern lassen, die beiden würden heiraten, woraufhin Rita ziemlich wütend geworden war.

Mittlerweile hatte man sie schon zu oft zusammen gesehen, als dass noch irgendjemand solchen Gerüchten Glauben schenken würde, doch mit ihr an seiner Seite aufzutreten ließ Coop blendend dastehen. Rita sah trotz ihres Alters fantastisch aus. Laut ihrer Pressemappe war sie neunundvierzig, aber Coop wusste, dass sie bereits achtundfünfzig war.
Er holte sie in ihrem Appartement in Beverly Hills ab. Sie trug für diesen Anlass eine weiße Satinrobe, deren kostbarer Stoff schräg zum Fadenverlauf verarbeitet war und dadurch besonders weich fiel. Das Kleid umspielte einen Körper, der nicht nur seit Jahren mit Hungerkuren gemartert wurde, sondern auch jede Art von Korrektur erfahren hatte, mit der die Schönheitschirurgie aufwarten konnte. Mit erstaunlich guten Ergebnissen war Rita gestrafft, abgesaugt und ausgepolstert worden. Ihr beeindruckendes Dekolleté, das erst kürzlich von Chirurgenhand verschönt worden war, schmückte ein drei Millionen Dollar Diamantkollier – eine Leihgabe von Van Cleef.
Einen bodenlangen weißen Nerzmantel lässig um die Schultern gelegt, trat sie aus dem Gebäude. Genau wie Coop war sie der Inbegriff des Hollywoodstars, und zusammen bildeten sie das perfekte Paar. Die Presseleute überschlugen sich förmlich, als die beiden bei der Golden-Globe-Verleihung vorfuhren. Man hätte meinen können, sie wären Mitte zwanzig und hätten soeben einen Oscar gewonnen.
»Hierhin!!! … Hierhin!!! … Rita!!! … Coop!!!«, riefen die Fotografen, um die beste Perspektive für ihre Aufnahme zu ergattern, während die Fans mit Autogrammblöcken winkten. Hunderte von Blitzlichtern flammten

auf, und die beiden strahlten in einem fort. Von Nächten wie dieser zehrte ihr Ego lange. Alle paar Schritte wurden sie von Fernsehreportern mit laufenden Kameras gestoppt, die wissen wollten, was sie von den diesjährigen Nominierungen hielten.

»Fantastisch … absolut beeindruckende Arbeit … es macht stolz, in diesem Geschäft zu sein …«, erwiderte Coop fachkundig, während Rita lächelte und in ihren Bewegungen an einen Pfau erinnerte, der die Federn spreizt. Diese ganze Show zog sich derartig hin, dass sie fast eine halbe Stunde brauchten, um zu ihrem Tisch zu gelangen, an dem vor der Preisverleihung das Essen serviert werden würde. Coop war überaus zuvorkommend, half Rita aus dem Mantel und reichte ihr ein Glas Champagner. Wenn er etwas zu ihr sagte, neigte er sich auf galante Art leicht zu ihr herüber.

»Du bringst mich fast dazu zu bedauern, dass ich dich nicht geheiratet habe«, zog Rita ihn auf. Dabei wussten sie beide genau, dass alles nur eine eingespielte Show und gut für die Publicity war. Die Gerüchte über ihre angebliche Liebesbeziehung hatten die beiden im Laufe der Jahre zwar immer wieder ins Interesse der Öffentlichkeit gerückt, aber in Wahrheit waren sie sich nie wirklich nähergekommen. Ein einziges Mal hatte Coop Rita geküsst, einfach nur so. Aber Rita war so narzisstisch, dass Coop sie nicht länger als eine Woche ertragen könnte, und sie ihn wahrscheinlich auch nicht. In dem Punkt machten sie sich beide nichts vor. Als später am Abend die Show begann und die Kameras das Publikum entlangfuhren, blieben sie für einen langen Moment in Großaufnahme auf die beiden gerichtet.

»Heiliger Strohsack!«, rief Mark, der gemeinsam mit Jimmy im Pförtnerhaus vor dem Fernseher saß. Da sie beide an dem Abend frei gewesen waren, hatte Mark kurzerhand vorgeschlagen, sich gemeinsam die Preisverleihung anzuschauen. Er hatte noch Witze darüber gemacht, ob sie vielleicht sogar Coop entdecken würden, aber keiner von ihnen hatte damit gerechnet, dass sie so viel von ihm – oder seiner Begleiterin – sehen würden. Und jetzt schienen sich die Kameras gar nicht mehr von den beiden lösen zu wollen. »Sieh dir das an!!« Mark wies Richtung Bildschirm. Jimmy grinste und trank einen Schluck Bier.
»Ist das etwa Rita Waverly? Himmel, der Bursche kennt aber echt jeden.« Selbst Jimmy war beeindruckt. »Sie sieht verdammt gut aus für ihr Alter.« Er musste daran denken, wie gern sich Maggie dieses ganze Hollywoodbrimborium angesehen hatte, Golden Globe, Oscar-Verleihung, die Grammys, Emmys und sogar die Preisverleihung für die Soaps. Und sie war immer stolz darauf gewesen, den Namen jedes einzelnen Stars zu kennen.
»Was für ein Kleid!«, kommentierte Mark, während die Kamera endlich weiterschwenkte. »Ziemlich abgefahren, was? Wann hattest du das letzte Mal einen Vermieter, den du zur Hauptsendezeit im Fernsehen bewundern konntest?«
»Ich hatte mal einen in Boston – er wurde verhaftet, weil er mit Drogen dealte. Für den Bruchteil einer Sekunde konnte ich ihn in den Abendnachrichten bewundern.« Die Männer lachten. Nachdem Coop vom Bildschirm verschwunden war, öffnete Jimmy eine weitere Flasche Bier.
»Ich komme mir schon fast vor wie ein altes Ehepaar«,

sagte er und reichte Mark eine Schale mit Popcorn. In der Tat hatte sich zwischen den beiden bereits eine entspannte Freundschaft entwickelt. Während im Fernsehen gerade die nominierten Titel für die beste Filmmusik gespielt wurden, blickte Mark Jimmy grinsend an.
»Ich mir auch. Aber im Augenblick ist es genau das Richtige. Eines Tages möchte ich mir Coops Adressbuch ausleihen und einige seiner Verflossenen kontaktieren. Aber jetzt noch nicht.«

Alex Madison hatte an diesem Abend Dienst im Krankenhaus – zum Ausgleich für den freien Abend, den sie bei den Schwartzens verbracht hatte. Sie hatte ihren Dienst mit einem anderen Assistenzarzt getauscht, der sich an diesem Abend mit der Frau seiner Träume traf.
Alex ging in den Warteraum, um die Eltern eines zwei Wochen alten Frühchens zu suchen, das am Morgen einen Herz- und Atemstillstand erlitten hatte, aber stabilisiert werden konnte. Sie hatte einen anstrengenden Arbeitstag hinter sich und wollte den beiden sagen, dass ihr Kind außer Gefahr sei und jetzt schlafe. Doch das Wartezimmer war leer, und Alex' Blick fiel auf den Fernseher, der hier immer lief. Zu ihrer Überraschung erblickte sie Coop in Großaufnahme.
»Dich kenne ich doch!«, entfuhr es ihr schmunzelnd. Coop sah umwerfend aus und wirkte sehr charmant, wie er Rita Waverly ein Glas Champagner reichte. Es war ein komisches Gefühl für Alex, denn auf die gleiche Art hatte er ihr vor zwei Tagen ebenfalls ein Glas gereicht.
Rita sah einfach fantastisch aus. »Wie viele Schönheitsoperationen mag die wohl hinter sich haben?«, murmelte

Alex vor sich hin. Ihr wurde bewusst, wie sehr Coops Welt sich von ihrer unterschied. Sie verbrachte die Tage und Nächte damit, Leben zu retten und Eltern zu beruhigen, deren Säuglinge ums Überleben kämpften. Leute wie Coop und Rita waren damit beschäftigt, gut auszusehen, auf Partys zu gehen und ihre Pelze, Juwelen und Abendgarderoben auszuführen. Alex legte dagegen in der Regel nicht einmal Make-up auf und trug meistens einen weißen Kittel mit dem Code der Neugeborenenintensivstation. Unwahrscheinlich, dass sie jemals auf der Liste der bestgekleideten Frauen erscheinen würde. Aber sie hatte sich ihr Leben selbst ausgesucht und mochte es so, wie es war. Um nichts auf der Welt hätte sie es eingetauscht gegen die scheinheilige Welt ihrer Eltern. Im Grunde war sie froh, Carter nicht geheiratet zu haben. Seit der Heirat mit ihrer Schwester sonnte er sich in seinem neuen sozialen Status – und war genauso aufgeblasen und arrogant wie all die Männer, die Alex immer schon verachtet hatte.

Nachdem die Kamera auf jemand anderen geschwenkt und Coop nicht mehr zu sehen war, ging Alex zurück in ihre vertraute Umgebung mit den Brutkästen, in denen winzige Babys über Schläuche versorgt und per Monitor überwacht wurden. In diesem Moment hatte sie Coop und die Golden-Globe-Verleihung bereits wieder vergessen.

Im Gegensatz zu Mark, Jimmy und Alex fand Charlene Coopers Fernsehauftritt ganz und gar nicht amüsant. Sie hockte auf dem Sofa und starrte missmutig auf den Bildschirm. Zwei Tage zuvor hatte Coop ihr gesagt, er könne sie nicht zu der Party bei den Schwartzens mitnehmen, weil sie ihn als Tischpartner bräuchten. Er versicherte ihr, dass sie sich dort zu Tode langweilen würde – seine Standardausrede, wenn er allein irgendwohin gehen wollte. Aber ihn zur Golden-Globe-Verleihung zu begleiten wäre ihr Traum gewesen, und jetzt war sie stinksauer, weil er stattdessen mit Rita Waverly dort aufkreuzte.

»Verdammtes Luder!«, fauchte sie dem Fernseher entgegen. »Die ist doch mindestens achtzig«, wetterte sie, während Coop auf dem Bildschirm den Arm um Rita legte und ihr zärtlich etwas ins Ohr flüsterte. Rita lachte, und die Kameras schwenkten auf einen anderen Filmstar. Charlene hinterließ mindestens ein halbes Dutzend Nachrichten auf Coops Mailbox und kochte vor Wut, als sie ihn nachts um zwei endlich auf seinem Handy erreichte.

»Wo zum Teufel steckst du, Coop?« Sie klang, als würde sie jeden Moment einen Tobsuchtsanfall bekommen – oder in Tränen ausbrechen.

»Dir auch einen schönen guten Abend, mein Schatz«, erwiderte er unbeeindruckt. »Ich bin zu Hause in meinem Bett, und du?« Er wusste genau, warum Charlene wütend war. Es war vorhersehbar, aber unvermeidbar gewesen, denn er würde sie niemals im Leben zu einer publicityträchtigen Veranstaltung wie der Golden-Globe-Verleihung mitnehmen. Für ihn war ihre Beziehung weder ernst noch wichtig genug, um publik gemacht zu werden. Abgesehen davon, brachte es ihm wesentlich mehr, mit Rita gesehen zu werden. Er hatte seinen Spaß mit Charlene und all den anderen Mädchen – aber ausschließlich im Privaten. Coop verspürte nicht den geringsten Wunsch, sie der Öffentlichkeit zu präsentieren. Doch er konnte sich natürlich denken, dass Charlene ihn im Fernsehen gesehen hatte.

»Ist Rita Waverly bei dir?«, kreischte Charlene schrill. Coop ahnte, dass jetzt eine unangenehme Szene folgen würde. Derartige Verhöre veranlassten ihn immer dazu, schnell zur nächsten Kandidatin auf seiner Liste weiterzuziehen. Wunderschön oder nicht, der Spaß mit Charlene hatte den Zenit überschritten, und es wurde Zeit, sich von ihr zu verabschieden. »Natürlich nicht. Warum sollte Rita hier sein?«, fragte er entgeistert.
»Weil du bei der Preisverleihung aussahst, als würdest du sie jeden Moment bespringen.« Es wird wirklich höchste Zeit, dachte Coop.
»Lass uns nicht ausfallend werden«, erwiderte er in einem Tonfall, als spräche er zu einem unartigen Kind. »Das Ganze war die reinste Tortur«, stöhnte er dann und gab ein perfekt einstudiertes Gähnen von sich. »So wie immer. Es ist nur ein Job, mein Schatz.«
»Wo ist sie jetzt?« Charlene hatte fast eine ganze Flasche Wein geleert, während sie über Stunden versuchte, Coop zu erreichen, der sein Handy während der Preisverleihung bewusst ausgeschaltet hatte.
»Wer?« Er hatte wirklich nicht die geringste Idee, wen sie meinte. Charlene klang schon mehr als nur leicht beschwipst.
»Rita!«, insistierte sie.
»Keine Ahnung. In ihrem Bett vermutlich. Und ich, verehrte Dame, werde jetzt auch schlafen. Ich habe morgen schon sehr früh einen Termin wegen eines Werbespots. Und so jung wie du bin ich nicht mehr. Ich brauche meinen Schlaf.«
»Den Teufel brauchst du! Wenn ich da wäre, würden wir die ganze Nacht aufbleiben, das weißt du genau.«

»Allerdings.« Er lächelte. »Und genau aus dem Grund bist du jetzt auch nicht hier. Wir brauchen beide ein bisschen Schlaf.«

»Ich könnte doch rasch zu dir rüberkommen«, lallte sie. Während des Telefonats hatte sie die Flasche inzwischen endgültig geleert.

»Ich bin müde, Charlene. Und du scheinst auch nicht ganz auf der Höhe zu sein. Für heute Abend sollten wir es gut sein lassen.« Ein Hauch von Langeweile hatte sich in seinen Tonfall geschlichen.

»Ich komme zu dir.«

»Nein, das wirst du nicht«, widersprach er streng.

»Ich werde über das Tor klettern.«

»Der Wachdienst würde dich schnappen, das wäre nur peinlich. Lass uns ein bisschen schlafen und morgen darüber reden«, erwiderte er freundlich, aber bestimmt. Coop sah keinen Sinn darin, mit ihr zu streiten, insbesondere wenn sie betrunken und aufgebracht war. Das führte zu nichts.

»Über was willst du morgen reden? Betrügst du mich mit Rita Waverly?«

»Was ich tue, geht dich rein gar nichts an, Charlene, und der Begriff ›Betrügen‹ setzt eine Art von Beziehung voraus, die es zwischen uns nicht gibt. Lass uns das Ganze realistisch betrachten. Gute Nacht, Charlene«, sagte er kühl und legte auf. Zwei Sekunden später klingelte sein Handy erneut, doch er ignorierte es. Dann klingelte sein Festnetzanschluss. Charlene probierte es in den nächsten zwei Stunden immer wieder, bis Coop schließlich den Stecker des Apparates in seinem Zimmer herauszog, um in Ruhe schlafen zu können. Besitzergreifende Frauen, die Szenen machten, konnte er nicht ausstehen. Es war höchste Zeit, dass Charlene aus seinem Leben verschwand. Sehr bedauerlich, dass Liz nicht mehr da war, sie hatte für diese Art Probleme ein Händchen gehabt. Wenn ihm Charlene wichtiger gewesen wäre, hätte er ihr als Abschiedsgeschenk ein Diamantarmband oder etwas in der Art geschickt, als Dank für die gemeinsame Zeit. Aber sie hatte nicht lange genug zu seinem Leben gehört, um einen Anspruch darauf zu haben. Und so wie sie gestrickt war, hätte er sie dadurch nur ermutigt, ihn weiter zu belästigen. Charlene gehörte zu der Art Mädchen, von der man sich mit einem klaren Schnitt trennen und die man sich danach vom Leib halten musste. Sehr bedauerlich, dass sie ihm diese Szene machen musste, dachte Coop, während er langsam eindöste. Bestimmt wären sie sonst noch zwei, drei Wochen zusammengeblieben. Doch nach diesem Auftritt heute Nacht blieb ihm nur ein schneller Abgang. Und eigentlich ist sie bereits weg, dachte er als Letztes, während irgendwo in weiter Ferne das Telefon zum hundertsten Mal klingelte. Bye, Charlene.

Am nächsten Morgen brachte ihm Paloma das Tablett mit seinem Frühstück ans Bett. Sie machte sich mittlerweile schon besser als an den ersten Tagen, auch wenn sie ihm einmal pochierte Eier mit Chili untergejubelt hatte. Obwohl er alles sofort wieder ausgespuckt hatte, brannte ihm den ganzen Tag lang der Mund. Paloma wollte ihm anschließend allen Ernstes einreden, das sei ein ganz besonderes Spezialrezept gewesen. Er hatte sie daraufhin gebeten, ihn doch in Zukunft mit derartigen Gaumenfreuden zu verschonen.

»Paloma, falls Charlene anruft, sagen Sie bitte, ich sei nicht da – und zwar immer. Ist das klar?«
Paloma starrte ihn mit zusammengekniffenen Augen an. Ihre ganze Körperhaltung drückte Missfallen, Verachtung und Verärgerung aus. Freunden gegenüber bezeichnete sie Coop häufig als »geilen, alten Bock«.
»Sie mögen sie nicht mehr?« Paloma machte sich nicht mehr die Mühe, ihm einen Akzent vorzuspielen. Schließlich hatte sie noch genügend andere Tricks in petto.
»Darum geht es nicht. Es ist einfach so, dass unser ... unser kleines Intermezzo ... zu Ende ist.« Liz hätte er niemals solche Fragen beantworten müssen, und seinem Dienstmädchen wollte er schon gar nicht Rede und Antwort stehen. Aber Paloma stand eben nicht auf seiner Seite, sondern sah sich wohl als Anwältin unterdrückter Frauen und aller sozial Benachteiligten.
»Intermezzo? Soll das heißen, dass Sie nicht mehr mit ihr schlafen?« Coop zuckte zusammen.
»Das ist nicht gerade feinfühlig ausgedrückt, aber korrekt. Bitte stellen Sie keine Anrufe von ihr zu mir durch.« Er hätte es nicht klarer formulieren können. Eine halbe Stunde später kam Paloma zurück und sagte, da sei ein Anruf für ihn.
»Wer ist dran?«, fragte er abgelenkt. Er saß im Bett und las ein Drehbuch, um herauszufinden, ob eine geeignete Rolle für ihn darin vorkam.
»Keine Ahnung. Klingt wie eine Sekretärin«, sagte sie vage, und er griff zum Hörer. Es war Charlene.
Sie war völlig hysterisch, schluchzte ununterbrochen und erklärte ihm, dass sie ihn sofort sehen müsse, andernfalls bekäme sie auf der Stelle einen Nervenzusammenbruch.

Coop brauchte eine Stunde, um sie wieder loszuwerden. Er sagte ihr, dass die Beziehung zu ihm ihr anscheinend nicht gut täte und es besser sei, wenn sie sich eine Weile lang nicht sähen. Coop verschwieg, dass er genau diese Art von Beziehungsdramen nicht ertragen konnte und keinerlei Absichten hegte, sie jemals wiederzusehen. Sie weinte immer noch, aber nicht mehr ganz so hysterisch, als er sie endlich dazu bewegen konnte, den Hörer aufzulegen. Danach machte er sich sofort auf die Suche nach Paloma. Er marschierte in seinem Pyjama ins Wohnzimmer, wo Paloma gerade Staub saugte. Sie trug ein neues Paar violetter Samtsneakers mit passender Strasssonnenbrille. Wegen des Motorengeräuschs verstand sie nicht, was Coop sagte, bis er schließlich entnervt den Stecker des Staubsaugers aus der Wand zog. Coop starrte Paloma wütend an, während sie gänzlich unbekümmert wirkte.
»Sie wussten doch ganz genau, wer am Telefon war!«, fuhr er sie an. Es passierte selten, dass er die Selbstbeherrschung verlor, aber Paloma schaffte es, ihn auf die Palme zu bringen. Er hatte nicht übel Lust, sie mit bloßen Händen zu erwürgen – und Abe direkt danach, weil der ihn mit ihr allein gelassen hatte. Dabei hatte er gerade angefangen, eine gewisse Sympathie für Paloma zu entwickeln, doch die war jetzt wie auf Knopfdruck verschwunden. Diese Frau war eine Hexe – ganz ohne Zweifel.
»Nein, wer denn?«, fragte sie ganz unschuldig. »Rita Waverly?« Natürlich hatte auch sie ihn bei der Golden-Globe-Verleihung gesehen und hinterher all ihren Freunden, die ebenfalls vor dem Bildschirm gesessen hatten, erzählt, was für ein Arschloch Cooper Winslow sei.
»Das war Charlene. Sie war völlig hysterisch, eine Situa-

tion, mit der ich nicht gerade gerne den Tag beginne. Und ich warne Sie: Falls Charlene hier auftaucht und Sie sie hereinlassen, werfe ich Sie beide in hohem Bogen raus, rufe die Polizei und behaupte, ich hätte zwei Einbrecher erwischt.«

»Jetzt geraten Sie mal nicht direkt in Panik«, erwiderte Paloma mit verächtlichem Blick.

»Ich bin nicht panisch, ich bin wütend, Paloma. Ich hatte Ihnen in aller Deutlichkeit gesagt, dass ich nicht mit Charlene sprechen möchte.«

»Das hatte ich wohl vergessen. Aber gut, dann gehe ich eben nicht mehr ans Telefon.« Offenbar wollte sie sich wieder einer unliebsamen Pflicht mehr entledigen, was Coop nur noch wütender machte.

»Und ob Sie ans Telefon gehen, Paloma! Und wenn Charlene anruft, werden Sie sagen, ich sei nicht da. Ist das jetzt klar?«

Sie nickte und schaltete den Staubsauger wieder ein. Die Feindseligkeit, die sie Coop gegenüber hegte, war nicht zu übersehen. Sie war unschlagbar darin, diese ohne ein einziges Wort zum Ausdruck zu bringen ebenso wie durch ihre Form passiven Widerstands.

»Besten Dank.« Coop stampfte zurück in sein Schlafzimmer und legte sich wieder ins Bett, konnte sich aber nicht mehr auf das Drehbuch konzentrieren. Er war wütend auf Paloma, aber auch der Gedanke an Charlene verdarb ihm gründlich die Stimmung. Sie war hysterisch, vulgär und lästig, und er hasste Frauen, die derartig klammerten. Wenn eine Romanze vorbei war, dann sollten sie wissen, wie man sich stilvoll zurückzieht. Aber Stil war ganz und gar nicht Charlenes Sache. Eigentlich war vorhersehbar gewesen, dass sie schwierig würde, und trotzdem ärgerte er sich. Nach einer Weile stand er auf, duschte, rasierte sich und zog sich an.

Er aß mit einem Regisseur bei *Spago* zu Mittag, mit dem er vor Jahren einmal zusammengearbeitet hatte. Coop hatte ihn angerufen und das Treffen vorgeschlagen. Man konnte schließlich nie wissen, wann jemand einen Film plante, in dem es eine bedeutende Rolle für Coop gab. Zumindest lenkte ihn dieses Treffen davon ab, sich über Charlene aufzuregen. Auf dem Weg ins *Spago* fiel ihm wieder ein, dass Alex nie zurückgerufen hatte. Er rief im Krankenhaus an und richtete sich gedanklich darauf ein, seine Nummer auf ihrer Mailbox hinterlassen zu müssen.

»Hier spricht Dr. Madison. Was kann ich für Sie tun?« Alex klang sehr förmlich. Coop lächelte überrascht. Er hatte nicht erwartet, sie persönlich am Apparat zu haben.

»Hier ist Coop. Wie geht es Ihnen, Dr. Madison?«

Mit ihm hatte sie nun wirklich nicht gerechnet, stellte aber zu ihrer eigenen Verwunderung fest, dass sie sich freute.

»Ich habe Sie gestern Abend bei der Golden-Globe-Verleihung im Fernsehen gesehen.«

»Ich hätte nicht gedacht, dass Sie Zeit zum Fernsehen haben.«

»Habe ich auch nicht. Ich kam zufällig im richtigen Moment am Fernseher in unserem Warteraum vorbei, und da sah ich Sie, zusammen mit Rita Waverly. Sie beide waren ein beeindruckendes Paar.« Alex' Stimme klang sehr jung, und wieder legte sie die gleiche erfrischende Offenheit an den Tag, die ihm schon bei jenem Abendessen so gut an ihr gefallen hatte. Alles an ihr wirkte natürlich und echt, angefangen von ihrer Schönheit bis zu ihrer Intelligenz – ganz

im Gegensatz zu Charlene. Allerdings war der Vergleich auch ziemlich unfair. Alex kam aus einer ganz anderen Welt, sie hatte nicht nur Köpfchen und Charme, sondern auch eine ausgezeichnete Erziehung genossen. Andererseits beherrschte Charlene Dinge, von denen Frauen wie Alex wahrscheinlich noch nie gehört hatten. In Coops Leben fand beides Platz – zumindest bis gestern Abend. Aber es würden andere Frauen wie Charlene kommen, dessen war er sich sicher, schließlich gab es genug von ihnen. Frauen wie Alex dagegen waren selten.
»Ich habe es einfach noch nicht geschafft zurückzurufen«, sagte sie. »Und als es jetzt klingelte, dachte ich, es sei ein Kollege.« Sie klang erleichtert.
»Lieber wäre ich Friseur, als dass ich Ihren Beruf haben wollte«, neckte er sie. In Wahrheit hatte er gehörigen Respekt vor dem, was sie tat, und sie wussten beide, dass sein angebliches Entsetzen nur gespielt war.
»Wie war es denn gestern? Hatten Sie Ihren Spaß? Rita Waverly ist eine absolute Schönheit. Ist sie nett?« Coop musste lächeln. »Nett«, war nun wirklich nicht das passende Wort, um Rita zu beschreiben, und sie hätte es auch nicht gemocht. »Nettigkeit« war keine angesehene Tugend in Hollywood. Rita war vielmehr bekannt, einflussreich, schön und glamourös, wenn auch etwas in die Jahre gekommen.
»›Interessant‹ trifft es wohl eher. Unterhaltsam. Sie ist eben durch und durch Filmstar«, erklärte er diplomatisch.
»So wie Sie«, spielte Alex den Ball zurück, und Coop musste lachen.
»Touché! Was haben Sie heute noch so vor?« Es machte Spaß, mit ihr zu plaudern. Er hätte sie gern wiedergesehen,

war aber nicht sicher, ob er sie vom Krankenhaus und ihren Pflichten loseisen konnte.

»Ich arbeite bis um sechs, dann gehe ich nach Hause und schlafe zwölf Stunden. Morgen früh um acht beginnt mein Dienst wieder.«

»Sie arbeiten zu viel, Alex«, sagte er und klang ehrlich besorgt.

»Bei Assistenzärzten ist das üblich. Es ist eine Form der Sklaverei, bei der es nur darum geht zu beweisen, dass man überlebt.«

»Klingt ein bisschen nach Heldentod«, erwiderte er gut gelaunt. »Glauben Sie, lange genug wach bleiben zu können, um mit mir zu Abend zu essen?«

»Mit Ihnen und Rita Waverly?«, zog sie ihn auf, aber ohne die Boshaftigkeit, die derlei Kommentare von Charlene Stunden zuvor gehabt hatten. Alex war ganz anders, was Coop als sehr wohltuend empfand. Sie war wie ein frischer Wind, der durch seine überspannte Welt pfiff. Und dass sie Arthur Madisons Tochter war, hatte er nicht vergessen – ein Vermögen dieser Größenordnung konnte man gar nicht vergessen.

»Ich kann Rita fragen, wenn Sie möchten«, erwiderte er amüsiert, »obwohl ich eher an ein Dinner zu zweit dachte.«

»Ich würde gern«, gestand sie. Es schmeichelte ihr, von Coop zum Abendessen eingeladen zu werden. »Aber ich bin nicht sicher, ob ich nicht einschlafe, noch bevor das Essen serviert wird.«

»Sie können auf der Sitzbank ein Nickerchen machen, und ich erzähle Ihnen hinterher, was es zu essen gab. Wie klingt das?«

»Leider ziemlich realistisch. Aber vielleicht könnten wir uns schon früh treffen und es nicht zu spät werden lassen. Ich habe seit 20 Stunden nicht mehr geschlafen.« Ihre Arbeitsmoral fand Coop unbegreiflich, aber bewundernswert.
»In Ordnung, ich nehme die Herausforderung an, Sie vom Schlafen abzuhalten. Wo soll ich sie abholen?«
»Am besten bei mir.« Sie nannte ihm ihre Adresse am Wilshire Boulevard. »Aber ich möchte wirklich nicht lange wegbleiben, Coop. Ich muss morgen bei der Arbeit ausgeruht und topfit sein.«
»Ich habe verstanden«, bestätigte Coop. »Ich hole Sie um sieben ab, und wir bleiben nicht lange weg. Versprochen.«
»Vielen Dank«, erwiderte sie und legte lächelnd auf. Sie hatte tatsächlich eine Verabredung zum Abendessen mit Cooper Winslow – das würde ihr kein Mensch glauben. Sie ging zurück an ihre Arbeit, während Coop zu seinem Mittagessen fuhr, das sich als unterhaltsam, aber fruchtlos erwies.
Die Luft war für ihn in letzter Zeit recht dünn geworden. Man hatte ihm zwar wieder eine Werbekampagne angeboten, aber es ging um Herrenunterwäsche, und er lehnte ab. Auch wenn ihm Abes Drohungen im Ohr klangen, sein Image durfte er keinesfalls gefährden. Alles, was er brauchte, war ein richtiger Kassenschlager mit ihm in der Hauptrolle, und das schien ihm nicht unmöglich – nicht einmal unwahrscheinlich. Es war lediglich eine Frage der Zeit. Und in der Zwischenzeit musste er sich eben mit Gastauftritten und Werbespots begnügen.
Um Punkt sieben hielt Coop vor dem Haus am Wilshire

Boulevard. Alex kam aus dem Gebäude gestürmt, noch bevor Coop die Lobby betreten konnte. Das Haus wirkte respektabel, wenn auch ein bisschen in die Jahre gekommen, und Alex gestand ihm während der Fahrt, dass ihr Appartement ziemlich scheußlich sei. Sie wollte sich aber in ihrem Lebensstil nicht zu sehr von den Kollegen unterscheiden und wohnte bewusst in dem winzigen Einzimmerappartement.

»Warum kaufen Sie sich kein Haus?«, wollte er wissen, während sie in seinem Lieblings-Rolls-Royce davonfuhren. Geld konnte ja nun wirklich nicht das Problem sein, auch wenn sie sich so bescheiden gab. Ihm fiel auf, dass sie auch heute keinen Schmuck trug und schlicht gekleidet war. Sie hatte schwarze Freizeithosen an, einen schwarzen Rollkragenpullover und eine dieser Navy-Jacken, die man im Secondhandladen bekam. Coop trug graue Freizeithosen, einen schwarzen Kaschmirpullover, Lederjacke und schwarze Krokodillederslipper. Er hatte sich schon gedacht, dass sich Alex leger kleiden würde. Als Coop ihr sagte, dass er mit ihr in ein chinesisches Restaurant wolle, war sie begeistert.

»Was soll ich denn mit einem Haus?«, fragte sie jetzt zurück. »Ich bin so gut wie nie zu Hause, und wenn doch, dann schlafe ich. Außerdem bleibe ich auf Dauer vielleicht gar nicht hier. Los Angeles würde mir gefallen, aber ich muss sehen, wo ich nach dem Ende der Assistenzzeit eine Stelle finde.« Der einzige Ort, an den sie mit Sicherheit nicht zurückkehren würde, war das Haus ihrer Eltern in Palm Beach. Dieses Kapitel war abgeschlossen. Nur an hohen Feiertagen und wenn es sich gar nicht vermeiden ließ, fuhr sie noch dorthin.

Coop verbrachte einen faszinierenden Abend mit ihr. Sie sprachen über alles Mögliche: Kenia, Alex' ausgedehnte Reisen nach Indonesien, sowie über Bali, wo sie viel gewandert war und das neben Nepal zu ihren absoluten Lieblingsorten zählte. Alex erzählte von ihren Lieblingsbüchern, von denen die meisten erstaunlich ernste Themen behandelten, und ihrem recht vielseitigen Musikgeschmack. Sie wusste viel über die Antike, war in Architektur bewandert und interessierte sich für Politik, insbesondere für die Gesetze im Bereich Gesundheitswesen. Coop hatte nie zuvor eine Frau wie sie kennengelernt. Alex besaß einen scharfen Verstand und eine rasche Auffassungsgabe, und Coop musste sich richtig anstrengen, um mithalten zu können, was ihm sehr gefiel. Auf seine Frage hin verriet sie, dass sie dreißig sei. Ihn schätzte sie auf Ende fünfzig. Alex wusste zwar, dass er schon sehr lange im Filmgeschäft war, aber nicht, wie alt er gewesen war, als seine Karriere begann. Dass er kürzlich siebzig geworden war, hätte sie doch überrascht.

Sie verbrachten einen wunderbaren Abend, und das sagte sie ihm auch, während er sie später nach Hause fuhr. Es war gerade erst halb zehn, denn Coop hatte sorgfältig darauf geachtet, dass es nicht zu spät wurde. Wenn sie am nächsten Morgen nicht fit wäre, würde sie sich wahrscheinlich nie wieder mit ihm verabreden. »Ich freue mich sehr, dass Sie mit mir ausgegangen sind«, sagte Coop zum Abschied. »Sonst wäre ich allerdings auch sehr enttäuscht gewesen.«

»Danke, das ist sehr schmeichelhaft von Ihnen, Coop. Ich hatte einen wunderschönen Abend, und das Essen war köstlich.« Einfach, aber gut, und gerade scharf genug, so wie sie es mochte. Und er war eine weitaus angenehmere Gesellschaft, als sie vermutet hatte. Überrascht hatte sie festgestellt, dass er intelligent und warmherzig war und sich nicht nur für das Showbusiness interessierte, sondern auch in vielen anderen Bereichen auskannte. Dabei hatte sie überhaupt nicht den Eindruck gewonnen, dass er an diesem Abend schauspielerte, sondern dass er sie den Menschen Coop sehen ließ, der es wert war, sich mehr mit ihm zu beschäftigen.

»Ich würde Sie gern wiedersehen, Alex, falls Sie es einrichten können und nicht anderweitige Verpflichtungen haben.« Er hatte sie bisher nicht gefragt, ob es einen Mann in ihrem Leben gab – obwohl ihn so etwas noch nie davon abgehalten hatte, um eine Frau zu werben. Coop besaß genug Selbstbewusstsein, um Konkurrenz nicht zu fürchten, und bisher hatte er auch fast immer triumphiert. Schließlich war er Cooper Winslow.

»Ich habe momentan keine ›Verpflichtung‹. Dafür hätte ich gar keine Zeit. Entweder habe ich Dienst oder Rufbereitschaft.«

»Ich weiß«, lächelte er. »Oder Sie schlafen. Aber ich sagte Ihnen ja, ich liebe die Herausforderung.«

»Die bin ich in der Tat, und zwar in verschiedenster Hinsicht«, gab sie zu. »Ich bin ein bisschen kopfscheu, was Beziehungen angeht. Eigentlich sogar sehr.«

»Wegen Ihres Schwagers?«, fragte er mit sanfter Stimme. Sie nickte. »Er hat mir eine schmerzhafte Lektion erteilt. Seitdem habe ich mich nicht mehr in tiefe Gewässer gewagt. Ich bevorzuge das seichte Ufer, das habe ich im Griff. Was das andere angeht, bin ich mir da nicht so sicher.«

»Für den richtigen Mann werden Sie dieses Risiko eingehen, Sie sind ihm nur noch nicht begegnet.« Damit hatte er vermutlich recht, aber Alex hatte große Angst, noch einmal verletzt zu werden.
»Meine Arbeit ist mein Leben, Coop. Solange das zwischen uns klar ist, würde ich Sie gern wiedersehen.«
»Einverstanden.« Er klang zufrieden. »Ich werde Sie anrufen.« Allerdings nicht zu schnell, fügte er in Gedanken hinzu. Coop hatte ein gutes Gespür in solchen Dingen. Alex sollte ihn ruhig ein bisschen vermissen und sich fragen, warum er nicht anrief. Sie dankte ihm noch einmal und verabschiedete sich. Coop wartete, bis sie im Innern des Gebäudes war, und winkte noch einmal zurück, als er losfuhr. Nachdenklich fuhr Alex mit dem Fahrstuhl nach oben. Sie war skeptisch und konnte sich schwer vorstellen, dass Coop es ernst meinte. Dabei wäre es verdammt einfach, sich in jemanden zu verlieben, der so sympathisch und charmant war wie er. Doch was dann?
Während sie die Tür ihres Appartements aufschloss, fragte sie sich, ob sie wirklich noch einmal mit ihm ausgehen sollte oder ob sie dadurch zu sehr mit dem Feuer spielen würde.
Alex zog sich aus und legte ihre Sachen auf den Kleiderstapel, der sich bereits auf einem Stuhl türmte. Meistens hatte sie nicht einmal Zeit, sich um ihre Wäsche zu kümmern.
Sie schlief bereits tief und fest, noch bevor Coop auf dem Anwesen eintraf.

## 9. Kapitel

Charlene rief Coop in dieser Nacht wenigstens ein Dutzend Mal an und versuchte es auch am nächsten Morgen immer wieder. Doch Paloma holte Coop nicht noch einmal mit irgendwelchen Tricks an den Apparat, da sie wusste, dass er sie dann lynchen würde. Zwei Tage später ließ Coop Charlene dann endlich zu sich durchstellen, da er beschlossen hatte, sich auf die sanfte Tour von ihr zu trennen. Allerdings hatte es aus Charlenes Sicht wenig mit Sanftheit zu tun, dass er zwei Tage lang nichts von sich hatte hören lassen.
»Na, wie geht's?«, begrüßte er sie betont lässig.
»Wo zum Teufel hast du gesteckt?« Charlene war außer sich.
»Fototermin für einen Werbespot.« Eine glatte Lüge, die sie aber etwas besänftigte.
»Du hättest mich wenigstens anrufen können«, jammerte sie gekränkt.
»Das wollte ich auch«, log er. »Aber irgendwie fehlte einfach die Zeit. Außerdem dachte ich, dass wir beide ein bisschen Abstand brauchen. Das mit uns führt doch zu nichts, Charlene. Und das weißt du auch.«
»Warum sollte es nicht? Hatten wir nicht unseren Spaß?«
»Den hatten wir in der Tat«, räumte er freimütig ein. »Aber ich bin einfach zu alt – jemand in deinem Alter wäre besser für dich.«

»Das hat dich bisher auch nicht abgehalten.« Sie wusste aus den Boulevardblättern und von anderen Leuten, dass Coop in der Vergangenheit mit noch jüngeren Mädchen zusammen gewesen war. »Das ist doch nur eine Ausrede, Coop.« Damit hatte sie zweifelsohne Recht, was er aber nie zugeben würde.
»Es fühlt sich irgendwie nicht richtig an«, versuchte er jetzt eine andere Taktik. »Bei meinem Beruf ist es unheimlich schwer, eine funktionierende Beziehung zu führen.« Auch das war kein plausibles Argument. Ihr war bekannt, dass er durchaus schon längere Beziehungen mit diversen Stars und Sternchen der Szene gepflegt hatte, er wollte es eben nur nicht mit ihr. Und Coop fand sie in der Tat nicht nur vulgär und aufdringlich, sondern inzwischen auch furchtbar langweilig. Alex hingegen faszinierte ihn, wobei ihn ihr Vermögen auch nicht völlig kaltließ. Zwar war es keineswegs der Hauptgrund für sein Interesse, aber ein zusätzlicher Anreiz. Jedenfalls war Coop clever genug, sich von anderen Frauen fernzuhalten, wenn er sich weiterhin mit Alex treffen wollte. In der Boulevardpresse mit einem Mädchen abgebildet zu sein, das seine Karriere als Pornodarstellerin begonnen hatte, wäre für eine mögliche Beziehung mit Alex sicher nicht förderlich. Charlene war für ihn ein abgeschlossenes Kapitel jener Art, wie es in seinem Leben schon viele gegeben hatte, und immer war ihm schnell langweilig geworden. Dabei bot auch Charlenes exotischer Touch keinen Ausgleich für das, was ihr an Niveau fehlte. Abgesehen davon hatte er feststellen müssen, dass sie boshaft und unberechenbar war. Aber sie wollte den Wink einfach nicht verstehen, und anstatt sich würdevoll zurückzuziehen, verbiss sie sich in ihn wie ein

Pitbullterrier – ein Benehmen, das Coop auf den Tod nicht ausstehen konnte. Er bevorzugte schmerzlose, schnelle Trennungen und verübelte Charlene, wie sie sich aufführte. Bei jedem Gespräch mit ihr fühlte er sich bedrängt und eingeengt.
»Ich rufe dich in ein paar Tagen wieder an«, sagte er schließlich, was sie noch wütender machte.
»Tust du nicht. Du lügst.«
»Ich lüge nicht.« Er klang tief verletzt. »Ich habe einen Anruf auf der anderen Leitung und rufe dich zurück.«
»Du verdammter Lügner!«, schrie sie, während er behutsam auflegte.
Am Nachmittag rief er Alex im Krankenhaus an, doch sie musste sich um drei Notfälle kümmern und rief ihn erst abends um neun zurück. Und dann musste er sich mit einer Nachricht auf seinem Anrufbeantworter begnügen, dass sie schon zu Bett gegangen sei, weil sie am nächsten Morgen um vier aufstehen müsse. Mit ihr eine Beziehung aufzubauen würde nicht leicht sein, aber in Coops Augen war es die Sache wert.
Am darauf folgenden Nachmittag bekam er sie endlich ans Telefon. Sie hatte nur ein paar Minuten Zeit und an den nächsten Tagen Dienst, versprach aber, am Samstag zum Abendessen zu ihm zu kommen. Allerdings warnte sie ihn vor, dass sie dann Rufbereitschaft habe.
»Und was heißt das? Dass man Sie anruft und um Rat fragt?«, fragte er. Er konnte sich nicht daran erinnern, sich jemals mit einer Ärztin getroffen zu haben. Lediglich ein paar Krankenschwestern waren unter seinen Verabredungen gewesen und eine Chiropraktikerin.
»Nein«, lachte sie amüsiert. Er mochte den Klang ihres

Lachens. An Alex war absolut nichts verstellt oder unecht. »Es bedeutet, dass ich sofort weg muss, wenn ich angepiept werde.«
»In dem Fall sollte ich Ihren Pieper konfiszieren.«
»Es gibt Tage, da scheint mir der Gedanke äußerst verlockend. Sind Sie sicher, dass ich unter diesen Umständen zum Essen kommen soll?«
»Absolut. Wenn Sie wegmüssen, packe ich Ihnen die Reste ein.«
»Möchten Sie nicht lieber bis zu meinem nächsten freien Tag warten? Das wäre irgendwann nächste Woche«, bot sie ihm an. »Nein, ich möchte Sie wirklich gern sehen, Alex. Ich mache etwas ganz Einfaches, das Sie zur Not mitnehmen können.«
»Sie wollen selbst kochen?«, fragte sie mächtig beeindruckt, und er fühlte sich geschmeichelt. Dabei war das Einzige, was er in der Küche zustande bekam, Toast oder Teewasser. »Ich lasse mir etwas einfallen.« Ein Leben ohne Köchin war für ihn eine neue Herausforderung. Vielleicht sollte er Wolfgang Puck vom *Spago* anrufen und etwas bestellen: Pasta und ein bisschen von der berühmten Räucherlachspizza. Diese Idee gefiel Coop so gut, dass er sie in die Tat umsetzte, und Wolfgang versprach, ein einfaches Abendessen für zwei sowie einen Kellner zu ihm zu schicken. Es klang perfekt.

Pünktlich um fünf Uhr kam Alex am Samstagnachmittag in ihrem Wagen die Auffahrt entlanggefahren. Im Gegensatz zu Mädchen wie Charlene waren ihr Anwesen dieses Kalibers nicht fremd. Das Haus ihrer Eltern in Newport war diesem hier nicht unähnlich – nur noch größer. Das

verschwieg sie Coop jedoch aus Höflichkeit. *The Cottage* gefiel ihr sehr, und sie freute sich schon darauf, den Pool zu nutzen. Coop hatte ihr gesagt, sie solle einen Badeanzug mitbringen. Coop machte es sich am Beckenrand bequem, und Alex war noch nicht lange im Wasser, als sich Mark und Jimmy näherten. Sie trugen Shorts und kamen gerade vom Tennisplatz, wo sie eine Runde »Lupfer« gespielt hatten, wie sie es in Anbetracht des kaputten Platzes nannten. Die beiden waren überrascht, Coop anzutreffen. Alex wiederum fragte sich verwundert, wer die beiden Männer sein mochten, und schwamm zum Beckenrand.
Mark sah sie bewundernd an. Sie war wunderschön und wirkte wesentlich interessanter als die junge Frau, die ihm kürzlich Kaffee gemacht hatte. Er hoffte immer noch, dass sie Coop nie etwas von ihrer Begegnung in der Küche erzählt hatte.
»Alex, ich möcht Ihnen meine Hausgäste vorstellen«, sagte Coop und machte die drei miteinander bekannt.
»Was für ein wunderbarer Platz zum Leben«, sagte sie und lächelte die beiden an. »Sie können sich glücklich schätzen.«
Die beiden stimmten zu, und kurz darauf tummelten sie sich zu dritt im Pool. Coop schwamm nur selten, und obwohl er auf dem College Kapitän der Schwimmmannschaft gewesen war, bevorzugte er es jetzt, am Beckenrand zu sitzen und abwechselnd mit den dreien zu plaudern und sie mit Klatschgeschichten aus Hollywood zu unterhalten.
Sie blieben bis sechs am Pool. Dann gingen sie hinein, und nachdem Alex sich trockene Sachen angezogen hatte, zeigte Coop ihr das Haus. Wolfgangs Kellner wirkte

bereits in der Küche. Da das Essen für sieben Uhr geplant war, hatten sie noch etwas Zeit und setzten sich in die Bibliothek. Coop bot Alex ein Glas Champagner an, das sie dankend ablehnte. Rufbereitschaft zu haben hieß auch, keinen Alkohol zu trinken. Coop schien das gelassen zu nehmen. Und sie waren beide froh, dass der Pieper sich zumindest bisher nicht gemeldet hatte.

»Ihre Hausgäste machen einen sehr netten Eindruck«, sagte Alex ganz entspannt, während Coop an seinem Champagner nippte. Der Kellner servierte ihnen köstliche Horsd'œuvres und verschwand wieder in der Küche, um den Hauptgang fertigzustellen. »Woher kennen Sie die beiden?«

»Es sind Freunde meines Steuerberaters«, erwiderte Coop leichthin. Das entsprach zwar nicht ganz der Wahrheit, erklärte aber die Anwesenheit der beiden auf dem Grundstück.

»Es ist nett von Ihnen, die beiden hier wohnen zu lassen. Sie scheinen sich sehr wohl zu fühlen.« Mark hatte gesagt, dass er an diesem Abend ein Barbecue machen wolle, und Alex und Coop vorgeschlagen, doch auch zu kommen. Aber Coop lehnte mit der Begründung ab, dass sie schon andere Pläne hätten. Außerdem war Marks Interesse an Alex für seinen Geschmack zu offensichtlich gewesen. Und tatsächlich gab Mark, sobald er mit Jimmy allein am Pool war, einen entsprechenden Kommentar ab.

»Hübsches Mädchen«, sagte er, und Jimmy erwiderte, das sei ihm gar nicht aufgefallen. Er lief immer noch die meiste Zeit wie in Trance durch die Gegend und interessierte sich nicht für Frauen. Mark fand wesentlich schneller ins Leben zurück – und wurde gleichzeitig immer wütender

auf Janet. Dadurch kamen ihm andere Frauen plötzlich wieder attraktiv vor. »Es überrascht mich, dass sich Coop für sie interessiert.«
»Warum?«, fragte Jimmy verständnislos.
»Sie ist intelligent und sehr natürlich – nicht gerade sein übliches Kaliber«, erklärte Mark.
»Vielleicht unterschätzen wir ihn ja.«
Irgendetwas an dieser Frau war ihm bekannt vorgekommen. Er war aber nicht sicher, ob sie einfach nur ein bestimmter Typ war, dem er in Boston häufiger begegnet war, oder ob sie einander tatsächlich schon früher einmal getroffen hatten. Er hatte nicht nachgefragt, in welcher Fachrichtung sie praktizierte, und Coop hatte das Gespräch mit seinen Geschichten ohnehin die meiste Zeit dominiert. Coop war überhaupt sehr unterhaltsam, und Mark und Jimmy konnten immer besser verstehen, warum die Frauen ihn so mochten. Er sprühte förmlich vor Geist und Witz. Alex und Coop hatten gerade mit dem Dinner begonnen, als Mark den Grill in Gang bringen wollte. Er benutzte ihn zum ersten Mal, denn in der Woche zuvor hatten sie bei Jimmy gegrillt, und die Steaks waren fantastisch gewesen. Mark wollte Hamburger zubereiten und dazu einen Cäsarsalat. Alles lief gut, bis Mark ein bisschen zu viel Brennspiritus auf die Kohlen schüttete und eine Stichflamme gen Himmel schoss. Im Nu geriet das Feuer außer Kontrolle.
»Verdammter Mist! Ist ziemlich lange her, dass ich zum letzten Mal gegrillt habe«, entschuldigte sich Mark, während er versuchte, die Flammen zu ersticken und das Essen zu retten. Kurz darauf gab es einen lauten Knall. Coop und Alex hörten die Explosion bis ins Esszimmer, wo sie

bei einem köstlichen Abendessen mit Pekingente, dreierlei Pasta, gemischtem Salat und frisch gebackenem Brot saßen.

»Was war das?«, fragte Alex besorgt.

»Vermutlich die IRA«, erwiderte Coop und aß seelenruhig weiter. »Oder meine Hausgäste sprengen gerade das Haus in die Luft.« Als Alex über Coops Schulter hinweg aus dem Fenster schaute, entdeckte sie eine dicke Rauchwolke und Flammen.

»Du lieber Himmel, Coop ... ich glaube, die Bäume brennen.«

Er wollte ihr gerade entgegnen, sie solle sich keine Gedanken machen, da drehte er sich um und sah es mit eigenen Augen. Ein Strauch hatte tatsächlich bereits Feuer gefangen.

»Ich hole einen Feuerlöscher«, erklärte er, obwohl er nicht die geringste Ahnung hatte, ob er überhaupt einen besaß und wenn ja, wo er ihn finden könnte.

»Sie sollten lieber die Feuerwehr anrufen.« Ohne zu zögern, holte Alex ihr Handy aus der Handtasche und wählte die Nummer 911, während Coop hinausstürmte, um zu sehen, was passiert war.

Mark stand zerknirscht neben dem Grill auf der Terrasse des Gästeflügels und versuchte, mit Handtüchern die Flammen zu ersticken – tatkräftig unterstützt von Jimmy. Es war ein nutzloses Unterfangen, und als zehn Minuten später die Feuerwehr das Tor passierte, brannte die Hecke bereits lichterloh. Die Feuerwehrleute brauchten keine drei Minuten, um den Brand zu löschen, und abgesehen von den ehemals hübsch getrimmten Hecken neben der Terrasse war kein großer Schaden entstanden. Da die

Feuerwehrleute Coop erkannt hatten, war er während der nächsten halben Stunde damit beschäftigt, Autogramme zu verteilen und Geschichten aus seiner Zeit als freiwilliger Feuerwehrmann in Malibu dreißig Jahre zuvor zu erzählen. Er bot den Männern ein Glas Wein an, was diese jedoch dankend ablehnten. Die ganze Zeit über entschuldigte sich Mark überschwänglich, und Coop versicherte ihm, dass ja gar nichts passiert sei. Währenddessen meldete sich Alex' Pieper, und sie rief über ihr Handy das Krankenhaus an. Um besser verstehen zu können, trat sie ein Stück von den anderen weg. Zwei ihrer Frühgeborenen waren kollabiert und ein dritter Säugling gestorben. Außerdem war ein Neuzugang unterwegs: ein Neugeborenes mit einem Wasserkopf. Der Dienst habende Arzt hatte alle Hände voll zu tun und brauchte dringend Alex' Unterstützung. Sie versprach, in spätestens fünfzehn Minuten in der Klinik zu sein.
»Was ist Ihre Fachrichtung?«, fragte Jimmy leise, der dem Gespräch fasziniert gelauscht hatte. Coop dagegen hatte weder den Pieper gehört noch Alex' Telefonat mitbekommen. Er war zu sehr damit beschäftigt, die Feuerwehrleute mit seinen Geschichten zu unterhalten.
»Neonatologie. Ich bin Assistenzärztin an der Uniklinik.«
»Das ist bestimmt interessant«, meinte er beeindruckt, während Alex Coop Bescheid sagte, dass sie wegmüsse.
»Jetzt lassen Sie sich doch nicht von diesen zwei Brandstiftern in die Flucht schlagen«, rief Coop mit einem Grinsen in Richtung Mark. Alex war beeindruckt, wie locker Coop mit der ganzen Sache umging. Ihr Vater hätte in einer solchen Situation längst einen Anfall bekommen.
»Darum geht es auch nicht«, erwiderte sie lächelnd. »So

ein Lagerfeuer unter Freunden ist doch feine Sache. Aber das Krankenhaus hat sich gemeldet, ich muss los.«
»Tatsächlich? Das habe ich gar nicht mitbekommen.«
»Sie waren gerade beschäftigt. Ich muss in zehn Minuten dort sein, tut mir wirklich leid.« Sie hatte ihn vorgewarnt, trotzdem war es ihr unangenehm, zumal der Abend mit ihm bisher ausgesprochen nett gewesen war.
»Wollen Sie nicht vorher noch einen Happen essen? Es sieht köstlich aus.«
»Ich weiß, und ich würde wahnsinnig gern bleiben, aber man braucht mich im Krankenhaus. Sie haben zwei Notfälle, und der dritte ist auf dem Weg. Ich muss mich beeilen«, sagte sie entschuldigend. Alex konnte Coop ansehen, dass er enttäuscht war. Ihr ging es ja nicht anders, aber sie war solche Situationen gewohnt. »Aber es war trotzdem wundervoll, und im Pool zu schwimmen hat mir riesigen Spaß gemacht.« Immerhin war sie jetzt schon seit drei Stunden hier, und dafür, dass sie Rufbereitschaft hatte, war das ein Rekord. Alex verabschiedete sich von Jimmy und Mark, und Coop begleitete sie zu ihrem Wagen, während die Feuerwehrleute zusammenpackten. Sie versprach, Coop später anzurufen. Nur zwei Minuten danach war Coop wieder zurück bei den anderen, lächelnd und bester Laune.
»Das war kurz, aber ergreifend«, sagte er mit bedauerndem Blick zu seinen Mietern. Die beiden hatten sich daran gewöhnt, als »Hausgäste« bezeichnet zu werden, und Coop schien sie tatsächlich für solche zu halten.
»Würden mir die Herren die Ehre erweisen, mit mir zu Abend zu essen?«, lud Coop Jimmy und Mark ein, deren Hamburger bei dem unglückseligen Grillversuch zu Asche verkohlt waren.

»Wolfgang Puck hat ein formidables Menü vorbereitet, und ich hasse es, allein zu essen«, ergänzte er freundlich, während auch die letzten Feuerwehrleute aufbrachen.

Eine halbe Stunde später genossen Coop und seine »Hausgäste« Pekingente, Pastavariationen und Räucherlachspizza. Coop unterhielt sie derweil mit weiteren Anekdoten. Er schenkte großzügig von dem Wein aus, und als die beiden jüngeren Männer gegen zehn aufbrachen, hatten sie nicht nur einiges getrunken, sondern auch das Gefühl, Coop schon ewig zu kennen. Der Wein war ausgezeichnet gewesen und das Essen köstlich. Coop zeigte nicht die geringsten Ermüdungserscheinungen und wirkte noch so fit und frisch wie Stunden zuvor.

»Er ist schon ein toller Bursche«, sagte Mark, während er und Jimmy Richtung Gästeflügel gingen.

»In jedem Fall eine Persönlichkeit«, stimmte Jimmy zu. Er fühlte sich von dem vielen Alkohol ziemlich benebelt und würde am nächsten Morgen sicher einen schweren Kopf haben. Aber das war es ihm wert. Der Abend war wirklich nett gewesen, obwohl es etwas Unwirkliches gehabt hatte, sich mit einem berühmten Filmstar zu unterhalten.

Die beiden verabschiedeten sich. Während Mark in den Gästeflügel ging und Jimmy zurück zum Pförtnerhaus, saß Coop noch in der Bibliothek, lächelte vor sich hin und nippte genüsslich an einem Glas Portwein. Es war ein schöner Abend gewesen, wenn er auch anders verlaufen war als geplant. Coop bedauerte, dass Alex so früh wegmusste, aber seine beiden Hausgäste erwiesen sich als unterhaltsame und überraschend gute Gesellschaft. Und der Gastauftritt der Feuerwehr hatte dem Abend die nötige Würze verliehen.

Als Alex endlich Zeit fand, in ihrem Büro im Krankenhaus einen Kaffee zu trinken, war es bereits Mitternacht und sicher zu spät, um Coop noch anzurufen. Auch für sie war der Abend anders verlaufen als erhofft. Das Baby mit dem Wasserkopf war eingeliefert worden und hatte ziemliche Probleme. Einen der anderen beiden Notfälle hatten sie mittlerweile stabilisieren können. Um das verstorbene Frühchen trauerte die ganze Station. Alex fragte sich, ob sie sich je an solche Situationen gewöhnen würde. Aber auch das gehörte zu ihrem Job. Während sie sich auf der Liege im Büro ausstreckte, um wenigstens ein bisschen zu schlafen, fragte sie sich, wie der wahre Coop sein mochte und ob nicht der ganze Charme und Witz und all die unterhaltsamen Geschichten nur Fassade waren. Sie konnte es schwer einschätzen, spürte aber, dass sie tatsächlich versucht war, es herauszufinden.
Natürlich war der Altersunterschied zwischen ihnen beträchtlich, aber Coop war ein so außergewöhnlicher Mann, dass sein Alter sie nicht störte. Er hatte etwas an sich, das sie dazu brachte, alle möglichen Risiken außer Acht zu lassen. Dieser Mann faszinierte sie und war eine große Versuchung. Bei diesem Gedanke ermahnte sie sich, dass es nicht die beste Idee sei, mit ihm etwas anzufangen, immerhin war er viel älter, Filmstar und hatte unzählige Beziehungen hinter sich. Und trotzdem konnte sie nur noch daran denken, wie charmant und anziehend er war. Als sie langsam in den Schlaf hinüberdämmerte, hörte sie in ihrem Kopf ganz leise Alarmglocken klingeln. Aber zumindest für den Moment wollte sie diese ignorieren und abwarten, wie sich alles entwickelte.

## 10. Kapitel

Als das Telefon klingelte, schlief Mark noch tief und fest. Daran war der viele Wein nicht ganz unschuldig, den er mit Jimmy und Coop getrunken hatte. Im Halbschlaf glaubte er, dass er das Klingeln im Traum hörte, und hielt die Augen geschlossen. So viel, wie er getrunken hatte, würde er mit Sicherheit einen Brummschädel bekommen. Aber das Klingeln wollte nicht aufhören. Vorsichtig öffnete Mark ein Auge und sah auf den Wecker. Es war vier Uhr früh. Stöhnend drehte er sich auf die andere Seite.
Wer mochte ihn um diese Uhrzeit anrufen? Mark griff nach dem Hörer, legte sich auf den Rücken und schloss die Augen wieder.
»Hallo?« Seine Stimme klang ganz rau, und in seinem Kopf drehte sich alles. Einen Moment lang hörte Mark nichts als Weinen. »Wer ist denn da?« Ihm ging durch den Kopf, ob sich womöglich jemand verwählt hatte, doch dann war er plötzlich hellwach und riss die Augen auf. Es war seine Tochter. In New York war es jetzt sieben Uhr morgens. »Jessie? Kleines, geht es dir gut? Was ist passiert?« Mark bekam Angst, dass Janet oder Jason etwas zugestoßen sein könnte.
Jessica bekam vor lauter Schluchzen kein einziges Wort heraus. So heftig hatte sie nur als kleines Mädchen einmal geweint – damals war ihr Hund gestorben. »Sprich mit mir, Jess ... was ist los?«

»Es ist Mom …« Wieder brach sie in Tränen aus.
»Ist sie verletzt?« Mark setzte sich ruckartig auf. Er fühlte sich, als hätte ihm jemand einen Ziegelstein auf den Kopf geschlagen. Wenn Janet nun tot war? Bei dem Gedanken wurde ihm ganz elend.
»Sie hat einen *Freund!*«, heulte Jessica. »Wir haben ihn gestern Abend kennengelernt, und er ist ein absoluter Idiot!«
»Das ist er sicher nicht, Liebes.« Mark versuchte, objektiv zu bleiben, obwohl er tief im Innern erleichtert war, dass Jessica Janets Freund nicht mochte. Immerhin hatte dieser Mann seine Familie zerstört und ihm seine Frau genommen, ein besonders toller Bursche konnte er also wohl kaum sein. Jedenfalls nicht nach Marks Einschätzung – und nach Jessies offensichtlich auch nicht.
»Er ist ein richtiger Schleimer, Dad. Er hält sich für unheimlich cool und kommandiert Mom herum, als wäre sie sein Eigentum. Sie behauptet, ihn erst seit ein paar Wochen zu kennen, aber ich weiß, dass sie lügt. Ständig erzählt er von Dingen, die sie vor sechs Monaten oder letztes Jahr gemacht haben, und sie tut dann immer so, als wüsste sie nicht, wovon er redet, und wechselt das Thema. Wollte sie deshalb etwa, dass wir nach New York ziehen?« Mark hatte sich schon seit Längerem gefragt, wann und wie Janet den Kindern den neuen Mann vorstellen wollte. Offenbar hatte sie es jetzt getan, und nach Jessies Schluchzen zu urteilen auf wenig geschickte Weise.
»Ich weiß es nicht, Jess. Das musst du sie fragen.«
»Hat sie dich wegen ihm verlassen?« Das waren bedeutende Fragen zu dieser nächtlichen Stunde, und keine, die Mark um diese Uhrzeit beantworten wollte, schon gar

nicht mit einem solchen Kater. Sein Schädel fühlte sich an, als wolle er jeden Moment platzen. »Glaubst du, sie hatte ihn als Geliebten? Ist sie deshalb immer nach New York geflogen?«

»Grandma war lange Zeit sehr krank, und Mom musste bei ihr sein«, erklärte er wahrheitsgemäß.

Was die andere Geschichte anging, sollte Janet gefälligst selbst mit den Kindern ins Reine kommen. Denn wenn sie es nicht tat, würde Jessica ihr nie wieder trauen. Und er machte seiner Tochter deshalb keinen Vorwurf, schließlich hatte er selbst auch kein Vertrauen mehr zu Janet.

»Ich will zurück nach Kalifornien«, erklärte Jessica bestimmt und zog lautstark die Nase hoch. Zumindest hatte sie aufgehört zu schluchzen.

»Und ich auch«, echote Jason, der offenbar am Nebenanschluss die ganze Zeit mitgehört hatte. Er weinte zwar nicht, war aber völlig außer sich. »Ich hasse ihn, Dad. Das würdest du auch. Er ist ein totales Arschloch.«

»Ich muss schon sagen, Jason, das Leben in New York wirkt sich nicht gerade positiv auf deine Ausdrucksweise aus. Ihr müsst über alles mit eurer Mutter sprechen, und zwar ganz in Ruhe. Und ich sage es zwar nicht gern, aber ihr müsst diesem Knaben eine Chance geben.« Es war klar, dass die beiden nicht gerade begeistert auf den neuen Freund ihrer Mutter reagierten. Genauso wenig würde es ihnen gefallen, wenn er selbst eine Freundin hätte. »Vielleicht entpuppt er sich als wirklich netter Typ, egal, seit wann sie ihn kennt. Und wenn er eurer Mutter etwas bedeutet, solltet ihr euch besser an ihn gewöhnen. Ihr könnt euer Urteil nicht schon nach fünf Minuten fällen.« Er versuchte, vernünftig mit seinen Kindern zu reden – zu ihrem eigenen Wohl, denn wenn er die beiden gegen den Mann aufwiegelte, den ihre Mutter liebte, würde ihnen die Situation nur noch mehr Kummer bereiten. Falls Janet Adam irgendwann heiratete, mussten sie ihn akzeptieren.

»Wir haben mit ihm zu Abend gegessen, Dad«, sagte Jason und klang sehr bedrückt. »Er behandelt Mom, als müsse sie nach seiner Pfeife tanzen, und sie führt sich auf, als hätte sie den Verstand verloren. Nachdem er weg war, hat sie uns angeschrien, und dann hat sie geweint. Ich glaube, sie mag ihn wirklich.«

»Kann schon sein«, erwiderte Mark traurig.

»Ich will zurück nach Hause«, jammerte Jessica. »Ich will wieder auf meine alte Schule gehen und bei dir leben.«

»Ich auch«, schloss sich Jason ihr an.

»Da wir gerade davon reden, solltet ihr beide nicht genau dahin auf dem Weg sein?« In New York war es fast halb acht, und Mark konnte Janet im Hintergrund hören. Er war nicht sicher, aber es klang, als würde sie ärgerlich rufen. Wenn sie gewusst hätte, was die beiden ihm gerade erzählt hatten, würde sie sich wahrscheinlich ziemlich aufregen. Aber wahrscheinlich war ihr gar nicht klar, dass die Kinder ihn angerufen hatten.

»Sprichst du mit Mom darüber, dass wir zurück nach Kalifornien wollen?«, flüsterte Jessica und bestätigte damit Marks Verdacht, dass Janet nichts von dem Telefonat wusste.

»Nein. Ihr müsst der Sache eine Chance geben. Ich möchte, dass ihr euch beruhigt und vernünftig seid. Und jetzt werdet ihr in die Schule gehen. Wir reden später darüber.« Sehr viel später, wenn dieses Hämmern in meinem Kopf nachgelassen hat, fügte er in Gedanken hinzu.

Mit traurigen Stimmen verabschiedeten sich die beiden von ihm, und zum ersten Mal seit zwei Monaten sagte Jessica, dass sie ihn liebe. Allerdings war sie im Moment auch ziemlich wütend auf ihre Mutter. Irgendwann würde sich diese Wut gelegt haben, und wenn die beiden Adam erst etwas besser kannten, würden sie ihn vielleicht sogar mögen. Janet hatte schließlich behauptet, er sei ein wunderbarer Mann. Trotzdem konnte Mark nicht leugnen, dass er wünschte, seine Kinder würden Adam ablehnen.

Nachdem Mark aufgelegt hatte, dachte er darüber nach, was er jetzt tun sollte. Erst einmal gar nichts, entschied er dann. Er würde sich still verhalten und abwarten, was passierte. Mark drehte sich auf die Seite und versuchte wieder einzuschlafen, aber sein Kopf dröhnte fürchterlich, und außerdem machte er sich Sorgen um Jessica und Jason. Um sechs Uhr hielt er es nicht mehr aus und rief Janet an. Sie klang fast so unglücklich wie die Kinder.

»Ich bin froh, dass du anrufst«, begrüßte sie ihn. »Die Kinder haben Adam gestern Abend kennengelernt und waren unausstehlich zu ihm.«

»Das überrascht mich nicht. Dich etwa? Es ist zu früh für sie, um damit klar zukommen. Vielleicht argwöhnen sie jetzt, dass du ihn schon länger kennst.«

»Genau das hat Jessica mir vorgeworfen. Du hast ihr doch nichts gesagt, oder?« In ihrer Stimme schwang Panik mit.

»Nein, aber ich denke, du solltest ihnen endlich reinen Wein einschenken. Früher oder später werden du oder Adam sich verplappern. Und einen Verdacht haben sie sowieso schon.«

»Woher weißt du das?«, fragte sie irritiert.

»Sie haben mich angerufen. Die beiden sind ziemlich unglücklich.«
»Jessie ist nach der Hälfte des Essens in ihr Zimmer gestürzt und hat sich eingeschlossen. Und Jason hat sich geweigert, auch nur ein Wort mit Adam oder mir zu reden. Jessie sagt, sie hasst mich.« Mark konnte hören, dass Janet den Tränen nahe war.
»Das tut sie nicht. Sie ist verletzt und wütend und misstrauisch – zu Recht, wie wir beide wissen.«
»Das mit Adam geht sie nichts an«, brauste Janet auf, obwohl sie im Grunde ein fürchterlich schlechtes Gewissen hatte.
»Mag sein, aber sie sieht das anders. Vielleicht hättest du noch damit warten sollen, ihnen Adam zu präsentieren.« Janet wollte Mark gegenüber nicht zugeben, dass Adam sie gedrängt hatte, ihn endlich den Kindern vorzustellen. Er wollte sich nicht länger verstecken müssen. Und schließlich hatte sie seinem Wunsch nachgegeben. Dabei hielt sie selbst es eigentlich noch für zu früh. Der Abend war die reinste Katastrophe gewesen, und Adam und sie hatten danach fürchterlich gestritten. Am Ende war er hinausgestürmt und hatte die Tür hinter sich zugeknallt.
»Was soll ich denn nur machen?«, fragte Janet ängstlich und besorgt.
»Abwarten. Lass den Kindern Zeit und bedränge sie nicht.« Sie wagte nicht, Mark zu erzählen, dass Adam am liebsten sofort bei ihr einziehen wollte und nicht bereit war, bis nach der Hochzeit zu warten. Und Janet war nicht sicher, ob sie ihn hinhalten konnte. Sie wollte ihn nicht verlieren – ihre Kinder aber auch nicht.
»Das ist nicht so leicht, wie du es dir vielleicht vorstellst,

Mark«, sagte sie vorwurfsvoll, als wäre sie in der Rolle des Opfers.

»Pass nur auf, dass unsere Kinder nicht bei dieser Geschichte auf der Strecke bleiben«, warnte er sie. »Mir ist schleierhaft, wie du von mir oder den Kindern Verständnis erwarten kannst. Du hast für diesen Mann unsere Ehe aufgegeben und die Familie zerstört, und früher oder später werden die Kinder es herausfinden. Sie haben das Recht, wütend zu sein. Auf euch beide.« Es war das Fairste, was er sagen konnte. Wieder einmal hatte er, ohne es zu wollen, die Rolle des Vermittlers eingenommen, und das nur, weil er so verständnisvoll war und auch andere Standpunkte akzeptieren konnte.

»Ja. Vielleicht. Aber ich bin nicht sicher, ob er das versteht. Er hat keine Kinder.«

»Dann hättest du dir vielleicht einen anderen suchen sollen. Zum Beispiel jemanden wie mich.« Sie erwiderte nichts, und er kam sich vor wie ein Trottel.

»Sie werden sich schon irgendwann wieder beruhigen«, sagte Janet hoffnungsvoll, obwohl sie wusste, dass Adam etwas anderes auch gar nicht tolerieren würde. Er wollte, dass sie ihn mochten. Das Verhalten der Kinder hatte ihn verletzt, und er hatte Janet deshalb schwere Vorwürfe gemacht.

»Halt mich auf dem Laufenden«, verabschiedete sich Mark und legte auf. Danach blieb er noch zwei Stunden lang im Bett, konnte allerdings nicht mehr schlafen, weil sein Schädel zu sehr brummte. Als er endlich aufstand, war es fast neun, und im Büro traf er erst nach zehn ein. Mittags hatte er wieder die Kinder am Apparat. Sie waren gerade aus der Schule nach Hause gekommen und wiederholten, dass sie darauf bestünden, bei ihm in Kalifornien zu leben. Mark sagte ihnen, dass er nichts überstürzen würde, denn er wollte, dass sie sich beruhigten und ihrer Mutter zumindest eine Chance gaben. Aber Jessica sagte immer nur, dass sie ihre Mutter hasse und nie wieder ein Wort mit ihr reden würde, falls sie diesen Adam jemals heiraten sollte.

»Wir wollen aber wirklich bei dir leben, Dad«, wiederholte sie.

»Und was ist, wenn ich jemanden kennenlerne? Du kannst vor diesen Dingen nicht immer davonlaufen, Jessie.«

»Triffst du dich mit einer anderen Frau, Dad?« Sie klang erschrocken. Diese Möglichkeit hatte sie noch gar nicht in Betracht gezogen.

»Nein, aber eines Tages werde ich es wahrscheinlich tun. Und diese Frau wirst du dann vielleicht auch nicht leiden können.«

»Aber du hast nicht Mom wegen ihr verlassen. Und ich glaube, dass Mom dich wegen Adam verlassen hat.« Wenn er die Wahrheit nicht bereits gekannt hätte, wäre diese Information ein ziemlicher Schlag gewesen. Kinder konnten wirklich sehr direkt sein. »Wenn du uns zwingst, bei ihr zu leben, laufe ich weg.«

»Droh mir nicht, Jess, das ist unfair. Du bist alt genug, um das zu wissen. Und du machst deinem Bruder Angst. Wir werden darüber reden, wenn wir zusammen in Ferien sind. Vielleicht siehst du die Dinge bis dahin schon anders. Womöglich kommst du zu dem Schluss, dass du Adam doch ganz nett findest.«

»Niemals!«, widersprach sie entschieden.

Die nächsten zwei Wochen waren ein einziger Kampf.

Tränen, Drohungen, Anrufe mitten in der Nacht. Dieser Adam war tatsächlich dumm genug gewesen, den Kindern zu sagen, dass er schon bald mit ihnen und ihrer Mutter zusammenleben wolle. Als Mark Jessica und Jason dann in New York abholte, standen sie mit ihrer Mutter immer noch auf Kriegsfuß. Und Janet hatte alle Hände voll zu tun mit Adam, der ständig lamentierte, dass sie die Kinder ihm gegenüber bevorzuge. Schließlich habe er lange genug auf sie gewartet, sagte er, und jetzt wolle er endlich ein gemeinsames Leben mit ihr – und ihren Kindern. Aber die weigerten sich hartnäckig. Am Ende der Ferien setzte sich Mark mit Janet zusammen und sagte ihr, dass er keine Ahnung habe, wie er die beiden dazu bringen sollte, bei ihr zu bleiben. Jessica drohte damit, einen Anwalt beim Kinderschutzzentrum anzurufen und gerichtlich zu erwirken, dass sie bei ihrem Vater leben konnte. Mark wusste, dass sie und Jason alt genug waren, dass man ihnen bei Gericht Gehör schenken würde.

»Die Situation ist ziemlich verfahren«, sagte Mark ganz offen zu Janet. »Und ich sehe keine schnelle Lösung. Was hältst du davon, sie bis zum Ende des Schuljahres wieder in Los Angeles leben zu lassen? Dann könntest du neu mit ihnen verhandeln. Wenn du sie jetzt zwingst, bei dir zu bleiben, wirst du wahrscheinlich alles nur noch schlimmer machen.« Janet hatte sich bisher nicht gerade geschickt verhalten und bekam jetzt die Rechnung präsentiert, das war ihr sehr wohl bewusst.

»Wirst du sie denn am Ende des Schuljahres zu mir zurückschicken?«, fragte sie ängstlich. Sie wollte ihre Kinder nicht verlieren. Adam hatte gesagt, dass er heiraten wolle, sobald die Tinte auf dem Scheidungsformular trocken sei.

Und er wollte möglichst schnell noch mehr Kinder mit ihr bekommen. Ihr war schleierhaft, wie sie das Jessie und Jason beibringen sollte, aber darum wollte sie sich kümmern, wenn es so weit war.

»Ich kann noch nicht sagen, was ich dann tun werde«, räumte Mark ein. »Es hängt davon ab, was die beiden wollen.« Janet tat ihm leid, obwohl sie es war, die aus ihrer aller Leben ein einziges Chaos gemacht hatte. Dabei liebte er sie noch immer, aber das sagte er ihr nicht. Sie war ja von Adam geradezu besessen, so sehr, dass sie sogar die Beziehung zu ihren Kindern aufs Spiel setzte. Mark würde seine Kinder um nichts auf der Welt aufgeben, und das schienen die beiden zu spüren, und genau deshalb wollten sie offenbar bei ihm leben.

»Kannst du sie wieder an ihrer ehemaligen Schule unterbringen?«, fragte Janet und wischte sich eine Träne weg.

»Keine Ahnung. Ich werde es auf alle Fälle versuchen.«

»Hast du denn genug Platz bei dir?« Sie hatte sich schon fast mit der Idee abgefunden. Ihr blieb ja auch gar nichts anderes übrig, denn die Alternative wäre gewesen, Adam gar nicht mehr oder nur noch heimlich zu treffen, und das hätte er nicht akzeptiert.

»Für die Kinder ist es perfekt«, versicherte ihr Mark. Er beschrieb *The Cottage,* und Janet begann zu weinen. Ohne die Kinder würde sie sich fürchterlich fühlen, aber wenn sie die beiden jetzt ein paar Monate bei Mark ließ, würden sie sich vielleicht danach doch noch an die neue Lebenssituation gewöhnen. Das hoffte sie zumindest.

»Sobald ich zurück in Los Angeles bin, werde ich sehen, was ich tun kann. Ich melde mich.« Nach dem Gespräch löcherten ihn die Kinder mit Fragen. Sie wollten wissen,

was ihre Eltern entschieden hatten. »Noch nichts«, sagte er bewusst streng. »Erst einmal müssen wir sehen, ob eure alten Schulen euch wieder aufnehmen würden. Und wie auch immer wir uns entscheiden, ich will, dass ihr ab sofort nett zu eurer Mutter seid. Für sie ist es auch nicht leicht. Sie liebt euch.«
»Wenn sie das täte, wäre sie bei dir geblieben«, brauste Jessica zornig auf. Sie war ein hübscher blonder Teenager, dessen Gefühle tief verletzt waren. Mark hoffte, dass er wenigstens verhindern konnte, dass sie weiteren Kummer erfuhr. Die Kinder durften nicht mehr als nötig unter dieser Scheidung leiden.
»Es ist nun einmal nicht immer alles so einfach im Leben, Jess«, sagte er traurig. »Menschen verändern sich … das Leben verändert sich … die Dinge entwickeln sich manchmal anders, als man es sich wünscht.«
An diesem Abend flog Mark zurück nach Kalifornien. Während der folgenden Woche verhandelte er mit den Schulen über eine Wiederaufnahme. Die Kinder waren nicht einmal drei Monate weg gewesen und hatten in der Zwischenzeit in New York exzellente Schulen besucht, sie würden also keinen Stoff nachholen müssen, sodass die Schulen am Ende der Woche schließlich zustimmten. Jetzt musste Mark nur noch einen Babysitter engagieren, der die beiden im Auge behielt und zu ihren Nachmittagsaktivitäten kutschierte, während er im Büro war. Das sollte kein Problem sein. Am Wochenende rief er Janet an.
»Wenn die beiden wollen, können sie ab Montag wieder in ihre alten Schulen gehen. Aber ich dachte mir, dass du sie vielleicht noch eine Woche bei dir haben willst, damit

ihr die Wogen ein bisschen glätten könnt. Es liegt an dir, wann du sie ins Flugzeug setzt.«
»Danke, dass du dich so fair verhältst. Verdient habe ich es vermutlich nicht. Ich werde die beiden ganz schön vermissen«, erwiderte sie und fing an zu weinen.
»Sie werden dich auch vermissen. Sobald sie nicht mehr wütend auf dich sind, werden sie wahrscheinlich wieder in New York zur Schule gehen wollen.«
»Da bin ich nicht so sicher. Sie lehnen Adam rigoros ab, und er hat wiederum seine festen Vorstellungen. Es ist schwer für ihn, direkt Kinder im Teenageralter zu haben.«
Das klang alles ziemlich verfahren, und Mark beneidete Janet nicht. Die Kinder und Adam gaben die Richtung vor, und Janet sprang wie ein Ball zwischen ihnen hin und her. Dabei hatte sie noch nie gut mit schwierigen Situationen umgehen können. Mark hatte immer alles für sie gemanagt – abgesehen von ihrer Affäre mit Adam. Das hatte sie selbst in die Hand genommen, und damit ihrer aller Familienleben zerstört.
Janet sagte es den Kindern am Sonntag, die es nicht einmal für nötig hielten vorzugeben, es fiele ihnen schwer wegzugehen. Sie jubelten, und eine halbe Stunde später packte Jessica bereits ihre Koffer. Zu gern wären die beiden schon am nächsten Tag abgereist, aber Janet bestand darauf, dass sie noch eine Woche blieben. Und sie sagte ihnen, dass sie die Sommerferien bei ihr verbringen müssten. Adam und sie hatten bereits vereinbart, im Juli zu heiraten, sobald die Scheidung durch war – aber das sagte sie den Kindern nicht. Janet hatte zu viel Angst, dass die beiden dann nicht zurückkommen würden.
Für Janet war es eine bedrückende Woche, in der sie

ständig in dem Bewusstsein lebte, dass die Kinder abreisen würden. Am Samstag setzte sie die beiden ins Flugzeug nach Kalifornien. Mark hatte ihr erzählt, dass er eine Abmachung mit der Haushaltshilfe seines Vermieters getroffen habe, die auf die beiden aufpassen würde. Wenn die Kinder zum Sport oder zu Verabredungen wollten, würde er sie selbst fahren und seine Arbeitszeiten entsprechend anpassen – das seien ihm die Kinder wert, hatte er gesagt.
Janet stand niedergeschlagen am Flughafen. Die Kinder hatten sie zum Abschied umarmt, und Jason hatte sie einen Moment lang ganz fest gedrückt. Auch wenn er nicht hätte bleiben wollen, so tat ihm seine Mutter in diesem Augenblick doch leid. Jessica drehte sich nicht einmal mehr um. Sie küsste ihre Mutter flüchtig zum Abschied und marschierte dann schnurstracks durch die Absperrung Richtung Gangway. Jessica konnte es kaum erwarten, wieder in Kalifornien und bei ihrem Dad zu sein.
Bei ihrer Ankunft gab es grenzenlosen Jubel. Mark erwartete die Kinder am Flughafen, und die beiden begrüßten ihn mit einem Freudenschrei. Als er sie in die Arme schloss, kämpfte er mit den Tränen. Für ihn ging es langsam wieder aufwärts. Zwar hatte er Janet für immer verloren, aber er hatte seine Kinder zurück, und darüber war er sehr glücklich.

## 11. Kapitel

Alex' Dienstplan war für Cooper eine ganz neue Lebenserfahrung. Eine Frau wie sie war ihm noch nie begegnet. Er hatte zwar schon Beziehungen mit Karrierefrauen gehabt, darunter auch einige Anwältinnen, aber keine Ärztin. Und schon gar keine Assistenzärztin. Seine kulinarischen Highlights mit Alex bestanden aus Pizza, Fastfood oder chinesischem Essen zum Mitnehmen. Nahezu jeder Kinobesuch oder entspannte Abend zu Hause wurde von einem Anruf aus dem Krankenhaus unterbrochen. Sie erzählte ihm, dass die meisten Assistenzärzte aus diesem Grund kaum ein Privatleben hätten, sondern sich – wenn überhaupt – mit anderen Ärzten oder Krankenschwestern trafen. Alex bemühte sich, Beruf und Verabredungen unter einen Hut zu bringen. Und Coop tat sein Bestes, sich dem anzupassen. Er war mittlerweile geradezu verrückt nach ihr, wobei er die meiste Zeit vergaß, dass sie zudem vermögend war. Hin und wieder ging es ihm durch den Kopf und erhöhte ihre Attraktivität – wie die rote Schleife die eines Weihnachtsgeschenks. Aber er versuchte, nicht daran zu denken. Das Einzige, was ihn wirklich beunruhigte, war die Frage, wie ihre Eltern auf ihn reagieren würden. Bisher hatte er es nicht gewagt, dieses Thema Alex gegenüber anzuschneiden. Die Dinge zwischen ihnen entwickelten sich sehr langsam. Das lag nur zum Teil an Alex' Arbeitszeiten, die nicht viele Verabredungen zuließen, zum anderen war sie ein gebranntes Kind. Sie wollte nicht noch einmal einen Fehler machen und hatte deshalb auch nicht vor, die Sache mit Coop zu überstürzen. Nach der fünften Verabredung hatte er sie zum Abschied geküsst, aber weiter gingen sie nicht. Coop war feinfühlig genug, sie nicht zu bedrängen. Er würde erst mit ihr schlafen, wenn sie ihn unmissverständlich dazu aufforderte. Sein Instinkt sagte ihm, dass sie sich sonst sofort zurückziehen und ihm gegenüber verschließen würde.

Charlene war endlich von der Bildfläche verschwunden. Nachdem er zwei Wochen lang nicht auf ihre Anrufe reagiert hatte, gab sie es schließlich auf. Selbst Paloma billigte Alex, obwohl diese ihr leidtat und sie sich fragte, ob das Mädchen wohl wusste, worauf sie sich da einließ. Zugegebenermaßen benahm sich Coop momentan tadellos. Wenn er sich nicht mit Alex traf, blieb er zu Hause und las Drehbücher oder ging höchstens mit Freunden aus. Und er war schon bald wieder zu einer kleinen Dinnerparty bei den Schwartzens eingeladen. Alex konnte es dieses Mal zeitlich nicht einrichten, und Coop erwähnte sie den Gastgebern gegenüber mit keinem Wort. Er hielt es für keine gute Idee, wenn die Leute wüssten, dass sie beide sich trafen. Alex sollte auch nicht in den kleinsten Hauch eines Skandals verwickelt werden. Er wusste, dass sie keinesfalls ins Interesse der Boulevardblätter würde rücken wollen. Und da sie ohnehin nie Zeit für ein Abendessen mit allen Schikanen fand, war er mit ihr bisher auch in keinem schicken Restaurant gewesen. Wenn sie am Wochenende frei hatte, genoss sie es, zu ihm nach Hause zu kommen. Sie schwamm im Pool, kochte ihnen eine Kleinigkeit zum

Abendessen – und musste meistens weg, bevor sie essen konnte. Sie war das gewohnt, für Coop bedeutete es jedoch eine ziemliche Umstellung, die er aber nach wie vor als Herausforderung betrachtete. Außerdem war Alex eine so schöne und intelligente Frau, dass er alle Hindernisse und Unbequemlichkeiten in Kauf nahm.

Manchmal traf Alex Mark am Pool. Sie plauderte gern mit ihm, und er erzählte viel von seinen Kindern. Eines Abends vertraute er ihr seine Probleme mit Janet an. Er gestand ihr, dass er eine gewisse Genugtuung darüber empfand, dass seine Kinder den Mann nicht mochten, der seine Ehe zerstört hatte. Andererseits wollte er aber nicht, dass Jessie und Jason unglücklich wären. Alex mochte Mark gern und konnte gut nachvollziehen, in welchem Dilemma er steckte.

Jimmy sah sie dagegen nur selten; er schien genauso viel zu arbeiten wie sie. Abends besuchte er manchmal Kinder in ihren Pflegefamilien, außerdem betreute er im Rahmen seiner Projekte ein Baseballteam. Mark sagte Alex immer, dass Jimmy ein prima Kerl sei, und eines Tages erzählte er ihr von Maggie. Jimmy selbst sprach nie von seiner Frau, wenn Alex dabei war. Überhaupt hielt er sich sehr im Hintergrund und schien Frauen zu meiden. Mittlerweile hatte Alex auch herausgefunden, dass die beiden Coops Mieter waren, sie sprach ihn jedoch nie darauf an. Seine finanziellen Vereinbarungen mit anderen Leuten gingen sie ihrer Meinung nach nichts an.

Sie traf sich bereits seit drei Wochen mit Coop, als er vorschlug, gemeinsam übers Wochenende wegzufahren. Alex sagte, sie müsse erst sehen, ob es sich einrichten lasse, und stellte zu ihrer größten Überraschung fest, dass es tatsäch-

lich machbar war. Bedingung ihrerseits waren jedoch getrennte Hotelzimmer. Sie fühlte sich sehr von Coop angezogen, war aber noch nicht bereit, ihm alles zu geben. Zudem bestand sie darauf, ihr Zimmer selbst zu bezahlen. Sie wollten in einen kleinen mexikanischen Badeort fahren, den Coop kannte. Alex war begeistert von der Idee. Sie reiste sehr gern und war seit Beginn ihrer Assistenzzeit nicht mehr weg gewesen. Zwei Tage Sonne und Spaß mit Coop – das klang himmlisch.
Am Freitagabend machten sie sich auf den Weg. Das Hotel war noch schöner, als Coop ihr versprochen hatte. Sie mieteten ein Appartement mit zwei Schlafzimmern mit einer Verbindungstür dazwischen, einem großen Wohnzimmer, einer Veranda, einem eigenen Pool und konnten über einen kleinen Privatstrand verfügen, an dem sie vollkommen ungestört waren. Spät am Nachmittag gingen sie in die Stadt, bummelten durch die kleinen Geschäfte, setzten sich in ein Straßencafé und tranken Margaritas. Es war fast wie auf einer Hochzeitsreise, und am zweiten Abend, ganz so, wie Coop gehofft hatte, verführte Alex ihn. Dabei war sie nicht einmal angetrunken; sie wollte es einfach, da sie tatsächlich im Begriff war, sich in ihn zu verlieben. Nie zuvor war ein Mann derartig liebevoll, zärtlich und rücksichtsvoll mit ihr umgegangen. Er war nicht nur ein interessanter Begleiter und großartiger Freund, sondern auch ein fantastischer Liebhaber. Von Frauen verstand Cooper Winslow wirklich eine Menge. Nie zuvor hatte Alex Einkaufen so viel Spaß gemacht wie mit Coop, hatte sie so gut mit jemandem reden können, hatte sie so viel gelacht und war derartig verwöhnt worden.

Alex war überrascht, wie viele Autogramme er geben musste und wie oft Leute ihn ansprachen, weil sie ein Foto von ihm machen wollten. Die ganze Welt schien ihn zu kennen, aber nicht so gut, wie sie ihn kannte. Er war erstaunlich offen und bereit, ihr nicht nur von seinem Leben und seiner Vergangenheit zu erzählen, sondern ihr einen Blick hinter die Fassade zu gewähren. Und sie dankte es ihm mit ihrer Ehrlichkeit.
»Was werden deine Eltern zu der Sache mit uns sagen?«, fragte Coop, nachdem sie sich das erste Mal geliebt hatten und jetzt nackt im Mondschein in ihrem Privatpool saßen, während im Hintergrund leise Musik spielte. Für Alex war es die bisher romantischste Nacht ihres Lebens.
»Keine Ahnung«, sagte sie nachdenklich. »Mein Vater konnte noch nie jemanden leiden, einschließlich seiner Kinder und meiner Mutter. Er traut keinem über den Weg. Aber wie sollte er dich nicht mögen, Coop? Du bist ein angesehener Mann, stammst aus einer guten Familie, bist höflich, intelligent, charmant und erfolgreich. Was gäbe es zu beanstanden?«
»Nun ja, da wäre fürs Erste schon einmal der Altersunterschied.«
»Möglich. Aber an manchen Tagen siehst du jünger aus als ich.« Sie lächelte ihn im Mondlicht an und küsste ihn. Er hatte ihr noch nicht gesagt, dass es auch einen Unterschied hinsichtlich ihrer finanziellen Situation gab: Sie war solvent – er nicht. Es fiel ihm schwer, das zuzugeben. Mit einer derartigen Situation war er in seinem Leben noch nicht konfrontiert worden. Andererseits war es gut zu wissen, dass Alex finanziell nicht auf ihn angewiesen war, denn das war für ihn bei seinen bisherigen Beziehungen

immer ein Problem gewesen. Er hatte nicht die Verantwortung für eine Ehefrau übernehmen wollen, solange seine finanzielle Situation nicht stabil war – und die meiste Zeit war sie das eben nicht. Und wenn er Geld hatte, dann schien es ihm nur so durch die Finger zu rinnen. Im Geldausgeben brauchte er keine Nachhilfe, und die meisten Frauen, mit denen er zusammen gewesen war, erwiesen sich als äußerst verschwenderisch. Alex war eine Ausnahme, und zum ersten Mal dachte Coop tatsächlich ernsthaft über die Ehe nach. Nur auf eine vage, diffuse Art und Weise, aber immerhin ängstigte ihn der Gedanke nicht mehr ganz so sehr wie früher. Coop war immer davon überzeugt gewesen, dass er jederzeit eher Selbstmord begehen als eine Ehe schließen würde. Das eine schien ihm ohnehin nur ein Synonym für das andere zu sein. Aber mit Alex war alles anders. Und das sagte er ihr auch, während sie sich in dieser romantischen Nacht in Mexiko immer wieder küssten.

»So weit bin ich noch nicht, Coop«, erwiderte sie aufrichtig wie immer. Sie liebte ihn, wollte ihm jedoch nichts vormachen. Sie war weit davon entfernt, an eine Ehe zu denken, nicht nur weil ihr Beruf momentan Priorität hatte, sondern auch wegen der schlechten Erfahrungen mit ihrem ersten Verlobten. Nie wieder wollte sie so enttäuscht werden. Andererseits ahnte sie, dass ihr Coop so etwas nie antun würde.

»Ich doch auch nicht«, flüsterte er. »Aber zumindest bekomme ich beim Gedanken daran keinen Ausschlag mehr. Für mich ist das eine enorme Entwicklung.« Es gefiel ihr, dass sie beide zurückhaltend mit dem Thema umgingen und dass er andererseits zum ersten Mal in seinem Leben ans Heiraten dachte. Als sie ihn darauf ansprach, sagte er, dass ihm eben nie die Richtige begegnet sei und dass Alex die erste Frau war, mit der er sich vorstellen konnte, sein Leben zu verbringen.

Ihr gemeinsames Wochenende war traumhaft. Auf dem Rückflug strahlten sie beide glücklich und mochten sich in Los Angeles gar nicht wieder trennen.

»Willst du nicht mitkommen zu mir?«, fragte er, während er sie vom Flughafen zu ihrem Appartement fuhr. Alex dachte einen Moment lang über das Angebot nach.

»Wollen schon, aber es wäre nicht gut.« Es war ihr immer noch wichtig, die Dinge langsam anzugehen. Sie hatte Angst, dass sie sich an Coop gewöhnen könnte und es dann plötzlich vorbei wäre. »Allerdings wirst du mir heute Nacht fehlen.«

»Du mir auch«, gestand er. Coop fühlte sich wie ein anderer Mensch. Er bestand darauf, ihr die Tasche ins Appartement zu tragen, das er noch nie gesehen hatte. Als er es jetzt zum ersten Mal betrat, war er schlichtweg entsetzt. Berge schmutziger Arztkittel türmten sich neben deckenhoch gestapelten Medizinbüchern. Die Badutensilien beschränkten sich auf das absolute Minimum: Seife, Toilettenpapier, Handtücher. Es gab so gut wie keine Möbel, keine Vorhänge, keine Teppiche und überhaupt nichts Persönliches.

»Um Himmels willen, Alex, hier sieht es ja aus wie in einer Kaserne!« Sie hatte sich nie die Mühe gemacht, es wohnlicher zu gestalten. Dazu fehlte ihr die Zeit, und es war ihr auch nicht wichtig, da sie sowieso nur zum Schlafen herkam. »So kann man doch nicht leben«, sagte Coop und musste im nächsten Moment laut lachen. Diese kultivierte

Person verfügte über einen erlesenen Geschmack – und interessierte sich seit Jahren für nichts anderes als ihren Beruf. Coop hatte schon Tankstellen gesehen, die einladender wirkten. »Du solltest alles zum Sperrmüll geben und sofort bei mir einziehen.« Er wusste ganz genau, dass sie das nicht tun würde, zumindest jetzt noch nicht. Dafür war sie zu vorsichtig und zu unabhängig. Trotz der trostlosen Atmosphäre in Alex' Appartement blieb Coop über Nacht, und als am nächsten Morgen um sechs der Wecker klingelte, standen sie gemeinsam auf. Als Coop später wieder in seinem Landhaus eintraf, fehlte Alex ihm bereits, und er stellte erstaunt fest, dass er noch nie so viel für eine Frau empfunden hatte.

Später am Morgen kam Paloma zur Arbeit, und als sie Coops Gesichtsausdruck sah, war sie überrascht. Konnte es sein, dass Cooper Winslow sich tatsächlich in diese junge Ärztin verliebt hatte? Das machte ihn ja beinahe sympathisch.

Den ganzen Nachmittag lang war Coop wegen verschiedener Termine unterwegs; unter anderem posierte er für das Cover des Männermagazins *GQ*. Es war schon sechs, als er nach Hause kam, aber er wusste, dass Alex immer noch arbeitete. Sie hatte bis zum nächsten Morgen Dienst im Krankenhaus.

Coop hatte es sich gerade mit einem Glas Champagner in der Bibliothek bequem gemacht und leise Musik angestellt, da hörte er einen fürchterlichen Lärm aus Richtung Eingangstür. Es klang wie ein Maschinengewehr oder eine ganze Serie von Explosionen. Coop sprang auf und stürzte ans Fenster. Im ersten Moment konnte er nichts erkennen, doch dann entdeckte er einen Jungen im Teenager-

alter, der mit einem Skateboard die Marmorstufen hinunterratterte und sie als Rampe für waghalsige Sprünge benutzte. Mit einem lauten Knall landete er jedes Mal auf dem Marmorboden vor der Treppe. In wenigen Schritten war Coop am Eingang und riss die Tür auf. Diese Treppe stammte aus dem Jahr 1918 und hatte noch nie einen einzigen Kratzer abbekommen, und jetzt war dieser jugendliche Straftäter gerade dabei, sie zu ruinieren.
»Was zum Teufel machst du da? Wenn du nicht in drei Sekunden verschwunden bist, rufe ich die Polizei. Wie bist du überhaupt hier hereingekommen?« Der Alarm hätte losgehen müssen, als dieser Bursche über das Tor kletterte. Der Junge blieb wie versteinert stehen, presste das Skateboard an sich und starrte Coop verängstigt an.
»Mein Vater lebt hier«, war alles, was er herausbekam. Jason und seine Schwester waren erst am Vorabend hier eingetroffen – und völlig begeistert von dem Anwesen. Seit er aus der Schule zurück war, hatte er den Nachmittag damit verbracht, das Grundstück auszukundschaften. Dass er den Marmor beschädigen könnte, war ihm gar nicht in den Sinn gekommen. Die Treppe schien ihm einfach perfekt geeignet, um Sprünge zu üben, und er hatte eine Menge Spaß dabei. Bis dieser Mann die Tür aufgerissen, ihn angeschrien und damit gedroht hatte, ihn verhaften zu lassen.
»Was meinst du damit? Ich lebe hier, und Gott sei Dank bin ich nicht dein Vater!«, schimpfte Coop. »Wer bist du?«
»Ich bin Jason Friedman.« Der Junge zitterte am ganzen Körper und ließ das Skateboard fallen. Das gab einen so lauten Knall, dass sie beide erschreckt zusammenzuckten.

»Mein Vater lebt im Gästeflügel.« Um das Ganze noch schlimmer zu machen, fügte Jason hinzu: »Und ich lebe jetzt auch hier, so wie meine Schwester. Wir sind gestern aus New York angekommen.«

»Was willst du damit sagen: Du ›lebst‹ hier? Wie lange wirst du bleiben?« Coop erinnerte sich vage daran, dass Liz Marks Kinder erwähnt hatte, die in New York lebten und nur gelegentlich zu Besuch kämen – selten und immer nur für wenige Tage.

»Wir wollten nicht bei unserer Mom in New York bleiben, sondern hier bei unserem Dad leben. Wir hassen Moms neuen Freund.« Das war mehr an Information, als Jason normalerweise preisgab, aber Coop wirkte auf ihn ziemlich einschüchternd.

»Das beruht sicher auf Gegenseitigkeit. Solltest du jemals wieder diese Treppe malträtieren, werde ich dich höchstpersönlich auspeitschen.«

»Das würde mein Vater niemals zulassen«, brauste Jason auf. Dieser Typ war offenbar völlig durchgeknallt. Filmstar hin oder her – erst drohte er damit, ihn verhaften zu lassen, und jetzt wollte er ihn auspeitschen. »Dafür kommen Sie ins Gefängnis. Aber auf jeden Fall tut mir das mit der Treppe leid«, machte er einen leichten Rückzieher.

»Ich habe nichts kaputt gemacht.«

»Das hättest du aber können. Bist du tatsächlich hier eingezogen?« Was für eine grauenhafte Vorstellung! Coop konnte nur hoffen, dass der Junge log, doch leider beschlich ihn das ungute Gefühl, dass dem nicht so war. »Davon hat dein Vater gar nichts gesagt.«

»Es wurde kurzfristig entschieden – wegen dieser Sache mit Moms Freund. Wir sind gestern angekommen und

gehen seit heute wieder auf unsere alten Schulen. Meine Schwester ist auf der High School.«
»Wie beruhigend zu wissen«, sagte Coop mit gequältem Gesichtsausdruck. Das konnte doch nur ein böser Traum sein: zwei Kinder, die sich im Gästeflügel einnisteten. Er musste sie schnell loswerden, bevor sie das Haus in Schutt und Asche legten. Als Erstes würde er seinen Anwalt anrufen. »Ich werde mit deinem Vater reden«, sagte er barsch. »Und das da gibst du mir.« Coop griff nach dem Skateboard, aber Jason wich einen Schritt zurück. Das Board hatte er aus New York mitgebracht; es war sein kostbarster Besitz.
»Ich sagte, es tut mir leid«, wiederholte Jason.
»Du hast eine Menge gesagt, vor allem über den Freund deiner Mutter.« Coop hatte etwas Bedrohliches, wie er von der obersten Stufe auf ihn hinunterblickte. Jason stand am Fuß der Treppe, und aus dieser Perspektive wirkte Coop wie ein Riese.
»Er ist ein Arschloch, und wir können ihn nicht ausstehen«, tat Jason ungefragt kund.
»Das ist sehr bedauerlich, heißt aber noch lange nicht, dass du deshalb hier einziehen kannst.« Coop funkelte den Jungen grimmig an. »Richte deinem Vater aus, dass ich morgen früh mit ihm reden will.« Mit diesen Worten ging Coop zurück ins Haus und schlug die Tür hinter sich zu, während Jason wie der Blitz auf seinem Skateboard zum Gästeflügel raste und seinem Vater eine leicht abgewandelte Version der Geschichte erzählte.
»Du darfst doch auch nicht auf der Treppe Skateboard fahren, Jason. Dieses Haus ist sehr wertvoll, und du hättest die Stufen beschädigen können.«

»Ich habe ihm gesagt, dass es mir leid tut, aber er hat sich aufgeführt wie ein richtiger Scheißkerl.«
»Er ist eigentlich ganz in Ordnung und nur nicht an Kinder gewöhnt. Wir müssen ein bisschen Rücksicht nehmen.«
»Kann er uns rauswerfen?«
»Das denke ich nicht – solange du ihm keinen handfesten Grund lieferst. Tu mir den Gefallen und mach es auch nicht.«
Nachdem Coop die Tür hinter sich zugeschlagen hatte, schenkte er sich erst einmal einen starken Drink ein und wählte Alex' Pieper an. Fünf Minuten später rief sie zurück. Sie konnte an seiner Stimme hören, dass etwas Furchtbares passiert sein musste.
»Geht es dir gut?«, fragte sie besorgt.
»Nein, ganz und gar nicht. Marks Kinder sind hier eingezogen. Einem der beiden bin ich bereits begegnet, ein jugendlicher Schwerverbrecher. Ich werde umgehend eine Zwangsräumung veranlassen. Aber bis sie weg sind, habe ich wahrscheinlich längst einen Nervenzusammenbruch. Der Bursche ist mit seinem Skateboard die Vordertreppe hinuntergerast und auf den Marmor gesprungen.«
Alex lachte erleichtert auf, als sie hörte, dass nichts Schlimmes vorgefallen war. Coop hatte sich angehört, als wäre das Haus eingestürzt.
»Ich glaube nicht, dass du sie rauswerfen kannst. Es gibt Gesetze, um Leute mit Kindern zu schützen«, sagte sie ganz ruhig und amüsierte sich insgeheim über seine Fassungslosigkeit.
»Und was ist mit Gesetzen zu meinem Schutz? Kinder sind grauenhaft.«
»Das heißt wohl auch, dass wir keine haben werden?« Sie

hatte die Frage mit einem scherzhaften Unterton gestellt, trotzdem wurde Coop plötzlich bewusst, dass das für Alex ein echtes Problem darstellen könnte. Darüber hatte er noch gar nicht nachgedacht. Alex war jung, jung genug, um Kinder zu wollen. Doch jetzt gerade war er gar nicht in der Stimmung, um darüber nachzudenken.

»Darüber können wir noch reden«, lenkte er sicherheitshalber ein. »Deine Kinder wären schließlich zivilisiert. Die von Mark sind es nicht, zumindest dieser Knabe ist es nicht. Und seine Schwester geht auf die High School. Das heißt, sie raucht Hasch und dealt mit Drogen.«

»Ganz so schlimm wird es schon nicht sein. Wie lange werden sie denn bleiben?«

»Ich werde Mark anrufen und fragen. Aber bis morgen ist schon zu lange.«

»Mach dich deshalb nicht verrückt.« Sie konnte ihm allerdings anhören, dass er genau das tat.

»Ich werde darüber noch zum Alkoholiker. Er kann doch nicht im Ernst vorhaben, die Kinder hier wohnen zu lassen? Was ist, wenn ich sie nicht rauswerfen kann?«

»Dann machen wir das Beste daraus und bringen ihnen bei, sich zu benehmen.«

»Lieb von dir, mein Schatz. Aber es gibt Menschen, die kann man nicht erziehen. Ich habe diesem Burschen angedroht, ihn auszupeitschen, wenn ich ihn noch einmal mit dem Skateboard auf der Treppe erwische – und er sagt mir doch rotzfrech ins Gesicht, dass ich dafür ins Gefängnis käme!« Alex begriff, dass die beiden eindeutig einen schlechten Start gehabt hatten. Aber dem Jungen mit Auspeitschen zu drohen war auch nicht gerade förderlich für eine Beziehung.

»Bitte Mark doch einfach, die Kinder von dir fernzuhalten. Er ist ein netter Kerl und wird Verständnis haben.«

Als Coop Mark am nächsten Tag anrief, entschuldigte der sich ausdrücklich für den Ärger, den Jason verursacht hatte. Er schilderte Coop die Situation und versicherte, dass die Kinder am Ende des Schuljahres wieder zurück nach New York gingen. Sie würden höchstens drei Monate bleiben.

Für Coop klang das wie ein Todesurteil, denn er hatte gehofft, dass sie am nächsten Tag abreisen würden. Mark schwor, dass er die Kinder anhalten würde, sich zu benehmen, und Coop fand sich widerwillig damit ab, Wand an Wand mit ihnen zusammenzuleben. Schließlich blieb ihm auch nichts anderes übrig. Bevor er Mark anrief, hatte er nämlich mit seinem Anwalt gesprochen und festgestellt, dass Alex recht gehabt hatte: Er konnte die Kinder nicht hinauswerfen. Doch selbst der Entschuldigungsbrief, zu dem Jason von seinem Vater verdonnert wurde, konnte Coop nicht besänftigen. Er war wütend, dass Mark ihm seine Kinder quasi untergejubelt hatte, und hoffte inständig, dass die Romanze ihrer Mutter möglichst schnell ein Ende finden würde.

## 12. Kapitel

Nach dem Zusammenstoß zwischen Coop und Jason wies Mark seinen Sohn an, sich in Zukunft vom Hauptteil des Anwesens fernzuhalten und nur in der Einfahrt mit dem Skateboard zu trainieren. Jason sah Coop ein paar Mal wegfahren, aber es gab keinen weiteren Zwischenfall, zumindest nicht während der nächsten beiden Wochen. Die Kinder waren überglücklich, wieder in Los Angeles an ihrer alten Schule und bei ihren Freunden zu sein. Ihr neues Zuhause fanden sie unheimlich »cool«, trotz dieses Spaßverderbers von Vermieter, wie sie ihn nannten. Er beäugte sie weiterhin misstrauisch aus der Ferne, aber sowohl die Maklerin als auch seine Anwälte bestätigten ihm, dass er nichts gegen ihre Anwesenheit tun könne. Mark hatte schließlich von Anfang an nicht verheimlicht, dass seine Kinder von Zeit zu Zeit bei ihm sein würden. Davon abgesehen hätte er sogar das Recht gehabt, sie auf Dauer bei sich aufzunehmen. Also blieb Coop nichts anderes übrig, als sich daran zu gewöhnen und sich zu beschweren, wenn sie etwas anstellten.

An dem ersten Wochenende, das Alex mit ihm auf dem Anwesen verbrachte, wurden sie um die Mittagszeit von einem ohrenbetäubenden Lärm geweckt. Es hörte sich an, als fände am Pool eine Großdemonstration statt. Dort mussten mindestens 500 Leute sein, die sich lautstark anbrüllten – nur so konnten sie auch die ohrenbetäubende

Rapmusik übertönen, die im Hintergrund lief. Alex musste grinsen, während sie vom Bett aus den Songtexten lauschte, die ziemlich versaut, aber lustig waren und respektlos verkündeten, was Jugendliche von Erwachsenen hielten. Coop dagegen reagierte nicht annähernd so gelassen.
»Was, um Gottes willen, ist das?«, fragte er und richtete sich mit fassungslosem Gesichtsausdruck im Bett auf.
»Klingt wie eine Party.« Alex gähnte und streckte sich. Dann kuschelte sie sich wieder an ihn. Sie hatte vier Schichten getauscht, um das Wochenende bei ihm sein zu können. Es lief gut zwischen ihnen. Coop hatte sich ihrem anspruchsvollen Dienstplan angepasst und genoss die gemeinsame Zeit, wie er es noch bei keiner anderen Frau getan hatte. Und trotz ihres beträchtlichen Altersunterschiedes fühlte sich Alex unglaublich wohl mit ihm. Sie hatte bereits intensiv darüber nachgedacht, war aber zu dem Schluss gekommen, dass Coops Alter kein Problem für sie darstellte. Er wirkte jünger und war weitaus interessanter als die meisten Männer ihres Alters.
»Das müssen Außerirdische sein. In meinem Garten ist ein UFO gelandet!« Während der letzten zwei Wochen hatte er hin und wieder einen der Teenager zu Gesicht bekommen, aber Mark schien seine Kinder insgesamt gut im Griff zu haben – bis zu diesem Morgen. Dass Paloma gelegentlich auf die beiden aufpasste, wusste Coop nicht. Er ahnte ja nicht einmal, dass sie in ihrer Freizeit hin und wieder bei Mark sauber machte und sich um seine Wäsche kümmerte. »Die müssen doch stocktaub sein. Die Musik kann man mindestens bis Chicago hören.« Er stieg aus dem Bett und sah aus dem Fenster. »Um Himmels willen,

Alex, es sind Tausende!« Sie stand auf und stellte sich neben ihn. Am Pool standen etwa zwanzig bis dreißig Teenager, die lachend herumalberten.

»Scheint wirklich eine Party zu sein«, murmelte Alex.

»Irgendjemand hat wohl Geburtstag.« Sie fand es schön, gesunde, fröhliche Kinder zu sehen, die Spaß miteinander hatten. Nach all dem Leid, mit dem sie in ihrem Job konfrontiert wurde, kam ihr das wundervoll normal vor. Aber Coop war schlichtweg entsetzt.

»Außerirdische feiern keinen Geburtstag, Alex. Sie schlüpfen still und heimlich und kommen dann auf die Erde, um alles zu zerstören, was ihnen ins Blickfeld kommt. Sie sind hergeschickt worden, um uns und unseren Planeten zu vernichten.«

»Möchtest du, dass ich rausgehe und sie bitte, die Musik leiser zu stellen?«, fragte sie mit einem Schmunzeln. Kinder schienen ihn wirklich aus der Fassung zu bringen. Er liebte sein ruhiges, geordnetes Leben, wenn alles um ihn herum schön und stilvoll war. Die Lieder, die sie gerade zu hören bekamen, passten so gar nicht in seine Welt, und Coop tat ihr fast ein bisschen leid.

»Das wäre wunderbar«, sagte er dankbar, während sie bereits in T-Shirt, Shorts und Sandaletten schlüpfte. Es war ein wunderschöner Frühlingstag, und Alex versprach, für sie beide Frühstück zu machen, sobald sie zurück war. Er dankte ihr und ging ins Bad, um vorher noch zu duschen und sich zu rasieren. Sogar direkt nach dem Aufwachen sah Coop tadellos aus, wohingegen Alex sich morgens immer fühlte, als hätte man sie stundenlang an einem Seil hinter einem Pferd hergeschleift. Ihr Haar war zerzaust, und durch ihr Arbeitspensum fühlte sie sich nie wirklich ausgeschlafen. Doch Dank ihrer Jugend war ihr davon nichts anzusehen. Als sie jetzt nach draußen zum Pool ging, um Mark Coops Anliegen zu überbringen, wirkte sie selbst noch wie ein Teenager.

Jessica stand inmitten einer Gruppe von kichernden, kreischenden Mädchen in Bikinis und Badeanzügen. Die Jungen dagegen gaben sich »cool« und ignorierten die Mädchen, während Mark im Pool versuchte, eine Runde »Fischer, Fischer, wie tief ist das Wasser?« zu organisieren.

»Hi, wie geht es Ihnen? Ich habe Sie schon länger nicht mehr hier gesehen«, begrüßte er Alex erfreut. Mark hatte sich schon gefragt, ob Coop sich nicht mehr mit ihr traf. Allerdings hatte er Coop auch schon lange nicht mehr mit anderen Frauen gesehen.

»Ich habe viel gearbeitet. Was wird gefeiert? Hat jemand Geburtstag?«

»Nein, Jessie wollte mit all ihren Freunden feiern, dass sie wieder hier ist.« Sie war geradezu ekstatisch vor Freude, wieder bei ihrem Vater zu sein, und weigerte sich, mit ihrer Mutter auch nur zu telefonieren. Mark gefiel das nicht, aber bisher war es ihm nicht gelungen, seine Tochter zu einer anderen Haltung zu bewegen. Sie war absolut unversöhnlich. Janet erklärte er fortwährend, sie müsse Jessica einfach mehr Zeit geben. Wenigstens sprach Jason mit seiner Mutter, wobei er allerdings keinen Hehl aus seiner Begeisterung machte, dass er wieder bei seinem Vater leben durfte.

»Es ist mir sehr unangenehm, Sie zu stören, die Kinder scheinen so viel Spaß zu haben«, sagte Alex entschuldigend, »aber Coop hat ein kleines Problem mit dem Lärm. Wäre es möglich, die Musik ein bisschen leiser zu stellen?« Mark blickte sie zunächst überrascht und dann schuldbewusst an. Er war so daran gewöhnt, Kinder um sich zu haben, dass ihm gar nicht aufgefallen war, wie viel Krach sie verursachten. Doch plötzlich wurde ihm klar, dass er Coop vorher hätte Bescheid sagen sollen. Allerdings hatte er Skrupel, seinem Vermieter gegenüber die Kinder auch nur zu erwähnen.

»Tut mir leid. Irgendjemand muss klammheimlich die Musik lauter gestellt haben, und ich habe es in dem ganzen Trubel nicht gemerkt. Sie wissen ja, wie Kinder sind.« In der Tat war Alex froh zu sehen, dass diese Jugendlichen einen ordentlichen, gepflegten Eindruck machten. Weit und breit kein einziges Tattoo und keine Punkerfrisur, lediglich jede Menge Ohrstecker sowie hier und da ein Nasenpiercing. Nichts Bedrohliches also, und keiner der Teenager wirkte wie ein Verbrecher oder Drogensüchtiger – im Gegensatz zu dem, was Coop gesehen haben wollte. In Alex' Augen waren es ganz normale »Außerirdische«. Mark kletterte aus dem Pool und ging zur Stereoanlage, um die Musik leiser zu stellen, während Alex den Kindern noch einen Augenblick lächelnd zusah. Jessica war ziemlich hübsch. Sie hatte langes, blondes Haar, das ihr glatt über den Rücken fiel, und eine gute Figur. Umringt von ihren Freundinnen kicherte sie albern, während etliche der Jungs sie bewundernd anhimmelten. Jessica schien das gar nicht zu merken. Dann sah Alex, wie Jason sich in Begleitung von Jimmy dem Pool näherte. Der Junge hatte einen Baseballhandschuh an und hielt einen Baseball in der Hand. Er strahlte über das ganze Gesicht, während er sich hochkonzentriert mit Jimmy unterhielt. Der hatte ihm gerade beigebracht, wie man dem Ball den richtigen

Drall gibt und zielgenau wirft, was Jason zuvor nie gelungen war.

»Hi«, begrüßte Alex die beiden freundlich. Jimmy wirkte einen Moment lang befangen, dann stellte er die beiden einander vor. Dabei vermied er es, Alex in die Augen zu schauen, als wolle er ja nicht zu viel Nähe aufkommen lassen. Er wirkte auf sie wie jemand, der eine traumatische Erfahrung gemacht und noch nicht verarbeitet hatte. Alex kannte diesen Blick, sie hatte ihn schon oft in den Augen von Eltern gesehen, die gerade ihr Kind verloren hatten. Wenn Jimmy mit Jason sprach, wirkte er sofort entspannter. »Wie ist es Ihnen ergangen?«, fragte sie munter. »Sind Sie in letzter Zeit noch einmal bei einem netten Feuerchen gewesen?« Sie hatte ihn seit dem Abend, an dem Mark mit seinem Barbecue beinahe einen Waldbrand verursacht hätte, nicht mehr gesehen. Bei der Erinnerung daran mussten sie beide lachen. Alex würde nie das Bild vergessen, wie Coop den Feuerwehrmännern Autogramme gab, während hinter ihm die Hecke abbrannte.

»Für mich ist damals noch ein ziemlich gutes Abendessen dabei herausgesprungen«, sagte Jimmy mit einem schüchternen Lächeln. »Ich glaube, Mark und ich haben Ihre Portion gegessen. Schade, dass Sie ins Krankenhaus gerufen wurden, aber andererseits hätten wir sonst kein Abendessen gehabt«, erklärte er trocken und musste erneut lachen. »Das war wirklich ein verrückter Abend. Einen solchen Kater hatte ich das letzte Mal auf dem College. Am nächsten Morgen war ich nicht in der Lage, vor elf zur Arbeit zu gehen. Cooper hat uns ganz schön exotische Sachen gemixt – und davon reichlich.«

»Klingt fast so, als hätte ich etwas verpasst.« Alex lächelte

ihn an. Dann wandte sie sich Jason zu und fragte ihn, auf welcher Position er spiele. Er sagte, er sei Shortstop.
»Er wirft richtig gut und ist ein Wahnsinns-Schlagmann«, lobte Jimmy ihn. »Drei Bälle hat er heute Morgen über die Mauer gejagt – klare Homeruns.«
»Ich bin beeindruckt. Ich würde den Ball nicht einmal dann treffen, wenn es um mein Leben ginge«, gestand sie.
»Meine Frau konnte das auch nicht«, entfuhr es Jimmy. Es war ihm so rausgerutscht, und Alex sah ihm an, dass er sich am liebsten auf die Zunge gebissen hätte. »Die meisten Frauen können weder Bälle schlagen noch werfen. Dafür können sie andere Dinge, wie kochen«, sagte sie in dem Versuch, ihn von dem Gedanken an Maggie abzulenken. »Ich fürchte allerdings, dass ich auch diese Vorzüge nicht besitze«, fuhr Alex bewusst locker fort, da sie merkte, wie unangenehm Jimmy die Situation noch immer war. »Aber ich mache ein recht anständiges Erdnussbuttersandwich und bin sehr gut darin, Pizza zu bestellen.«
»Das reicht doch. Ich bin ein wesentlich besserer Koch, als meine Frau es war.« Ohne es zu wollen, hatte er schon wieder von ihr gesprochen, und Alex spürte, wie er sich jetzt förmlich in sein Schneckenhaus zurückzog. Er sagte nichts mehr, während sie noch ein bisschen mit Jason plauderte, bis der weiterzog zu seiner Schwester und deren Freunden.
»Es sind wirklich nette Kinder«, sagte Alex und hoffte, Jimmy damit auf andere Gedanken bringen zu können. Sie hätte ihm gern gesagt, wie leid ihr das mit seiner Frau tue, fürchtete aber, dass sie ihm damit nur noch mehr zusetzen würde.
»Mark freut sich riesig, die beiden hier zu haben. Sie haben

ihm ganz schön gefehlt«, erwiderte Jimmy und versuchte von dem emotionalen Abgrund wegzukommen, an dem er ständig entlangtaumelte. Was er auch sagte oder tat – alles erinnerte ihn an Maggie. »Wie kommt unser Vermieter damit klar?«

»Er hat eine Therapie begonnen und bekommt Beruhigungsmittel«, sagte sie trocken. Jimmy musste herzhaft lachen. Es klang wunderbar und stand vermutlich im krassen Gegensatz zu dem, wie er sich fortwährend fühlte.

»So schlimm?«

»Nein – schlimmer. Letzte Woche wurde er als Code Blau eingeliefert.« So wurden im Krankenhaus die Patienten mit Herz- und Atemstillstand bezeichnet, aber Jimmy schien der Begriff nicht fremd zu sein. »Aber ich denke, er wird durchkommen. Jetzt wird er nur noch künstlich ernährt, und da wir gerade davon sprechen, ich sollte besser zurückgehen. Ich bin nur herausgekommen, um die Kinder zu bitten, die Musik etwas leiser zu stellen.«

»Was steht denn auf dem Programm?«

»Bisher Rapmusik, mit ganz schön pikanten Texten.« Alex grinste.

»Nein, zum Frühstück, meine ich. Erdnussbutter oder Pizza?«

»Hmmm … gute Frage. Darüber habe ich noch gar nicht nachgedacht. Ich persönlich bevorzuge ja Pizza, am besten vom Vorabend und zäh wie Gummi. Davon ernähre ich mich in der Regel. Und Donuts zum Nachtisch, vorzugsweise halb vertrocknet. Aber ich glaube, Coop bevorzugt prosaischere Genüsse, wie Eier mit Schinken.«

»Kriegen Sie das hin?«, fragte Jimmy hilfsbereit. Er mochte Alex, sie strahlte so viel Herzlichkeit und Mitgefühl aus. An ihren Beruf konnte er sich nicht mehr erinnern, aber sie machte irgendetwas, das mit Säuglingen zu tun hatte. Und sein Gefühl sagte ihm, dass sie in ihrem Job sehr gut war. Sie war clever und wirkte sehr fürsorglich. Was sie von einem Mann wie Cooper Winslow wollte, war ihm allerdings schleierhaft. In seinen Augen gaben die beiden ein seltsames Gespann ab, aber es war ja oft nicht nachvollziehbar, warum jemand einen bestimmten Partner wählte. Coop war alt genug, um ihr Vater zu sein, und sie wirkte andererseits weiß Gott nicht wie eine Frau, die von Berühmtheit und Glamour angezogen wurde. Vielleicht unterschätzte er Coop ja auch, oder – die schlechtere Alternative – er überschätzte Alex. Trotz des netten Abends, den Jimmy mit Mark bei Cooper verbracht hatte, hielt er nämlich nicht viel von seinem Vermieter. Er war zweifellos charmant und gut aussehend, aber ziemlich oberflächlich.

»Kann man eigentlich die Feuerwehr anrufen, um sich Frühstück bringen zu lassen?«, knüpfte Alex an ihr Geplänkel an.

»Sicher, solange Coop die Lieferung mit seinem Autogramm quittiert«, erwiderte er spitz und bedauerte es sofort. Er hatte keinen Grund, schlecht über den Mann zu reden, und das wusste er auch. »Tut mir leid, das war nicht angebracht.«

»Ist schon gut, er versteht eine Menge Spaß, selbst wenn es auf seine Kosten geht. Das ist eine der Sachen, die mir an ihm gefallen.«

Jimmy hätte am liebsten gefragt, was ihr denn sonst noch an ihm gefiel – abgesehen davon, dass er gut aussah –, unterließ es jedoch lieber.

»Ich sollte jetzt wirklich wieder hineingehen. Ist eher unwahrscheinlich, dass wir uns heute an den Pool legen. Da müssten wir Coop schon hier anketten.« Sie lachten beide. Alex winkte Mark zu und ging zum Haus zurück. Sie fand Cooper in der Küche, wo er missmutig versuchte, das Frühstück zuzubereiten. Die Muffins waren steinhart gebacken, der Schinken bis zur Unkenntlichkeit verbrannt, das Eigelb sämtlicher Spiegeleier ausgelaufen und der Orangensaft auf dem Tisch verschüttet.

»Du kannst ja kochen!«, sagte Alex grinsend, bevor sie sich daranmachte, das Chaos zu beseitigen. Sie musste sich eingestehen, dass sie es auch nicht besser hinbekommen hätte, im OP war sie wesentlich geschickter als in der Küche. »Ich bin wirklich beeindruckt.«

»Ich weniger. Wo zum Teufel hast du gesteckt? Ich dachte schon, die Außerirdischen hätten dich als Geisel genommen.«

»Es sind nette Kinder, Coop. Du brauchst dir deshalb wirklich keine Sorgen zu machen. Ich habe noch ein bisschen mit Jimmy und Marks Sohn Jason geplaudert. Die Kinder am Pool machen alle einen wohlerzogenen und ordentlichen Eindruck.«

Mit dem Pfannenwender in der Hand wandte er sich zu ihr um und starrte sie an, während die Spiegeleier langsam, aber sicher verbrannten.

»O mein Gott … es sind die Körperfresser … sie haben deinen Körper gestohlen … du bist eine von ihnen … wer bist du wirklich?« Er sah sie mit vor Entsetzen weit aufgerissenen Augen an, wie man es aus Science-Fiction Filmen kennt. Alex lachte.

»Immer noch ich, und es geht mir gut.«

»Du warst so lange weg, dass ich dachte, du wärst mit ihnen auf und davon. Also machte ich mir Frühstück ... *uns*«, korrigierte er sich und besah sein Werk wenig begeistert.

»Sollen wir zum frühstücken ausgehen? Ich bin nicht sicher, ob irgendetwas hiervon genießbar ist.« Er blickte sie entmutigt an.

»Ich hätte wohl doch den Pizzaservice anrufen sollen«, erwiderte sie.

»Pizza zum Frühstück?« rief Coop entsetzt. Mit entrüstetem Gesichtsausdruck baute er sich vor ihr auf. »Alex, deine Essgewohnheiten sind fürchterlich. Bringt man euch im Medizinstudium denn nichts über gesunde Ernährung bei? Pizza ist kein angemessenes Frühstück, auch nicht für eine Ärztin.«

»Entschuldige«, sagte sie betont devot, legte zwei Muffins auf den Toaster und wischte den verschütteten Orangensaft auf.

»Das ist Frauenarbeit«, kommentierte Coop ihren Einsatz in einer Mischung aus Erleichterung und Chauvinismus. »Ich denke, ich sollte dir das Feld überlassen. Mir reichen Kaffee und Orangensaft.« Nur fünf Minuten später hatte Alex Rührei mit Schinken, Muffins, Kaffee sowie Orangensaft vorbereitet und trug alles auf einem Tablett zu ihm auf die Terrasse hinaus.

Sie hatte Coops bestes Geschirr aus dem Schrank geholt, Kristallgläser für den Orangensaft und Papiertaschentücher zu Servietten gefaltet.

»Der Service ist ausgezeichnet ... du brauchst vielleicht noch ein bisschen Anleitung, was die Tischdekoration angeht ... Leinen wirkt übrigens nett zu gutem Porzellan«, zog er sie auf und legte zufrieden lächelnd die Zeitung aus der Hand.

»Du solltest dankbar sein, dass ich kein Toilettenpapier genommen habe. Das machen wir im Krankenhaus, wenn uns die Servietten ausgehen. Funktioniert wunderbar, genauso wie Pappteller und Styroporbecher. Das nächste Mal bringe ich welche mit.«

»Ich bin erleichtert, das zu hören«, erwiderte er mit würdevoller Miene. Sie lehnte es schlichtweg ab, anspruchsvoll zu sein, trotz oder gerade wegen der Art, wie sie aufgewachsen war.

Nachdem sie die wirklich köstlichen Eier gegessen hatten, stellte Coop ihr eine Frage, die ihm schon die ganze Zeit auf der Zunge lag. »Was wird deine Familie zu mir sagen, Alex? Zu der Sache mit uns, meine ich.« Es rührte Alex, dass er sich deshalb Sorgen machte. Sie hatte immer mehr den Eindruck, dass es ihm ernst war mit ihrer Beziehung, und zu ihrem eigenen Erstaunen machte es ihr keine Angst. Bisher gefiel ihr einfach alles an ihm, allerdings waren sie auch noch nicht lange zusammen – gerade einmal einen Monat.

»Was spielt das für eine Rolle? Meine Eltern bestimmen nicht über mein Leben, das tue ich ganz allein. *Ich* entscheide, mit wem ich meine Zeit verbringe.«

»Und sie haben keine Meinung dazu? Das erscheint mir unwahrscheinlich.«

Nach dem zu urteilen, was Coop über ihren Vater gelesen hatte, war Arthur Madison jemand, der zu allem eine Meinung hatte, und ganz sicher, wenn es um seine Töchter ging. Und Wohlwollen oder Herzlichkeit waren angeblich Fremdwörter für ihn. Dieser Mann war geradezu

prädestiniert, die Beziehung seiner Tochter mit Cooper Winslow abzulehnen.
»Ich verstehe mich nicht besonders gut mit meiner Familie«, antwortete Alex leise. »Ich halte sie auf gesundem Abstand. Das ist einer der Gründe, warum ich hier lebe.« Ihre Eltern hatten sie ein Leben lang kritisiert, und ihr Vater hatte nie auch nur ein einziges nettes Wort für sie übrig gehabt. Und ihre einzige Schwester war mit Carter durchgebrannt. Es gab also nicht viel, was sie an ihrer Familie schätzte, wenn überhaupt etwas. In den Adern ihrer Mutter floss Eiswasser. Sie ließ ihren Ehemann schalten und walten, wie es ihm beliebte, selbst gegenüber den Kindern. Alex hatte immer das Gefühl gehabt, in einem Haus ohne Liebe aufzuwachsen, wo jeder nur an sich selbst dachte, ohne Rücksicht auf andere. Darüber konnten auch das viele Geld und das ausgeprägte Traditionsbewusstsein nicht hinwegtäuschen. »Das sind in Wahrheit die Außerirdischen, von denen du redest. Sie sind aus einer anderen Galaxie zu uns gekommen, um alles menschliche Leben auf der Erde auszurotten. Ihr Naturell ist ihnen dabei von ungeheurem Vorteil: Sie sind herzlos, sehen mit ihrer beschränkten Intelligenz nur das Naheliegende und verfügen über unverschämt viel Geld, das sie ausschließlich zu ihrem eigenen Nutzen einsetzen. Ihr Plan, die Macht an sich zu reißen, scheint aufzugehen. Mein Vater herrscht bereits über ein riesiges Imperium, und er schert sich einen Dreck um irgendjemand anderen außer sich selbst. Ganz ehrlich, Coop, ich kann meine Familie nicht ausstehen, und sie mich genauso wenig. Ich mache bei ihren Spielchen nicht mit und kaufe ihnen ihr verlogenes Getue nicht ab. Das habe ich nie getan und

werde es auch nie tun. Was auch immer sie über uns beide denken – es ist mir völlig gleichgültig.«

»Nun, das war eindeutig.« Er war überrascht über ihre Vehemenz. Ihre Familie musste Alex tief verletzt haben, insbesondere ihr Vater. Coop hatte schon oft gehört, dass dieser Mann skrupellos und eiskalt sein sollte, trotzdem hakte er nach. »Man liest aber auch gelegentlich, dass dein Vater so ein Menschenfreund sei.«

»Er hat einen tüchtigen Pressesprecher. Mein Vater unterstützt ausschließlich Projekte, von denen er profitiert oder die seinem Prestige nutzen. Er hat Harvard eine Spende von hundert Millionen Dollar gemacht. Wen interessiert Harvard, wenn überall auf der Welt Kinder verhungern und Menschen an Krankheiten sterben, die geheilt werden könnten, wenn jemand die entsprechenden Gelder zur Verfügung stellen würde? Ehrlich, er hat auch nicht den kleinsten Funken Menschenfreundlichkeit in sich.« Alex dagegen schon. Sie spendete jedes Jahr neunzig Prozent der Rendite ihres Treuhandfonds für einen guten Zweck und hatte immer wegen und nicht trotz ihrer Herkunft eine soziale Verpflichtung gespürt, weswegen sie auch ein Jahr lang in Kenia gearbeitet hatte. Dort war ihr schließlich klar geworden, dass ihre Schwester ihr einen großen Gefallen getan hatte, als sie mit Carter durchbrannte. Alex nahm ihr zwar den Verrat furchtbar übel, aber damals in Kenia hatte sie begriffen, dass sie und Carter niemals glücklich miteinander geworden wären. Alex hatte Jahre gebraucht, um zu erkennen, dass er im Grunde genauso war wie ihr Vater, und ihre Schwester war wie ihre Mutter – sie interessierte sich nur für Geld und das Ansehen, das sie erlangte, wenn sie mit einem bedeutenden Mann verheiratet war.

Was für ein Mensch er war, spielte dabei keine Rolle. Und Carter wollte nichts anderes sein als der einflussreichste Mann auf diesem Planeten. Er dachte nur an sich, ganz wie Alex' Vater. Was für ein einsames, oberflächliches, sinnentleertes und verschwendetes Leben – Alex hatte für ihre Schwester nur noch Bedauern übrig.

»Du willst mir doch nicht allen Ernstes erzählen, dass es deinen Vater kaltlässt, wenn er aus den Klatschspalten der Boulevardzeitungen von unserer Beziehung erfährt?«, fragte Coop ungläubig.

»Natürlich nicht, ganz im Gegenteil sogar. Aber *mir* ist egal, was er darüber denkt. Ich bin eine erwachsene Frau.«

»Genau da liegt das Problem!« Coop wirkte noch besorgter. »Es wird ihm nicht gefallen, dass du mit einem Schauspieler zusammen bist, ganz zu schweigen von einem Mann in meinem Alter.« Oder von seinem Ruf, fügte er in Gedanken hinzu. Schließlich war er jahrelang ein bekannter Playboy gewesen. Alex war sicher, dass der Hollywoodstar Cooper Winslow selbst ihrem Vater ein Begriff war.

»Mag schon sein«, erwiderte sie trocken. »Immerhin ist er drei Jahre jünger als du.« Das saß – und war erst recht keine gute Nachricht. Genauso wenig wie alles andere, was sie gesagt hatte, abgesehen von dem Punkt, dass ihr die Meinung ihres Vaters egal sei. Aber dieser Mann könnte ihr oder Coop ziemliche Probleme bereiten. Mächtige Leute wie Arthur Madison fanden immer Mittel und Wege.

»Kann er dir den Geldhahn zudrehen?«, fragte Coop. Es klang ein wenig nervös.

»Nein«, erwiderte Alex gelassen und lächelte Coop auf eine Art an, als ginge ihn das nicht das Geringste an. Allerdings war es lieb von ihm, sich darüber Gedanken zu machen. Coop wollte offenbar nicht der Grund für Streitigkeiten mit ihrer Familie sein. »Der größte Teil meines Vermögens stammt von meinem Großvater und ist in einem unantastbaren Treuhandfonds angelegt. Aber selbst wenn sie mir das Geld nehmen könnten – ich würde ihm keine Träne nachweinen. Wie du weißt, bin ich Ärztin und verdiene meinen Lebensunterhalt selbst.« Alex war wirklich die unabhängigste Frau, die Coop je begegnet war. Sie brauchte nichts und niemanden – und ganz sicher nichts von ihm. Alex liebte ihn um seiner selbst willen und war weder emotional noch sonst wie abhängig von ihm. Sie war einfach gern mit ihm zusammen und würde ihn jederzeit verlassen können, wenn es sein musste. Sie war beneidenswert jung, intelligent, ungebunden, reich, schön und unabhängig. Obwohl es Coop schon gefallen hätte, wenn sie ein kleines bisschen abhängiger von ihm gewesen wäre. So konnte er ihrer nie sicher sein. »Beantwortet das all deine Fragen?«, wollte sie wissen und beugte sich zu ihm, um ihn zu küssen. Dabei fiel ihr das lange, dunkle Haar über die Schultern, und mit ihren Shorts, dem T-Shirt und den nackten Füßen wirkte sie wie einer der Teenager am Pool.
»Ja, für den Augenblick schon. Ich will einfach nicht, dass du meinetwegen Ärger mit deiner Familie bekommst«, antwortete er, und es klang liebevoll und verantwortungsbewusst. »Das wäre ein ziemlich hoher Preis für eine Romanze.«
»Den habe ich bereits bezahlt«, sagte sie nachdenklich, und er wusste, dass Carter damit gemeint war.

Der Rest des Tages verlief äußerst entspannt. Die beiden lasen Zeitung und sonnten sich auf der Terrasse. Am Nachmittag liebten sie sich. Die Teenager hielten sich jetzt zurück und waren kaum noch zu hören. Und nachdem sie alle weg waren, gingen Alex und Coop zum Pool, um vor dem Abendessen ein paar Bahnen zu schwimmen. Dort war alles wieder tipptopp in Ordnung gebracht – Mark hatte gute Arbeit als Aufpasser geleistet und dafür gesorgt, dass am Ende der Party gründlich aufgeräumt wurde.

Am Abend gingen Alex und Coop ins Kino. Als er an der Kasse die Karten holte, drehten sich eine Menge Köpfe nach ihm um, und während er Popcorn kaufte, baten ihn zwei Leute um Autogramme. Alex hatte sich mittlerweile daran gewöhnt, dass er überall erkannt wurde. Es amüsierte sie, wenn die Leute sie baten, ein Stück zur Seite zu gehen, damit sie sich mit ihm fotografieren lassen konnten.

»Sind Sie berühmt?«, wurde sie häufig unverblümt gefragt.

»Nein, bin ich nicht.«

»Könnten Sie dann bitte ein Stück zur Seite gehen?« Sie kam der Bitte nach, stellte sich hinter die Leute und zog Grimassen, um Coop zum Lachen zu bringen. Sie liebte es, ihn damit aufzuziehen.

Nach dem Kino gingen sie noch in ein Delikatessengeschäft, um ein Sandwich zu essen, und waren dann früh wieder zu Hause. Alex musste um sechs aufstehen, denn um sieben begann ihr Dienst im Krankenhaus. Das Wochenende war wunderschön gewesen, und sie war glücklich mit Coop. Als sie morgens aufstand, achtete sie darauf, ihn nicht zu wecken. Als er später ihre Nachricht neben seinem Rasierer fand, lächelte er.

»Teuerster Coop, herzlichen Dank für ein fantastisches Wochenende ... falls Sie ein signiertes Foto von mir möchten, wenden Sie sich bitte an meinen Agenten.
P.S. Ich liebe dich, Alex.«
Das Verrückte war, dass er sich fragte, ob er sie auch liebte. Damit hatte er nicht gerechnet. Er war vielmehr davon ausgegangen, dass sie für ihn eine nette Abwechslung darstellte, weil sie so anders war als die Frauen, mit denen er sich sonst traf. Jetzt stellte Coop überrascht fest, wie viel ihm an ihr lag, und er hatte nicht die geringste Ahnung, wie er sich verhalten sollte. Normalerweise hätte er es ein paar Wochen oder auch Monate genossen und wäre dann zur nächsten Frau weitergezogen. Aber jetzt begann er tatsächlich, über eine gemeinsame Zukunft nachzudenken. Abes Worte waren offenbar nicht spurlos an ihm vorübergegangen. Und wenn es denn schon eine reiche Frau sein musste, dann war Alex perfekt. Mit ihr verheiratet zu sein wäre keine Verlegenheitslösung. Andererseits gab es Augenblicke, da wünschte er, sie wäre nicht eine der reichsten Frauen des Landes. Wie sollte er denn jemals sicher sein, was er wirklich für sie empfand?
»Warum entspannst du dich nicht einfach und genießt es?«, fragte er sein Spiegelbild und griff nach dem Rasierer.
Das Unbequeme an Alex war, dass sie ihn dazu brachte, sein Gewissen zu spüren. Liebte er sie, oder war sie für ihn nur das reiche Mädchen, dessen Geld seine Probleme lösen konnte? Falls ihr Vater es überhaupt zu dieser Heirat kommen ließ. Coop kaufte es Alex nicht ab, dass ihr die Meinung ihres Vaters völlig gleichgültig sei. Letzten Endes war sie eine geborene Madison und trug somit eine gewisse Verantwortung, wen sie heiratete und zum Vater

ihrer Kinder machte – und was sie mit ihrem Geld anstellte.
Das mit den Kindern war auch so eine Sache – allein der Gedanke war ihm unvorstellbar. Kinder waren für ihn nichts anderes als Nervensägen, und er verspürte nicht den geringsten Wunsch, sich welche zuzulegen. Niemals. Aber Alex war viel zu jung, um sich endgültig von diesem Gedanken zu verabschieden. Sie hatten bisher nicht offen darüber gesprochen, aber ihm war auch so klar, dass sie irgendwann welche haben wollte. Alles war so kompliziert und verworren, zumindest für ihn – und für sie vielleicht auch. Vor allem aber hatte er Angst, sie zu verletzen. Über so etwas hatte er sich früher nie Gedanken gemacht, aber Alex brachte offenbar das Beste in ihm zum Vorschein, und er war sich nicht sicher, ob ihm das gefiel. Verantwortungsbewusst und anständig zu sein war eine ganz schöne Bürde.
Während er sich rasierte, klingelte das Telefon. Coop wusste, dass Paloma irgendwo im Haus unterwegs war ,und vermutete, dass sie an den Apparat gehen würde – aber das tat sie nicht. Es klingelte immer weiter. Vielleicht war es ja Alex. Sie musste die nächsten Tage mehr oder weniger durcharbeiten, als Ausgleich für das freie Wochenende. Mit Rasierschaum im Gesicht lief Coop schließlich zum Telefon und hob ab. Es war Charlene, und in dem Moment, als er ihre Stimme erkannte, bereute er bereits, den Anruf entgegengenommen zu haben.
»Ich habe letzte Woche bei dir angerufen, und du hast nicht zurückgerufen«, warf sie ihm statt einer Begrüßung wütend vor.
»Ich habe keine Nachricht bekommen«, erwiderte er, was

nicht einmal eine Lüge war. »Hast du auf den Anrufbeantworter gesprochen?«, fragte er nach und rieb die Schaumreste mit einem Handtuch ab.

»Ich habe mit Paloma gesprochen«, sagte sie. Allein der Klang von Charlenes Stimme verdarb Coop die Laune. Sein Techtelmechtel mit ihr schien Lichtjahre von dem entfernt zu sein, was er gerade mit Alex erlebte. Zwischen diesen beiden Frauen und seinen jeweiligen Gefühlen für sie lagen Welten.

»Das erklärt alles«, entgegnete Coop freundlich. Er wollte Charlene so schnell wie möglich wieder loswerden, und auf keinen Fall wollte er sie jemals wiedersehen. Er war unglaublich froh, dass die Boulevardzeitungen nie Wind von ihrer Affäre bekommen hatten. Allerdings waren sie auch so gut wie nie ausgegangen, sondern hatten fast die ganze Zeit in seinem Schlafzimmer verbracht. »Sie richtet mir nie etwas aus, es sei denn, ihr ist gerade danach, was äußerst selten vorkommt.«

»Ich muss dich sehen.«

»Das halte ich für keine gute Idee«, antwortete er frei heraus. »Außerdem verreise ich noch heute.« Das war eine glatte Lüge, die aber normalerweise in solchen Fällen gut funktionierte. »Ich glaube nicht, dass wir uns noch etwas zu sagen hätten, Charlene. Wir hatten beide unseren Spaß, und das war alles.«

»Ich bin schwanger.« Charlene glaubte ihm, dass er verreisen wollte, und rückte vorsichtshalber mit der Sprache heraus, solange sie noch Gelegenheit dazu hatte. Es folgte ein langes Schweigen. Coop fand sich nicht zum ersten Mal in dieser Situation, und bisher waren diese Angelegenheiten leicht zu regeln gewesen. Ein paar Tränen, ein

paar tröstende Worte und Geld für die Abtreibung, so würde es wohl auch in diesem Fall laufen.
»Tut mir leid, das zu hören. Ich möchte dir nicht zu nahe treten, aber bist du sicher, dass es von mir ist?« Die Frauen hatten ihm diese Frage jedes Mal übel genommen, aber einige waren sich wirklich nicht sicher gewesen. Und bei Charlene schien ihm diese Frage durchaus angebracht zu sein. Er wusste, dass sie vor ihrer Beziehung ein äußerst aktives Sexualleben geführt hatte, vielleicht sogar währenddessen und ganz sicher danach. Sex war das Wichtigste in ihrem Leben und ihre einzige Art, mit Männern zu kommunizieren.
»Natürlich bin ich sicher. Würde ich dich sonst anrufen?«, fauchte sie gekränkt.
»Gute Frage. Aber wenn dem so ist, bedaure ich zutiefst. Hast du einen guten Arzt?« Ihre Nachricht ließ ihn noch mehr auf Distanz gehen. Er fühlte sich bedroht, und seine Stimme hatte etwas Wachsames.
»Nein, und ich habe auch kein Geld.«
»Ich sorge dafür, dass du einen Scheck bekommst, der alle Kosten abdeckt.« Heutzutage war eine Abtreibung keine große Sache mehr. Früher hatte es bedeutet, dass die Frauen nach Mexiko fahren oder nach Europa fliegen mussten, doch mittlerweile war es eine reine Routineangelegenheit – jedenfalls aus Coops Sicht. Und es war weder gefährlich noch teuer. »Ich schicke dir eine Liste mit Adressen verschiedener Ärzte.« Das Ganze war eine kleine Welle im Ozean seines Lebens und ganz bestimmt keine Springflut. Es gab Schlimmeres – zum Beispiel einen öffentlichen Skandal, den er um Alex' willen im Moment um jeden Preis verhindern wollte.

»Ich werde das Kind bekommen«, erwiderte Charlene verbissen, und in diesem Moment begriff Coop, dass sie ihm wirklich gefährlich werden konnte. Es war nicht nur das, was sie sagte, sondern vor allem ihr Tonfall. Coop tat sich schwer, Mitgefühl für Charlene aufzubringen, wichtig war ihm allein, dass Alex auf keinen Fall unter diesem Albtraum zu leiden haben würde.

»Ich halte das für keine gute Idee, Charlene«, erklärte er und versuchte, durch seinen sachlichen Tonfall die Distanz zwischen ihnen zu wahren. So kurz wie ihre Beziehung gewesen war, hätte er es eigentlich angemessen gefunden, wenn sie sich selbst um die Sache gekümmert und ihn gar nicht behelligt hätte. Stattdessen wollte sie ihn offenbar in die Situation hineinziehen und ein großes Drama daraus machen. Charlene legte ein Anspruchsdenken an den Tag, das ihn erschreckte, und hegte offenbar Pläne, mit denen er nichts zu tun haben wollte. »Dafür kennen wir uns einfach nicht gut genug. Und du bist zu jung und zu attraktiv, um dich mit einem Kind zu belasten.« Diese Taktik funktionierte normalerweise ganz gut, aber Charlene blieb unbeirrbar.

»Ich hatte bereits sechs Abtreibungen. Noch eine ist zu viel. Abgesehen davon möchte ich unser Kind.« *Unser Kind,* jetzt hatte sie es ausgesprochen. Coop begriff, dass sie ihm die Verantwortung zuschieben wollte, und plötzlich fragte er sich, ob sie überhaupt wirklich schwanger war. Womöglich war das Ganze ja nur eine Masche, um an sein Geld zu kommen. »Ich möchte dich sehen.«

»Auch keine gute Idee.« Eine Begegnung mit dieser Hysterikerin hätte ihm gerade noch gefehlt. Sie war mit Sicherheit darauf aus, ihn zurückgewinnen, und wollte, dass er sich ihr gegenüber verpflichtet fühlte. Doch genau das tat er nicht und hatte obendrein ganz sicher nicht vor, seine Beziehung mit Alex zu gefährden. Die Beziehung mit Charlene hatte ganze drei Wochen gedauert – die mit Alex würde vielleicht ein Leben lang halten. »Ich kann dir nicht vorschreiben, was du tun sollst, aber mein Gefühl sagt mir, dass eine Abtreibung das Beste wäre.« Er war nicht so dumm, sie zu bitten. Schließlich war er nicht einmal davon überzeugt, dass sie wirklich ein Kind von ihm erwartete.

»Eine Abtreibung kommt nicht in Frage«, wiederholte sie mit weinerlicher Stimme und brach in Tränen aus. Sie sagte ihm, wie sehr sie ihn liebe, dass sie geglaubt hätte, sie würden für immer zusammenbleiben, und dass er sie genauso liebe. Und dann fragte sie ihn, wie sie seiner Meinung nach mit einem vaterlosen Kind leben solle.

»Du hast es erfasst, so etwas hat kein Kind verdient«, erwiderte er kühl. Er war fest entschlossen, sich nicht anmerken zu lassen, wie beunruhigt er war. »Ich werde dich nicht heiraten. Mehr noch: Ich will weder dich noch das Baby jemals sehen. Ich will nicht Vater sein. Und ich habe dir nie Anlass gegeben zu glauben, dass ich dich liebe, Charlene. Wir sind zwei erwachsene Menschen, die ein paar Wochen lang Sex miteinander hatten, mehr nicht. Lass uns hier nichts durcheinanderbringen.«

»Nun, so entstehen Kinder«, sagte sie. Coop kam sich allmählich vor wie in einem schlechten Film. Dass Charlene ihm jetzt solche Unannehmlichkeiten bereitete, verstärkte seine Abneigung ihr gegenüber nur noch mehr.

»Es ist auch dein Kind, Coop«, säuselte sie mit gurrender Stimme.

»Ist es nicht. Zum jetzigen Zeitpunkt ist es niemandes Kind. Es ist ein Nichts, eine Zelle von der Größe eines Stecknadelkopfes – ohne jede Bedeutung. Du würdest es nicht einmal vermissen.« Ihm war klar, dass dies nicht ganz der Wahrheit entsprach, da ihre Hormone jetzt schon für mütterliche Gefühle sorgten.
»Ich bin katholisch.« Er verdrehte die Augen.
»Das bin ich auch, Charlene. Und wenn das für einen von uns irgendeine Bedeutung hätte, hätten wir niemals miteinander geschlafen, ohne verheiratet zu sein. Du hast doch jetzt gar keine Wahl. Entweder bist du vernünftig oder sehr, sehr dumm. Und wenn du dich für Letzteres entscheidest, will ich nichts damit zu tun haben. Wenn du dieses Baby bekommst, dann ohne meine Unterstützung.« Er wollte, dass ihr das von Anfang an klar war, und er hatte nicht vor, jemals von seiner Einstellung abzuweichen. Es war besser für sie, das zu wissen und sich nicht irgendwelchen Illusionen hinzugeben.
»Du *musst* mich unterstützen«, erwiderte sie ungerührt. »Das ist gesetzlich vorgeschrieben.« Sie war gerissener, als er gedacht hatte. »Und während der Schwangerschaft kann ich nicht arbeiten. Wie soll ich denn mit dickem Bauch modeln oder schauspielern? Also musst du mir helfen. Wir sollten uns zusammensetzen und in aller Ruhe darüber reden.« Sie klang plötzlich richtig aufgedreht. Wahrscheinlich glaubte sie, ihn doch noch einwickeln zu können, und träumte davon, dass er sie heiraten würde.
»Ich werde mich nicht mit dir treffen«, antwortete er mit unmissverständlicher Härte.
»Das solltest du aber, Coop.« Jetzt schwang in ihrer Stimme eine deutliche Drohung mit. »Was werden die Leute

davon halten, wenn sie erfahren, dass du dich nicht um mich und unser Kind kümmern willst?« Es klang, als würde er sie nach zehn Jahren Ehe mit sieben Kindern sitzen lassen.

»Und was werden die Leute sagen, wenn sie erfahren, dass du mich erpresst?«, fragte er in scharfem Tonfall, den er allmählich nicht mehr zurückhalten konnte.

»Das ist keineswegs eine Erpressung – man nennt es ›Vaterschaft‹«, erwiderte sie. »Es geht um das, was Menschen normalerweise tun, Coop. Sie heiraten und bekommen Kinder. Und manchmal heiraten sie eben, wenn die Kinder schon unterwegs sind.« Sie sagte es auf eine Art, als bliebe ihm gar keine andere Wahl. In diesem Moment hätte er ihr am liebsten eine Ohrfeige gegeben. Noch nie hatte ihm jemand so etwas angetan, schon gar nicht derart kaltblütig und unverhohlen. Bisher waren seine Freundinnen immer vernünftig mit einer derartigen Situation umgegangen. Charlene war offenbar nicht dazu bereit, wahrscheinlich kam sie sich vor, als habe sie eine Goldader entdeckt.

»Ich werde dich nicht heiraten, Charlene, ob du dieses Kind bekommst oder nicht. Lass uns das von vornherein klarstellen. Es interessiert mich nicht im Geringsten, was du tust. Ich bin bereit, dir Geld für eine Abtreibung zu geben, das ist aber auch alles. Und wenn du auf Unterhaltszahlungen spekulierst, wirst du mich schon verklagen müssen.« Allerdings zweifelte er in diesem Moment nicht daran, dass sie das tun würde, und zwar so publikumswirksam wie möglich.

»Es widerstrebt mir, das tun zu müssen, Coop«, erklärte sie bedauernd. »Das bedeutet eine ziemlich schlechte

Publicity und könnte unseren Karrieren ernsthaft schaden.« Er wollte sie nicht noch mehr reizen, indem er sie darauf aufmerksam machte, dass sie bisher auch nicht den Hauch einer Karriere aufzuweisen hatte. Und bei ihm beschränkte es sich momentan auf Gastauftritte und gelegentliche Werbeclips. Trotzdem wollte er nicht in einen Skandal mit ihr verwickelt werden. Er mochte ja einen Ruf als Playboy haben und als frivol gelten, aber negative Publicity hatte er immer zu vermeiden gewusst. Wenn Charlene ihre Drohung wahr machte, wäre es damit vorbei. Und sie hatte sich den unpassendsten Zeitpunkt dafür ausgesucht. Für Arthur Madison wäre es ein gefundenes Fressen. »Können wir uns nicht wenigstens zum Mittagessen treffen, bevor du abreist?« Ihr Betteln wirkte geradezu abstoßend auf Coop. Sie verwandelte sich innerhalb von Sekunden von einem Hai in einen harmlosen kleinen Fisch und wieder zurück. Einen kurzen Moment lang tat sie ihm fast leid, aber dann dachte er wieder daran, was sie ihm anzutun bereit war.

»Nein. Ich werde dir noch heute Morgen einen Scheck schicken. Was du mit dem Geld machst, ist deine Sache. Aber sei versichert, dass ich mich nicht mit dieser Geschichte anfreunden oder meine Meinung ändern werde. Auch wenn du unbedingt mein Kind bekommen willst – *ich* werde bei diesem Irrsinn nicht mitspielen.«

»Siehst du?!«, rief sie zufrieden. »Jetzt sprichst du selbst schon von deinem Kind. Es ist *unser* Kind, Coop. Und es wird ein so wunderschönes Baby sein.« Jetzt wurde sie auch noch pathetisch. Coop drehte sich förmlich der Magen um.

»Du bist krank. Leb wohl, Charlene.«

»Bye, Daddy«, hauchte sie und legte auf, während er einfach nur dasaß und entsetzt das Telefon anstarrte. Was für ein Albtraum!

Er fragte sich, was Charlene jetzt tun würde. Ob sie wohl begriffen hatte, dass er bei ihrem Spielchen nicht mitmachte, und sich für die Abtreibung entschied? Oder würde sie dieses Kind tatsächlich bekommen? Das gäbe einen hässlichen Skandal. Normalerweise hätte er Alex gar nichts davon erzählt, aber Charlene war unberechenbar, und für ihn stand viel auf dem Spiel. Deshalb beschloss er, dass es besser war, Alex gegenüber offen zu sein. Zwei Dinge musste er jetzt tun, auch wenn sie ihm noch so zuwider waren.

Als Erstes musste er einen Scheck für Charlene ausstellen, und dann musste er Alex anrufen. Coop ging nackt durchs Schlafzimmer und schnappte sich sein Scheckheft. Nachdem er einen Scheck mit einer seiner Meinung nach ausreichenden Summe vorbereitet hatte, rief er im Krankenhaus an. Er hinterließ Alex eine Nachricht, dass sie sich melden sollte, wenn sie einen Moment Zeit hätte. Coop war nicht gerade erpicht auf dieses Gespräch, aber unter den gegebenen Umständen war es das Klügste, was er tun konnte. Er hoffte inständig, dass Alex ihm nicht auf der Stelle den Laufpass geben würde.

## 13. Kapitel

Alex rief eine halbe Stunde später zurück. Sie hatte gerade am Krankenbericht eines Patienten gesessen, als ein Neuzugang eingeliefert wurde: ein Baby mit einem Herzklappenfehler. Wahrscheinlich war es operabel, aber das Kind musste streng überwacht werden.
»Hi, was gibt's?«, begrüßte sie Coop, und er merkte sofort, dass sie mit den Gedanken ganz woanders war.
»Viel los heute Morgen?« Sie sollte nicht merken, wie nervös er war. Plötzlich wurde ihm klar, wie viel sie ihm bedeutete. Er wollte ihr weder wehtun noch sie verlieren.
»Geht so, ist zwar einiges los, aber wir haben alles im Griff.« Sie freute sich immer, von ihm zu hören, selbst wenn sie nur eine Minute für ihn erübrigen konnte.
»Hättest du Zeit, mittags eine Kleinigkeit mit mir zu essen?« Er bemühte sich, zwanglos zu klingen.
»Tut mir leid, Coop. Ich bin heute der dienstälteste Assistenzarzt hier und kann nicht weg.« Sie hatte bis zum nächsten Morgen Dienst. »Ich darf das Gebäude nicht verlassen.«
»Musst du auch nicht. Ich könnte auf einen Kaffee vorbeikommen.«
»Sicher, das würde gehen, falls es dir nichts ausmacht, dass wir uns hier treffen. Stimmt etwas nicht?« Seine Stimme klang zwar wie immer, aber er hatte noch nie angeboten, zu ihr in die Klinik zu kommen.

»Nein, ich möchte dich einfach nur sehen.« Die Art, wie er das sagte, machte Alex ein bisschen nervös. Sobald sie aufgelegt hatte, wurde sie jedoch durch den nächsten Notfall abgelenkt. Sie war immer noch damit beschäftigt, in ihrem Büro das Aufnahmeprotokoll auszufüllen, als ihr die Krankenschwester vom Stationsempfang meldete, dass jemand zu ihr wolle.
»Ist es der, von dem ich denke, dass er es ist?«, fragte die Schwester ganz aufgeregt, und Alex musste lachen.
»Vermutlich schon.«
»Verdammt, sieht der gut aus!«, entfuhr es der Frau bewundernd und gerade noch leise genug, dass Coop es nicht hörte. Lächelnd legte Alex die Unterlagen aus der Hand.
»Ja, das tut er. Sagen Sie ihm bitte, dass ich in einer Minute da bin.« Es war ein günstiger Zeitpunkt für eine Pause, und sie machte sich gleich auf den Weg zum Empfangstresen. Sie trug ihren Arztkittel, weiße Socken und Clogs und hatte ihr Stethoskop um den Hals gehängt. Aus der Kitteltasche hing ein Paar Einmalhandschuhe heraus. Ihr Haar hatte sie hinten zu einem Zopf geflochten, und wie immer, wenn sie im Dienst war, hatte sie kein Make-up aufgelegt. Als sie jetzt auf Coop zugeeilt kam, wirkte sie auf ihn wie ein als Ärztin verkleideter Teenager und doch gleichzeitig sehr erwachsen.
»Hallo, Coop«, begrüßte sie ihn fröhlich lächelnd, während die Leute um den Empfang herumschlichen und versuchten, ihn möglichst unauffällig anzustarren. In dem Tweedjackett, dem beigefarbenen Rollkragenpullover, den perfekt gebügelten khakifarbenen Freizeithosen und braunen Wildlederslippern sah er wie immer umwerfend

aus, wohingegen Alex sich fühlte, als hätte man sie an den Füßen durch den Busch geschleift.

Sie sagte der Schwester am Empfang, dass sie in die Cafeteria ginge, um etwas zu essen, und dass man sie im Notfall über ihren Pieper erreichen könne. »Mit ein bisschen Glück sind wir ein paar Minuten ungestört«, fügte sie an Coop gewandt augenzwinkernd hinzu, stellte sich auf die Zehenspitzen und küsste ihn auf die Wange. Als sie in den Aufzug traten, legte Coop den Arm um sie. Alex lächelte, während alle sie anstarrten, bis sich die Tür hinter ihnen schloss. »Du hast soeben mein Image hier um tausend Prozent aufgewertet. Und du siehst toll aus.« Er zog sie liebevoll an sich.

»Du auch. Aber du wirkst so unnahbar mit diesem ganzen Zeug.« Es beeindruckte ihn, sie in dieser Umgebung zu erleben und zu sehen, mit welcher Selbstverständlichkeit sie einer der Krankenschwestern noch ein paar Instruktionen gab, bevor sie mit ihm in die Cafeteria ging. Sie strahlte einer große Souveränität aus, was ihn nur noch nervöser machte, als er daran dachte, was er ihr im nächsten Moment erzählen würde. Er konnte absolut nicht einschätzen, wie sie reagieren würde. Trotzdem – er musste es ihr sagen, bevor es ein anderer tat. Und so wie Charlene veranlagt war, konnte die ganze Geschichte recht prekär werden.

Sie suchten sich Sandwiches aus, legten sie auf ein Tablett, und Alex goss jedem von ihnen eine Tasse Kaffee ein. »Dieses Zeug müsste eigentlich verboten werden«, warnte sie Coop und deutete auf den Kaffee. »Man munkelt, dass Rattengift drin sei, und ich glaube das auch. Falls du dich gleich nicht gut fühlst, bringe ich dich rüber in die Notaufnahme.«

»Zum Glück bist du Ärztin«, sagte er. Nachdem er für sie beide bezahlt hatte, folgte er Alex zu einem kleinen Tisch in der Ecke. Coop war erleichtert, dass niemand in ihrer Nähe saß und ihn bisher auch keiner erkannt hatte. Er brauchte einfach ein paar ruhige Minuten mit Alex. Sie hatte bereits in ihr Sandwich gebissen, bevor er seines auch nur ausgepackt hatte. Coop musste sich erst einmal sammeln. Alex sah, dass seine Hände zitterten, als er Zucker in den Kaffee gab.

»Was ist los, Coop?«, fragte sie ganz ruhig und strahlte dabei Verständnis und Mitgefühl aus.

»Nichts ... nein ... das stimmt nicht ... heute Morgen hat sich etwas ereignet.« Sie blickte ihn forschend an und wartete geduldig, bis er fortfuhr. Ihr entging nicht, wie beunruhigt er war. Coop hatte weder das Sandwich noch den Kaffee angerührt.

»Etwas Schlimmes?«

»Etwas Unerfreuliches. Und ich muss mit dir darüber reden.« Alex hatte nicht die leiseste Ahnung, um was es gehen konnte, und auch sein Blick verriet nichts. Schließlich holte Coop tief Luft und sprang mitten hinein in das, was sich als gefährlicher Strudel entpuppen konnte. »Ich habe in meinem Leben ein paar Dummheiten gemacht, nicht viele, aber einige schon. Die meiste Zeit habe ich es mir ziemlich gut gehen lassen, ohne dabei jemandem wehzutun. Normalerweise bewege ich mich auf einem Spielfeld, auf dem alle Akteure die Spielregeln kennen.« Seine Worte machten Alex Angst. Es klang wie eine Einleitung, um ihr zu sagen, dass ihre Beziehung vorbei sei. Die Situation kam ihr bekannt vor, auch wenn es sehr lange her war. Seit damals hatte sie streng darauf geachtet, nie wieder jemanden gefühlsmäßig an sich heranzulassen. Doch zu Coop hatte sie sich vom ersten Moment an hingezogen gefühlt. Sie lehnte sich zurück und sah ihn schweigend an, in dem festen Vorhaben, zumindest Haltung und Würde zu wahren. Coop entging nicht, dass sie innerlich zurückwich. Trotzdem musste er weitersprechen. »Ich habe nie jemanden ausgenutzt. Und ich mache den Frauen nie etwas vor. Fast alle, mit denen ich Beziehungen hatte, wussten genau, was sie taten. Ich habe auch Fehler gemacht, aber im Großen und Ganzen habe ich ein reines Gewissen. Und wenn es vorbei war, dann mit einem beiderseitigen ›Es war nett und mach's gut‹. Ich habe mir nie jemanden zum Feind gemacht. Die meisten Frauen, mit denen ich zusammen war, können mich ganz gut leiden und ich sie auch. Und ›Fehler‹ waren immer nur kurzlebig und wurden rasch ausgebügelt.«

»Und das mit uns ist so ein Fehler?«, fragte Alex und kämpfte gegen die aufsteigenden Tränen an. Jetzt war wohl der Moment gekommen, diesen Fehler zu korrigieren. Aber Coop sah sie entsetzt an.

»Das mit uns? Natürlich nicht! Du dachtest, ich rede über uns? Mein Liebling ... ich rede doch nicht von unserer Beziehung. Nein, es geht um etwas Dummes, das ich getan habe, bevor wir uns kannten.« Sie wirkte unglaublich erleichtert, während er ihre Hände nahm und fortfuhr. Er wollte die Sache jetzt schnell auf den Punkt bringen, bevor sie womöglich unterbrochen wurden, das wäre schrecklich gewesen. Er *musste* es ihr sagen. »Kurz bevor wir uns kennenlernten, habe ich mich ein paar Mal mit einer jungen Frau getroffen. Das hätte ich nicht tun sollen. Sie ist ein bisschen einfältig, möchte Schauspielerin werden, hatte aber bisher nur Rollen in Pornovideos und irgendwelchen Verkaufsshows. Aber sie ist alles andere als ein Unschuldslamm und weiß genau, wie der Hase läuft. Ich habe ihr nie etwas vorgemacht und behauptet, sie würde mir etwas bedeuten. Es war für uns beide nicht mehr als ein sexuelles Intermezzo. Und es war schnell wieder vorbei. Selbst ich halte es nicht lange mit einer Frau aus, mit der ich nicht reden kann. Das Ganze schien eine völlig harmlose Geschichte zu sein.«

»Und?« Alex hielt die Spannung kaum noch aus. Sie hatte verstanden, dass er dieses Mädchen nicht liebte, aber was war es dann?

»Heute Morgen rief sie an und sagte mir, dass sie schwanger ist.«

»Mist!«, lautete Alex' spontaner Kommentar. »Aber wenigstens ist es nichts Unabänderliches. Es gibt ja schließlich Möglichkeiten ...« Sie war tatsächlich erleichtert und lächelte ihn beruhigend an. Coop fühlte sich, als sei ihm eine Riesenlast von den Schultern genommen. Alex war weder aufgestanden und schnurstracks aus dem Raum marschiert, noch hatte sie ihn zum Teufel geschickt – aber sie kannte auch noch nicht die ganze Geschichte.

»Genau das ist das Problem: Sie will das Kind unbedingt bekommen.«

»Autsch, das ist wirklich eine üble Geschichte. Aber ich kann mir schon denken, warum sie scharf darauf ist. Ein Promi-Baby. Erpresst sie dich?« Alex war realistisch, intelligent und scharfsinnig. Das machte es einfacher, mit ihr darüber zu reden, als er gedacht hatte.

»Mehr oder weniger. Sie will Geld. In ihrem Beruf könne sie nicht arbeiten, solange sie schwanger ist. Vermutlich drehen sie mit Schwangeren keine Pornos«, fügte er bissig hinzu. Alex drückte seine Hände, um ihn zu trösten. »Sie will, dass ich sie und das Kind unterstütze. Ich habe ihr erklärt, dass ich kein Kind will, weder von ihr noch von sonst jemandem ... mit Ausnahme von dir vielleicht«, fügte er mit einem reumütigen Lächeln hinzu. Er kam sich vor wie ein Idiot, all dies vor Alex ausbreiten zu müssen, aber er hatte sich vorgenommen, ihr die ganze Geschichte zu gestehen. »Ich habe ihr nichts von dir gesagt, sonst würde sie wahrscheinlich ausrasten. Sie stand ohnehin kurz davor. Diese Frau ist völlig unberechenbar – in der einen Minute weint sie, in der nächsten droht sie mir, und dann wieder redet sie mit honigsüßer Stimme von ›unserem Kind‹. Das Ganze ist widerlich und irgendwie auch beängstigend. Ich habe nicht den blassesten Schimmer, was sie jetzt vorhat. Sie ist wie eine entsicherte Waffe, randvoll mit Munition – wenn du mir diesen geschmacklosen Vergleich verzeihst. Ich habe ihr einen Scheck geschickt, der die Kosten für eine Abtreibung abdecken müsste. Das ist alles, wozu ich momentan bereit bin, und das habe ich ihr auch gesagt. Diese ganze Affäre hat gerade einmal drei Wochen gedauert, und selbst das war zu viel. In meinem Alter sollte man eigentlich klüger sein. Ich hätte mich nie mit dieser Frau einlassen dürfen. Aber ich habe mich gelangweilt, und sie war ganz amüsant – ganz im Gegensatz zu dem, was sie jetzt gerade veranstaltet«, sagte er mit reuevollem Blick. »Es tut mir so leid, Alex, dass ich unsere Beziehung jetzt mit diesem Schlamassel belaste. Aber ich fand, du solltest es erfahren, insbesondere falls diese Frau sich an die Boulevardblätter wendet. Die würden sich natürlich sofort darauf stürzen.«

»Gut möglich«, antwortete Alex mitfühlend. »Bist du sicher, dass sie wirklich schwanger ist? Vielleicht versucht sie einfach nur, dir Geld abzuluchsen? Sonderlich sympathisch scheint sie nicht gerade zu sein.«
»Ganz bestimmt nicht. Keine Ahnung, ob sie tatsächlich schwanger ist, und wenn ja, ob es von mir ist. Ich habe mich geschützt, aber um auch noch die letzten hässlichen Details offenzulegen: Einmal gab es eine Panne. Wobei sie aus ihrer Perspektive dabei wohl eher von einem Glücksfall sprechen dürfte.« Wenigstens wusste er, dass man ihn nicht absichtlich hereingelegt hatte, es war einfach Pech gewesen.
»Man kann mit einer DNA-Analyse feststellen, ob du der Vater bist. Wenn sie einer Fruchtwasseruntersuchung zustimmt, geht das schon während der Schwangerschaft. Aber so weit sind wir noch nicht. Wie weit ist sie?«
»Sie sagt, sie sei im zweiten Monat.«
Alex ging durch den Kopf, dass sie jetzt seit sechs Wochen mit Coop zusammen war und dass er demnach unmittelbar davor die Affäre mit dieser Frau gehabt haben musste. Doch dann ermahnte sie sich, dass sie seine Vergangenheit nichts anginge.
»Was wirst du jetzt tun, Coop?« Alex hielt immer noch seine Hände.
Es rührte sie, dass er so ehrlich zu ihr gewesen war. Geschichten wie diese passierten eben, insbesondere prominenten Männern, die ein leichtes Ziel für Erpressung darstellten.
»Keine Ahnung. Im Moment kann ich nur abwarten. Ich wollte dich einfach vorwarnen, falls sie damit an die Öffentlichkeit geht.«

»Würdest du sie heiraten, wenn sie das Kind bekommt?«
Alex wirkte besorgt.
»Bist du verrückt? Ich kenne sie ja kaum. Ich liebe sie nicht, und ich bin auch nicht dumm oder edelmütig genug, sie nur wegen der Umstände zu heiraten. Schlimmstenfalls werde ich Unterhalt zahlen müssen, bestenfalls verläuft die ganze Sache im Sand. Ich habe ihr gesagt, dass ich dieses Kind niemals sehen möchte, und das war mein Ernst.«
Doch Alex wusste ganz genau, dass Coop die Situation noch einmal würde überdenken müssen, wenn diese Frau das Kind wirklich bekam. Aber für den Moment zählte nur, dass er sie nicht liebte und auch nicht heiraten würde. Im Grunde hatte es keinerlei Auswirkung auf ihre Beziehung, und vor irgendwelchen Skandalberichten in den Boulevardblättern fürchtete sich Alex nicht. Entscheidend war, was Coop für sie empfand.
»Ich sage es nicht gern, und du siehst es wahrscheinlich anders«, begann sie, und Coop hielt ängstlich die Luft an, »aber ich finde es halb so wild. Solche Dinge passieren Männern in deiner Situation wahrscheinlich gar nicht so selten. Es ist unangenehm, aber kein Weltuntergang. Ich bin froh, dass du es mir gesagt hast.« Sie strahlte ihn an. »Und ich dachte schon, du wolltest mir den Laufpass geben.«
»Du bist einfach wunderbar, Alex.« Er lehnte sich aufatmend zurück und sah sie dankbar an. »Ich liebe dich und hatte solche Angst, du würdest *mich* zum Teufel jagen.«
»Ziemlich unwahrscheinlich. Schließlich besteht eine gewisse Chance, dass du ›der Richtige‹ bist.« Er wollte ihr gerade sagen, dass sie für ihn die Richtige war, als sich ihr

Pieper meldete. Alex trank schnell noch einen Schluck Kaffee und stand auf. »Ich muss weg ... mach dir keine Sorgen ... ich liebe dich ... ich rufe dich nachher an ...« Sie war schon auf halbem Weg durch die Cafeteria, bevor er überhaupt begriff, was sie soeben gesagt hatte. Er stand auf und rief so laut, dass jeder im Raum ihn anstarrte: »Ich liebe dich!« Alex drehte sich noch einmal um und winkte ihm zu. Ein Mann mit einem Haarnetz, der gerade die Tische feucht abwischte, grinste Coop an.
Coop lächelte zurück und marschierte beschwingt aus der Cafeteria. Alex war eine bemerkenswerte Frau, und trotz dieser Geschichte war sie immer noch mit ihm zusammen.

## 14. Kapitel

Jimmy saß in seiner Küche und brütete über einem Stapel Unterlagen, die er aus dem Büro mit nach Hause gebracht hatte. Er war unentschlossen, ob er sich etwas zum Abendessen machen sollte. Wenn er nicht mit Kollegen nach Feierabend essen ging oder Mark mit Steaks und Bier vorbeikam, aß er so gut wie nie zu Abend. Es war so unwichtig geworden. Jimmy schleppte sich durch die Tage, und die Nächte erschienen ihm schier endlos. Stundenlang lag er im Bett wach und weinte. Vor drei oder vier Uhr morgens schlief er nie ein – wenn es ihm überhaupt gelang.
Drei Monate waren mittlerweile seit Maggies Tod vergangen, und er begann sich zu fragen, ob er sich je davon erholen würde.
Es hatte ihm gut getan, ins Pförtnerhaus zu ziehen, aber inzwischen war ihm klar geworden, dass er Maggie mitgenommen hatte. Immerzu war sie bei ihm, in seinen Gedanken, seinem Herzen, jeder Faser seines Körpers. Sie war zu einem Teil von ihm geworden. Bei allem, was er dachte, glaubte und tat, war sie präsent. Ständig sah er die Dinge mit ihren Augen; sie hatte ihm so viel beigebracht. Sie fehlte ihm so sehr, dass er es kaum aushielt. Manchmal konnte er sich für ein paar Stunden ablenken, aber der Schmerz lauerte immer und überall.
Er hatte gerade beschlossen, sich die Mühe mit dem

Kochen zu sparen, da klopfte es an der Haustür. Müde und zerzaust wie er war, ging Jimmy öffnen. Als er sah, dass es Mark war, lächelte er. In letzter Zeit bekam er ihn seltener zu Gesicht, weil Mark mit seinen Kindern beschäftigt war. Er musste Abendessen für sie kochen und ihnen bei den Hausaufgaben helfen. Aber er rief regelmäßig an und fragte Jimmy, ob er nicht zum Essen herüberkommen wolle. Jimmy mochte Jessica und Jason; es war immer lustig, wenn er mit ihnen zusammen war. Aber auch das ließ ihn letztendlich nur seine Einsamkeit umso deutlicher spüren. Es erinnerte ihn daran, dass Maggie und er hätten Kinder bekommen sollen.

»Ich komme gerade vom Einkaufen«, begrüßte Mark ihn, »und wollte dich fragen, ob du Lust hast, zum Essen zu kommen.« Manchmal war es besser, bei Jimmy vorbeizuschauen, um ihn einzuladen. Es war wichtig, ihn ab und zu aus seiner Höhle zu zerren, Jimmy sonderte sich sonst zu sehr ab. Maggies Tod schien ihm in letzter Zeit sogar noch mehr zu schaffen zu machen.

»Danke ... ist nett von dir ... aber ich habe mir jede Menge Arbeit mitgebracht. Ich mache so viele Hausbesuche, dass der ganze Bürokram immer liegen bleibt.« Mark entging nicht, wie blass und müde Jimmy aussah. Ihm selbst ging es besser, seit die Kinder da waren. Er hoffte, dass auch in Jimmys Leben bald irgendetwas passierte, das ihn aus diesem Trübsinn reißen würde. Jimmy war ein so netter Kerl, gut aussehend und nicht auf den Kopf gefallen. Die Kinder hielten Mark dermaßen auf Trab, dass er nicht einmal mehr Zeit fand, mit Jimmy ein paar Bälle über den Tennisplatz zu schlagen.

»Essen musst du trotzdem«, erklärte Mark trocken. »Und

ich koche sowieso – warum also nicht für uns alle? Es gibt Spareribs und Burger.« Sein Standardgericht. Er hatte den Kindern schon versprochen, ein Kochbuch zu kaufen und andere Gerichte auszuprobieren.

»Wirklich, lieber nicht«, lehnte Jimmy ab. Er wusste es zu schätzen, dass Mark sich Sorgen um ihn machte, aber Jimmy war einfach nicht in der Stimmung, unter die Leute zu gehen. Eigentlich war er das seit Monaten schon nicht mehr, und in letzter Zeit war es eher noch schlimmer geworden. Er trieb nicht einmal mehr Sport. Es war fast so, als dürfe er ohne Maggie nicht mehr am Leben teilnehmen.

»Ach, das hätte ich beinahe vergessen …« Mark grinste übers ganze Gesicht. »Ich habe einen kleinen Leckerbissen mitgebracht.« Er reichte Jimmy die neueste Ausgabe eines Boulevardblättchens. Mark hatte es im Supermarkt gesehen und extra ein Exemplar mitgenommen, um es Jimmy zeigen zu können. Eigentlich keine schöne Sache, aber Mark musste zugeben, dass es ihn irgendwie auch amüsierte. Dieser Cooper hatte es wirklich faustdick hinter den Ohren. »Seite zwei.« Jimmy schlug die Zeitung auf und riss überrascht die Augen auf.

Auf Seite zwei prangte eine halbseitige Aufnahme von Cooper und daneben das Foto einer sexy Frau mit langem, schwarzem Haar und asiatisch anmutenden Augen. In dem dazugehörigen Artikel wurde über eine leidenschaftliche Affäre zwischen den beiden gemutmaßt und darüber, dass die Frau ein Kind von Coop erwarte. Daneben fand sich eine lange Liste prominenter Frauen, mit denen er früher angeblich eine Beziehung gehabt hatte.

»Oh, oh«, sagte Jimmy grinsend und gab Mark die Zei-

tung zurück. »Ob Alex das schon gesehen hat? Ist nicht sehr witzig, mit einem Burschen zusammen zu sein, der in so eine Geschichte verwickelt ist.«
»Ich glaube nicht, dass es etwas Ernstes ist mit den beiden«, mutmaßte Mark. »Lange scheinen Coops Beziehungen ohnehin nie zu dauern. Seit ich hier eingezogen bin, ist sie bereits die dritte. Schon aufregend, oder?«
»Zumindest für ihn. Ich wette, er ist vor Begeisterung außer sich.« Jimmy musste lachen. »Stell dir ihn als Vater vor.«
»Wenn das Kind aufs College geht, ist er an die neunzig«, fügte Mark hinzu.
»Und geht wahrscheinlich mit den Studentinnen ins Bett«, setzte Jimmy noch eins drauf. Ihr Gespräch war nicht sehr mitfühlend, aber dieser Artikel verlangte geradezu nach Schadenfreude. Als Mark sich verabschiedete, versprach Jimmy, am Wochenende zum Essen hinüberzukommen.
Coop war weitaus weniger amüsiert, als er mit Alex beim Abendessen über den Artikel sprach. Er war sehr aufgebracht, dass die ganze Geschichte jetzt publik wurde. Nur gut, dass er Alex vorgewarnt hatte.
»Aber diese Boulevardblättchen haben doch schon eine Million mal über dich geschrieben. Es gehört zum Showbusiness dazu. Wenn du nicht Cooper Winslow wärst, würde es niemanden interessieren, mit wem du schläfst.«
»Es ist so mies von ihr, sich an die Presse zu wenden.« Er war außer sich vor Wut.
»Aber es war vorhersehbar.« Alex versuchte ihn zu beruhigen und versicherte ihm, dass es ihr nichts ausmache. »Nicht jeder liest diese Schmierblätter«, erinnerte sie ihn. Und diejenigen, die es taten, hätten diese Geschichte

irgendwann wieder vergessen. Coop war sehr erleichtert, dass Alex so gelassen damit umging. Es machte die Sache für ihn um einiges einfacher.

Sie waren Pizza essen gegangen, und Alex bemühte sich, ihn auf andere Gedanken zu bringen. Aber das war nicht gerade leicht. Als sie wieder bei ihm zu Hause waren, fiel ihm noch etwas Wichtiges ein, das er Alex unbedingt fragen wollte: Er bat sie, ihn zur Oscar-Verleihung zu begleiten. Sie war ebenso überrascht wie begeistert, aber auch skeptisch, ob sie es überhaupt würde einrichten können. Er nannte ihr das Datum, und nachdem sie eine Weile nachgedacht hatte, sagte sie: »An dem Abend habe ich Dienst. Ich muss sehen, ob ich frei bekommen kann.«

»Kannst du deine Schicht nicht tauschen?«

»Ich werde es versuchen. Aber ich habe in letzter Zeit schon ziemlich oft getauscht. Allmählich wird es schwierig.«

»Aber es wäre mir wirklich wichtig.« Coop hoffte sehr, dass Alex ihn begleiten würde, nicht zuletzt, weil er sich gern gemeinsam mit ihr zeigen wollte. Sie verlieh ihm eine ehrbare Ausstrahlung, und genau die brauchte er jetzt, da Charlene ihn in der Öffentlichkeit mit Schmutz bewarf. So funktionierte Hollywood nun einmal, aber all diese unschönen Details konnte er Alex getrost ersparen.

An diesem Abend übernachtete sie wieder bei ihm, obwohl sie es eigentlich nicht wollte. Aber er fühlte sich in ihrem Appartement so unwohl, dass es einfacher war, bei ihm zu bleiben. Außerdem genoss sie es, auf dem Anwesen zu sein. Es war wunderbar, mitten in der Nacht schwimmen zu gehen, wenn alles ganz still war. Dieser Ort hatte so etwas Friedvolles und Beruhigendes. Alex verstand nur zu gut, warum Coop an *The Cottage* hing.

Zwei Tage später sagte sie ihm, dass sie ihren Dienst tauschen konnte und ihn zur Oscar-Verleihung begleiten würde. Er freute sich sehr darüber, zumal in einem anderen Boulevardblatt ein weiterer Artikel über Charlene erschienen war, wodurch er ganz schön unter Beschuss stand. Dann wurde Alex auf einmal mit Entsetzen bewusst, dass sie nichts zum Anziehen hatte und vorher auch keine Zeit mehr finden würde, um sich etwas zu kaufen. Ihr einziges Abendkleid war jenes, das sie an dem Abend bei den Schwartzens getragen hatte. Wenn sie mit Cooper Winslow zur Oscar-Verleihung gehen wollte, würde sie aber unbedingt etwas Extravaganteres brauchen.

»Ich hätte nie gedacht, dass ich einmal so etwas denken würde«, sagte sie kichernd, während sie sich nachts an ihn kuschelte. »Ich habe nichts zum Anziehen und werde wohl im weißen Arztkittel und Clogs dort aufkreuzen.«

»Überlass das alles nur mir«, erwiderte er geheimnisvoll. Mit Kleidungsfragen kannte er sich besser aus als sie, schließlich hatte er im Laufe der Jahre seine Freundinnen immer großzügig eingekleidet.

»Falls du etwas kaufst, werde ich es bezahlen«, stellte Alex sofort klar. Sie hatte nicht vor, sich aushalten zu lassen, und im Unterschied zu den meisten Frauen, mit denen Coop ausgegangen war, konnte sie derartige Extravaganzen auch aus eigener Tasche bezahlen. Aber den Gedanken, dass er etwas für sie aussuchen würde, fand sie äußerst reizvoll.

## 15. Kapitel

Bereits zwei Wochen später war es so weit – für Alex kam der Abend der Oscar-Verleihung schneller als erwartet. Dabei fand sie in diesem Jahr erst in der dritten Aprilwoche statt. Coop hatte Wort gehalten und bei Valentino ein fantastisches Kleid für Alex gefunden. Es war die eleganteste Robe, die Alex je gesehen hatte: Mitternachtsblauer Satin mit schräg zulaufendem Fadenverlauf, der ihre makellose Figur perfekt zur Geltung brachte. Es saß wie angegossen und musste lediglich ein bisschen gekürzt werden. Coop hatte außerdem bei Dior ein Zobelcape geliehen, dazu bei Van Cleef & Arpels ein Saphircollier mit passenden Ohrringen und Armband. Der Schmuck verschlug Alex den Atem.
»Ich komme mir vor wie Aschenputtel in ihrem Ballkleid«, sagte sie, während sie ihm die Sachen vorführte. Coop hatte auch einen Friseur und einen Visagisten für den Abend engagiert. Um Zeit zu sparen, zog sich Alex auf dem Anwesen um.
Sie kam in ihrer Krankenhauskluft bei ihm an, und drei Stunden später hatte sie sich in eine Märchenprinzessin verwandelt. Coop wartete in der Halle auf sie, und als Alex schließlich die Treppe zur Halle hinunterkam, strahlte er bei ihrem Anblick über das ganze Gesicht. Sie war die personifizierte aristokratische Würde, und als sie in der Halle in den Spiegel sah, stellte sie überrascht fest, dass

ihr Anblick sie an ihre Mutter erinnerte. Als Alex noch ein kleines Mädchen gewesen war, hatte sie ihre Mutter in solchen Roben auf Bälle gehen sehen. Alex erinnerte sich sogar an ein blaues Kleid, das diesem hier sehr ähnelte. Aber selbst ihre Mutter hatte nie derartig kostbare Juwelen besessen, wie Alex sie jetzt trug. Die Steine waren fantastisch und passten perfekt zu ihrem Teint.
»Wow!«, entfuhr es Coop, und er verneigte sich galant vor ihr. Er selbst trug einen der von seinem Londoner Schneider handgearbeiteten Smokings, dazu schwarze Lackschuhe und Saphir-Manschettenknöpfe, die ihm einst eine saudische Prinzessin geschenkt hatte. Ihr Vater hatte sie Gott weiß wohin verbannt, damit sie Coop auf keinen Fall heiratete. Eher hätte er sie an einen Mädchenhändler verkauft, als ihr zu erlauben, Mrs. Winslow zu werden. Diese Geschichte gab Coop immer wieder gern zum Besten, und die Manschettenknöpfe waren wirklich beeindruckend. »Du siehst umwerfend aus, mein Schatz«, schwärmte Coop, während sie gemeinsam durch die Tür nach draußen traten.
Obwohl Coop ihr vorher einiges über die Preisverleihung erzählt hatte, war Alex nicht auf ein derartiges Spektakel gefasst gewesen. Als sie eintrafen, war noch helllichter Tag. Ein langer roter Teppich wies den Weg ins Gebäude, und aus dem endlosen Tross der Limousinen stiegen nach und nach die Gäste aus. Wohin Alex auch den Kopf wandte, sah sie wunderschöne Frauen in teuren Roben und behängt mit kostbaren Juwelen. Trauben von Fotografen drängten sich nach vorn, um eine gute Aufnahme zu erhaschen. Viele der Frauen waren bekannte Schauspielerinnen, und normalerweise überreichte Coop gemeinsam

mit einer von ihnen einen Oscar. Doch dieses Jahr bedeutete es ihm weitaus mehr, Alex an seiner Seite zu haben. Gemeinsam schritten sie langsam den roten Teppich entlang. Alex trug Schuhe aus blauem Satin mit atemberaubend hohen Absätzen, und sie war froh, dass Coops Arm ihr Halt gab. Sie lächelte schüchtern, als unzählige Kameras Fotos von ihnen machten. Coop hatte es nicht ausgesprochen, aber sie erinnerte ihn an Audrey Hepburn in *Frühstück bei Tiffany*. Sie war wunderschön, elegant und vornehm. Während sie sich dem nächsten Pulk von Fotografen zuwandten und Coop wie ein ausländisches Staatsoberhaupt bei einem Empfang winkte, erschütterte zeitgleich ein Aufschrei den Gästeflügel von *The Cottage*.

»O mein Gott! ... Das ist ja sie ... Es ist ... wie heißt sie noch gleich ... du weißt schon ... Alex!!! Zusammen mit ihm!«, rief Jessica ganz aufgeregt und wies auf den Fernseher. Jimmy war ebenfalls da und sah sich mit Mark und seinen Kindern die Preisverleihung an. »Sie sieht umwerfend aus!« Jessica fand es viel aufregender, jemanden zu sehen, den sie kannte, als irgendeinen der Filmstars.

»Allerdings«, entfuhr es Mark, während sie alle Alex anstarrten. »Ich frage mich, woher sie dieses Collier hat.«

»Ist wahrscheinlich nur geliehen«, vermutete Jimmy, der immer noch nicht begreifen konnte, was diese Frau mit Coop zu schaffen hatte. Sie verdiente weiß Gott etwas Besseres. Für Coop war sie doch nicht mehr als das »Eis des Monats«. Das hatte er auch zu Mark gesagt, doch der hatte erwidert, sie sei clever genug, um die Situation richtig einzuschätzen.

»Mir ist bisher gar nicht aufgefallen, wie wunderschön sie ist«, sagte Mark jetzt. Er kannte Alex sonst nur in T-Shirt und Shorts am Pool, doch in dieser Abendrobe sah sie schlichtweg beeindruckend aus.

In diesem Moment betraten Coop und Alex gerade das Gebäude und verschwanden aus dem Blickfeld der Kameras. Später konnte man die beiden erneut bewundern. Sie saßen auf ihren Plätzen, und die Kamera zeigte Alex eine Weile lang in Großaufnahme. Lachend neigte sie sich zu Coop, um ihm etwas ins Ohr zu flüstern, woraufhin er ebenfalls lachte. Die beiden wirkten sehr glücklich. Nach der Preisverleihung konnten ihre Fans am Bildschirm verfolgen, wie sie zu der Oscar-Party von *Vanity Fair* ins Morton's gingen. Alex trug das Zobelcape und sah genauso glamourös aus wie ein Filmstar.

Sie verbrachte einen wunderbaren Abend und bedankte sich zärtlich bei Coop, während sie sich im Fond des Bentleys nach Hause chauffieren ließen. Das himmelblaue Turbocabrio hatte Coop schon vor Wochen zurückgegeben, da er es sich nicht leisten konnte. Aber der Bentley gehörte ihm schon seit Jahren, und er hatte äußerst nobel gewirkt, als sie darin bei der Oscar-Verleihung vorgefahren waren.

»Was für ein Abend!« Alex gähnte glücklich. Es war drei Uhr morgens, und sie hatte in den vergangenen Stunden so ziemlich jeden Star in natura gesehen, von dem sie je gehört hatte. Und obwohl sie selbst als junges Mädchen nie sonderlich von der Welt des Showbusiness fasziniert gewesen war, musste sie doch zugeben, den heutigen Abend als sehr aufregend erlebt zu haben. Insbesondere an der Seite von Coop, der sie mit jedem bekannt gemacht und ihr erzählt hatte, wie es hinter den Kulissen zuging.

»Aber jetzt werde ich mich in Aschenputtel zurück-

verwandeln«, sagte sie und schmiegte sich an ihn. »In drei Stunden muss ich schon wieder im Krankenhaus sein. Vielleicht sollte ich am besten gleich aufbleiben.«
»Das wäre eine Möglichkeit.« Coop lächelte sie an. »Du warst unglaublich, Alex. Jeder hielt dich für den neuen Stern am Schauspielhimmel. Wahrscheinlich schicken dir morgen ein Dutzend Produzenten Drehbücher.«
»Sehr unwahrscheinlich.« Lachend stieg sie aus dem Wagen. *The Cottage* wirkte so friedlich, und es war ein gutes Gefühl, am Ende eines langen Abends nach Hause zu kommen. Coop hatte dafür gesorgt, dass es für sie zu einem unvergesslichen Erlebnis wurde – bis hin zur perfekten Frisur und den glitzernden Juwelen.
»Ich sollte es für dich kaufen«, sagte er bedauernd, als sie ihm das Collier reichte. Er legte es zusammen mit den Ohrringen und dem Armband in den Safe. »Ich wünschte, ich könnte es.« Alex hatte auf dem Preisschild gesehen, dass es drei Millionen Dollar kostete. Es war das erste Mal, dass Coop ihr gegenüber eingestand, dass eine Anschaffung seine Mittel übersteigen würde.
»Nun, Prinzessin, wollen wir zu Bett gehen?« Während Coop sein Jackett auszog und die Fliege löste, sah er Alex liebevoll an.
»Habe ich mich schon in Aschenputtel zurückverwandelt?«, fragte sie schläfrig, nahm die Schuhe in die Hand und ging barfuß die Treppe hinauf, wobei ihr Satinkleid über den Boden schleifte.
»Nein, mein Schatz«, sagte Coop leise, »und das wirst du auch nie.«
Mit ihm zusammen zu sein war wie im Märchen und hatte manchmal etwas Unwirkliches. Alex musste sich dann

immer daran erinnern, dass sie Ärztin im Krankenhaus war und in einem Appartement lebte, in dem sich die Wäscheberge türmten. In weniger als fünf Minuten war sie in seinen Armen eingeschlafen, und als um fünf Uhr früh der Wecker klingelte, hätte sie sich fast noch einmal umgedreht und weitergeschlafen. Aber Coop schob sie sanft aus dem Bett und versprach, sie später anzurufen. Zwanzig Minuten später tuckerte sie mit ihrem alten Auto die Auffahrt hinunter. Es kam ihr vor, als hätte sie die Ereignisse des vergangenen Abends nur geträumt – bis sie ihr Foto in der Morgenzeitung sah, ein großformatiges Bild, das Coop und sie auf dem Weg zur Oscar-Verleihung zeigte.

»Die sieht ja aus wie Sie«, meinte eine der Krankenschwestern und betrachtete das Bild. Und dann machte sie große Augen, als sie den Namen unter dem Foto las: Alexandra Madison. Coop hatte vergessen, ihren Titel zu erwähnen, womit sie ihn schon heftig aufgezogen hatte. Sie sagte ihm, dass sie hart dafür gearbeitet habe und von ihm erwartete, sie auch so anzureden.

»Kann ich den Leuten nicht einfach sagen, du wärst meine Krankenpflegerin aus der Psychiatrie?«, hatte er sie geneckt. Auf dem Foto strahlte Alex, und man sah, dass Coop ihre Hand hielt und glücklich lächelte. Es war eine Botschaft an die Öffentlichkeit, dass es ihm gut ging und er keinen Grund hatte, sich zu verstecken. Genau das hatte er zum Ausdruck bringen wollen, und sein Presseagent gratulierte ihm später an diesem Morgen dazu.

»Das ist gut für dich«, sagte er. Ohne dass Coop auch nur einen einzigen Kommentar abgegeben hatte, widersprach er damit den unschönen Geschichten, die in den Boulevardblättchen über ihn verbreitet wurden. Die unterschwellige Botschaft bestand darin, dass er immer noch der Alte war, liiert mit ehrbaren Frauen – auch wenn er tatsächlich eine unbedeutende Pornodarstellerin geschwängert haben sollte.

In der Nachmittagsausgabe war ein weiteres Foto von ihnen abgebildet, und als Coop später mit Alex telefonierte, sagte er ihr, dass ihn die Klatschkolumnisten einiger angesehener Zeitschriften angerufen hätten.

»Sie wollten wissen, wer du bist.«

»Und? Hast du es ihnen gesagt?«

»Natürlich. Und dieses Mal habe ich sogar daran gedacht, deinen Titel zu erwähnen«, verkündete er stolz. »Sie wollten wissen, ob wir heiraten werden. Ich sagte ihnen, es sei ein bisschen zu früh, um dazu einen Kommentar abzugeben, aber dass du die Frau meines Lebens bist und ich dich sehr liebe.«

»Nun, das sollte ihnen zunächst einmal Futter genug geben.« Alex lächelte, während sie an ihrem Styroporbecher mit Kaffee nippte. Sie arbeitete seit mittlerweile zwölf Stunden, aber zum Glück war es ein recht ruhiger Tag gewesen. Alex war es nicht gewohnt, nachts lange auszugehen, und jetzt war sie unglaublich müde. Coop hatte bis elf geschlafen, war dann bei der Massage, zur Maniküre und beim Friseur gewesen. »Haben sie dich auf das Kind angesprochen?«, fragte sie besorgt. Sie wusste, wie sehr ihn das aufregte.

»Mit keinem einzigen Wort.« Und von Charlene hatte er auch nichts mehr gehört. Sie war wohl zu sehr damit beschäftigt, der Klatschpresse Interviews zu geben.

Zwei Wochen später kam jedoch ein Schreiben von ihrem

Anwalt. Es war Anfang Mai, und sie behauptete, im dritten Monat schwanger zu sein. Sie forderte finanzielle Unterstützung während der Schwangerschaft und Verhandlungen über die Höhe der Alimente für das Kind und Unterhaltszahlungen für sich selbst.

»Unterhalt? Für eine dreiwöchige Affäre? Die ist doch verrückt!«, regte sich Coop bei einem Telefonat mit seinem Anwalt auf. Charlene behauptete, sich so schlecht zu fühlen, dass sie bis zum Ende der Schwangerschaft auf keinen Fall arbeiten könnte. Nach Auskunft ihres Anwalts litt sie unter außergewöhnlich starker Übelkeit. »Aber offenbar ist ihr nicht zu übel, um Interviews zu geben. Diese Frau ist ein Monster!«

»Dann bete, dass dieses Kind nicht dein Monster ist«, entgegnete sein Anwalt. Sie vereinbarten, dass sich Charlene im Gegenzug für jegliche vorläufigen Zahlungen, zu denen Coop bereit wäre, zu einer Fruchtwasseruntersuchung einschließlich DNA-Test zwecks Vaterschaftsbestimmung verpflichten müsste. »Wie stehen die Chancen, dass es von dir ist, Coop?«

»Ich schätze fifty-fifty. Ich habe mit ihr geschlafen, und das Kondom ist gerissen. Kommt jetzt darauf an, ob ich momentan eine Glückssträhne habe. Wie stehen denn meine Wetten in Las Vegas?«

»Das kann ich für dich herausfinden«, sagte sein Anwalt mit düsterem Tonfall. »Eigentlich mag ich keine Geschmacklosigkeiten, aber wie einer meiner Klienten es einmal auszudrücken pflegte: ›Einmal dringesteckt, zahlst du für immer.‹ Ich hoffe, du bist jetzt vorsichtiger, Coop. Das war übrigens eine sehr hübsche Frau, mit der ich dich bei der Oscar-Verleihung gesehen habe.«

»Und clever ist sie auch«, erwiderte Coop stolz. »Sie ist Ärztin.«

»Und hoffentlich nicht so eine Goldgräberin wie die Letzte. Diese werdende Mutter sieht aber auch ziemlich gut aus. So ein eurasischer Typ, nicht wahr? Aber wo auch immer ihre Wurzeln liegen, sie hat ein Herz wie eine Registrierkasse. Hoffentlich war die Affäre es wert.«

»Ich kann mich nicht mehr erinnern«, erwiderte Coop diskret und beeilte sich dann, Alex zu verteidigen. »Meine Begleiterin von der Oscar-Verleihung ist übrigens alles andere als eine Goldgräberin. Bei ihrer Familie hat sie das auch gar nicht nötig.«

»Tatsächlich? Um wem handelt es sich denn?«

»Ihr Vater ist kein geringerer als Arthur Madison.«

Der Anwalt stieß einen leisen Pfiff aus.

»Das ist wirklich interessant. Hat er sich dir gegenüber schon zu dem Kind geäußert?«

»Nein.«

»Ich wette, dass wird er früher oder später noch tun. Weiß er, dass du dich mit seiner Tochter triffst?«

»Ich bin nicht sicher. Die beiden scheinen nicht gerade viel miteinander zu reden.«

»Ab jetzt ist es jedenfalls kein Geheimnis mehr. Ihr beide seid landesweit in jeder Zeitung abgebildet.«

»Es gibt Schlimmeres.« Wie die Berichte über Charlene in sämtlichen Boulevardblättern, fügte Coop in Gedanken hinzu.

Eine Woche später wurde die Geschichte in der Presse noch einmal aufgewärmt, nur dass dieses Mal Fotos von Alex neben denen von Coop und Charlene zu sehen waren. Alex wirkte auf den Bildern wie eine junge Königin, und die Schlagzeilen waren erwartungsgemäß geschmacklos. Mark kaufte Ausgaben sämtlicher Blättchen, um sie Jimmy zu zeigen. Jessica hatte sich zwischenzeitlich mit Alex angefreundet, der sie regelmäßig am Pool begegnete, und war von ihr fasziniert. Alex mochte das Mädchen, erzählte Coop jedoch nichts davon. Sie wusste ja, wie er über Kinder dachte, und momentan hatte er genug um die Ohren.

In diesen Tagen rief Abe wieder ständig an, um Coop daran zu erinnern, dass er zu viel Geld ausgab. Zudem äußerte er sich besorgt über die Unterhaltszahlungen, die Coop vielleicht an Charlene zu leisten hätte. »Das Geld hast du nicht, Coop. Und wenn du in Zahlungsverzug gerätst, kann sie dich ins Gefängnis bringen. So läuft das, und wie ich diese Frau einschätze, wird sie es auch tun.«

»Danke für die guten Neuigkeiten, Abe.« Coop gab viel weniger Geld aus als sonst, was allein daran lag, dass Alex keinen kostspieligen Geschmack hatte. Aber seine fixen Kosten waren laut Abe immer noch zu hoch.

»Du solltest diese Madison heiraten«, sagte er lachend und fragte sich, ob Coop wohl genau deshalb mit ihr ausging. In Anbetracht ihres Vermögens konnte man sich kaum vorstellen, dass Coop keine Hintergedanken hatte.

Nach den Geschichten, die in der Klatschpresse erschienen waren, hatte auch Liz sofort angerufen. Sie war außer sich vor Wut.

»Was für eine scheußliche Situation! Du hättest nie mit dieser Charlene ausgehen dürfen, Coop!«

»Der Rat kommt ein wenig spät«, lachte er reumütig.

»Wie läuft's mit deiner Ehe?«

»Es ist wunderbar, obwohl San Francisco ein wenig

gewöhnungsbedürftig ist. Es ist so ruhig hier, und ich friere ständig.«
»Nun, du kannst deinen Mann jederzeit verlassen und zu mir zurückkommen. Ich kann deine Unterstützung immer gebrauchen.«
»Danke, Coop.« Sie war glücklich mit Ted und mochte seine Töchter sehr. Liz bedauerte lediglich, dass sie nicht schon viel früher geheiratet hatte. Erst jetzt hatte sie erkannt, auf wie viel sie Coop zuliebe verzichtet hatte. Es wäre wunderschön gewesen, eigene Kinder zu haben, aber dafür war es jetzt zu spät. Mit zweiundfünfzig musste sie sich damit begnügen, bei Teds Töchtern die Mutterrolle zu übernehmen.
»Wie ist Alex denn so?«, fragte sie.
»Ein Ausbund an Barmherzigkeit«, erwiderte er lächelnd.
»Das nette Mädchen von nebenan. Audrey Hepburn. Dr. Kildare. Sie ist fantastisch. Du würdest sie mögen.«
»Komm doch mit ihr für ein Wochenende nach San Francisco.«
»Würde ich gern, aber sie hat entweder Dienst oder Rufbereitschaft.«
Das klingt wirklich ungewöhnlich für Coop, schoss es Liz durch den Kopf. Aber hübsch war diese Alex in jedem Fall.
Liz erkundigte sich auch nach seiner Arbeit. Sie hatte ihn in letzter Zeit nicht einmal mehr in Werbespots gesehen. Coop sagte, dass er seinen Agenten angerufen habe, sich aber im Moment nicht viel tue. Er verschwieg Liz, dass sein Agent ihn auch daran erinnert hatte, dass er schließlich nicht jünger wurde.
»Ich arbeite weniger, als ich gern würde, aber ich habe

noch ein paar Eisen im Feuer. Gerade heute Morgen habe ich Gespräche mit drei Produzenten geführt.«
»Was du brauchst, ist eine einzige große Rolle. Dann werden sich wieder alle um dich reißen. Du weißt doch, was für Schafe diese Produzenten sind.« Sie mochte es ihm nicht sagen, aber in ihren Augen hätte er mittlerweile eher Vaterfiguren spielen können. Das Problem mit Coop war aber, dass er immer noch den jugendlichen Helden spielen wollte, und diese Rolle wollte ihm niemand mehr geben. Coop konnte sein wahres Alter einfach nicht akzeptieren. Das war auch einer der Gründe, warum er sich mit Alex so wohl fühlte. Bei ihr hatte er nie das Gefühl, vierzig Jahre älter als sie zu sein, und ihr kam es auch nicht so vor.
An diesem Wochenende entspannten sie sich gerade auf der Terrasse und plauderten über dies und das, als plötzlich Alex' Handy klingelte. Sie hatte Rufbereitschaft, aber als sie auf das Display schaute, sah sie, dass der Anruf nicht aus dem Krankenhaus kam. Sie erkannte die Nummer, ließ jedoch die Mailbox anspringen und wartete eine halbe Stunde, bevor sie zurückrief. Coop lag neben ihr ausgestreckt auf einer Liege im Schatten und las Zeitung. Er hörte ihrem Gespräch nur mit halbem Ohr zu.
»Ja, das ist richtig. Es war sehr nett. Wie geht es dir?« Coop hatte keine Ahnung, mit wem Alex sprach, aber es klang nicht gerade herzlich, und er sah, dass sie die ganze Zeit über angespannt die Stirn runzelte. »Wann? ... Da habe ich Dienst ... wir könnten uns zu einem kurzen Mittagessen im Krankenhaus sehen, falls ich mich so lange frei machen kann. Wie lange wirst du hier sein? ... Schön ... Dann bis Dienstag.« Coop hätte nicht sagen können,

ob sich Alex mit einem Bekannten oder einem Anwalt unterhalten hatte, aber wer auch immer es gewesen war, sonderlich erfreut wirkte sie nicht.

»Wer war das?«, fragte Coop verwundert.

»Mein Vater. Er kommt am Dienstag wegen geschäftlicher Termine nach Los Angeles und möchte mich sehen.«

»Das könnte interessant werden. Hat er etwas über mich gesagt?«

»Nur dass er mich bei der Oscar-Verleihung gesehen hat. Dich hat er nicht erwähnt. Das spart er sich für später auf.«

»Sollen wir mit ihm Abendessen gehen?«, bot Coop großzügig an, obwohl es ihn schon nervös machte, dass dieser Mann jünger war als er – und wesentlich mächtiger.

»Nein«, sagte Alex knapp. Sie trug eine dunkle Sonnenbrille, sodass Coop ihre Augen nicht sehen konnte, aber ihre ganze Miene zeigte ihm, dass sie sich auf diese Begegnung mit ihrem Vater keineswegs freute.

»Trotzdem danke. Ich sehe ihn zum Mittagessen im Krankenhaus. Er fliegt direkt nach seinem Geschäftstermin zurück.« Coop wusste, dass Arthur Madison seine eigene Boing 727 besaß.

»Vielleicht das nächste Mal«, erwiderte er freundlich. Aber ihm entging nicht, wie angespannt sie war. Zehn Minuten später erhielt sie einen Anruf aus dem Krankenhaus und musste weg.

Alex kam erst zum Abendessen zurück und ging als Erstes zum Pool, um ein paar Bahnen zu schwimmen. Dort traf sie auf Jimmy, Mark und die Kinder. Sie stellte fest, dass Jimmy zum ersten Mal, seit sie ihn kennengelernt hatte, ein bisschen fröhlicher wirkte. Die Kinder freuten sich sehr, sie zu sehen. Jessica und Mark waren ebenfalls im Pool, während Jimmy und Jason Würfe mit dem Baseball übten. Jimmy erklärte Jason ganz genau die Technik, und der Junge hörte gebannt zu.

Alex schwamm erst eine halbe Stunde, dann plauderte sie mit Jessica, die davon schwärmte, wie wunderschön Alex bei der Oscar-Verleihung ausgesehen habe.

»Danke. Es hat auch wirklich Spaß gemacht«, sagte Alex fröhlich. Zehn Minuten später quetschte Jessica Alex gerade darüber aus, was für Kleider die verschiedenen Stars getragen hatten, als sie plötzlich ein pfeifendes Geräusch hörten, gefolgt von einem lauten Klirren. Jason hatte den Ball in Coops großes Wohnzimmerfenster geschmettert.

»Mist!«, zischte Mark, während Jimmy einen Laut der Begeisterung von sich gab.

»Fantastischer Wurf!«, lobte er Jason, bevor ihm klar wurde, wohin der Ball geflogen war. Mark und Alex wechselten einen Blick, während Jason vor Schreck wie erstarrt wirkte.

»Oh, oh …«, kommentierte Jessica.

Innerhalb von Sekunden war Coop draußen am Pool. Er platzte fast vor Wut.

»Trainieren wir für die Yankees, oder ergehen wir uns nur in ziellosem Vandalismus?«, fragte er in die Runde. Alex musste sich eingestehen, dass ihr sein Auftritt peinlich war. Coop ließ wieder einmal keinen Zweifel daran, wie sehr er Unordnung, Störungen und Kinder hasste.

»Es war ein Missgeschick«, erklärte ihm Alex ruhig.

»Warum zum Teufel wirfst du meine Scheiben ein?«, schrie Coop Jason an, nachdem er gesehen hatte, wer den Fanghandschuh hielt, und es für ihn sonnenklar war, wer den Ball geworfen hatte. Der Junge war so geschockt über Coops Wutausbruch, dass er den Tränen nahe war.

»Ich war's, Coop, tut mir ehrlich leid.« Jimmy trat einen Schritt vor. Er konnte nicht länger mit ansehen, wie verängstigt sein junger Freund war, und ihm konnte Coop nicht viel anhaben. »Ich werde die Scheibe ersetzen.«

»Das will ich auch schwer hoffen. Allerdings glaube ich Ihnen kein Wort. Ich denke, es war der junge Mr. Friedman.« Coop blickte zwischen Jason, Mark und Jimmy hin und her, während Alex aus dem Pool stieg und sich ein Handtuch schnappte.

»Wenn du willst, lasse ich es ersetzen, Coop«, sagte sie großzügig. »Es war keine böse Absicht.«

»Das hier ist kein Baseballstadion«, fauchte er wütend. »Die Anfertigung dieser Fenster dauert eine Ewigkeit, und sie einzusetzen ist eine Kunst.« Das gewölbte Glas war speziell für dieses Haus hergestellt worden, und die Reparatur würde ein Vermögen kosten. »Halten Sie Ihre Kinder unter Kontrolle, Friedman«, zischte Coop unfreundlich und stürmte ins Haus zurück, während Alex die anderen entschuldigend ansah.

»Tut mir wirklich leid«, sagte sie mit sanfter Stimme. Diese Seite an Coop sah sie nicht gern, aber er hatte sie ja gewarnt, dass er Kinder nicht ausstehen konnte.

»So ein Arschloch!«, sagte Jessica laut und deutlich.

»Jessie!«, ermahnte Mark sie mit strenger Stimme, während Jimmy Alex ansah.

»Ich gebe ihr recht, trotzdem tut es mir leid. Ich hätte mit Jason zum Üben auf den Tennisplatz gehen sollen. Dass hier etwas zu Bruch gehen könnte, ist mir gar nicht in den Sinn gekommen.«

»Ist schon gut«, sagte Alex verständnisvoll. »Coop ist Kinder einfach nicht gewöhnt. Er liebt es, wenn alles friedlich und perfekt ist.«

»Das Leben ist aber nicht perfekt«, erklärte Jimmy trocken. Er hatte jeden Tag mit Kindern zu tun, und nichts war friedlich und perfekt oder bis ins Letzte planbar – und genau das liebte er daran. »Zumindest meines nicht.«

»Meines auch nicht«, stimmte Alex offen zu, »aber seines schon. Zumindest gefällt es ihm, es dafür zu halten.« Bei diesen Worten mussten alle unwillkürlich an die Geschichten in den Boulevardblättern denken. »Mach dir keine Sorgen, Jason. Es ist nur ein Fenster, das zu Schaden gekommen ist, und kein Mensch. Dinge kann man ersetzen, Menschen nicht.«

Sie hatte es kaum ausgesprochen, da hätte sie sich am liebsten auf die Zunge gebissen, weil ihr Blick auf Jimmy gefallen war.

»Sie haben recht«, sagte der leise.

»Tut mir leid ... so habe ich das natürlich nicht gemeint ...«, stotterte Alex erschrocken.

»Doch, genau so. Und Sie haben recht. Wir alle vergessen das nur manchmal. Wir hängen viel zu sehr an irgendwelchen Dingen. Dabei sind es die Menschen, die wirklich wichtig sind. Alles andere ist doch nur irgendwelcher Mist.«

»Mit genau diesem Thema habe ich bei meiner Arbeit jeden Tag zu tun«, sagte Alex, und er nickte.

»Ich musste meine Lektion auf die harte Tour lernen«, gestand er und lächelte sie an. Er mochte sie und konnte absolut nicht verstehen, was sie mit einem Typen wie Coop wollte, bei dem alles nur Fassade war. Sie wirkte so ehrlich und natürlich. »Danke, dass Sie so nett zu Jason waren. Ich werde mich um den Schaden kümmern.«

»Nein, ich werde das tun«, unterbrach Mark. »Er ist mein Sohn, und ich bezahle die Reparatur. Sei das nächste Mal nur bitte vorsichtiger«, sagte er zu Jason und wandte sich dann wieder Jimmy zu. »Das gilt natürlich auch für dich.«

»Entschuldige, Dad«, sagte Jimmy mit reumütigem Blick, und sie mussten alle lachen. Jason hatte das Gefühl, glimpflich davongekommen zu sein, abgesehen von Mr. Winslows Wutausbruch. Alle anderen waren ja ziemlich ruhig geblieben, dabei hatte er im ersten Moment befürchtet, sein Dad würde ihn umbringen. »Es war trotzdem ein fantastischer Wurf, Jason. Ich bin stolz auf dich.«

»Lasst uns sämtliche Ballspiele von nun an auf den Tennisplatz beschränken. Einverstanden?«, fragte Mark. Er wollte Coop auf keinen Fall einen Grund geben, ihnen zu kündigen. Jason und Jimmy nickten, während Alex Shorts und T-Shirt über ihren nassen Badeanzug zog.

»Wir sehen uns«, verabschiedete sie sich und ging ins Haus zurück. Die beiden Männer blickten ihr nach. Alex' langes dunkles Haar war noch feucht und glänzte in der Sonne. Sobald sie außer Hörweite war, sagte Mark: »Jessie hat recht. Er ist ein Arschloch. Und *sie* ist eine fantastische Frau. Coop verdient sie nicht, da kann er noch so gut aussehen. Dieser Bursche wird sie unglücklich machen.«

»Ich glaube, er wird sie heiraten«, mischte sich Jessica ein. Sie wünschte, ihr Vater würde mit jemandem wie Alex ausgehen.

»Hoffentlich nicht.« Jimmy legte den Arm um Jason, und sie gingen alle vier zum Gästeflügel zurück. Mark wollte grillen, und Jimmy hatte zugestimmt, zum Essen zu bleiben.

Oben, im ersten Stock des Haupthauses, schimpfte Alex mit Coop, der immer noch wütend war.

»Er ist nur ein Kind, Coop. Hast du nie so etwas getan, als du noch ein Junge warst?«

»Ich war nie ein Junge. Ich kam in Anzug und Krawatte auf die Welt, als erwachsener Mann mit perfekten Manieren.«

»Benimm dich nicht wie ein Arschloch«, ermahnte sie ihn, während er sie küsste.

»Warum denn nicht? Ich habe nun einmal gern hin und wieder einen Wutanfall. Davon abgesehen weißt du doch, dass ich Kinder nicht ausstehen kann.«

»Und wenn ich dir jetzt sagen würde, dass ich schwanger bin?«, fragte sie mit einem Blick, der ihm fast die Kinnlade hinunterfallen ließ.

»Bist du?«

»Nein. Aber wenn ich es wäre? Du würdest dich abfinden müssen mit Skateboards, zerbrochenen Fensterscheiben, schmutzigen Windeln, Erdnussbutter und Marmeladenfingern überall auf den Möbeln. Du solltest einmal darüber nachdenken.«

»Muss ich? Mir wird übel dabei. Dr. Madison, du hast wirklich einen eigenwilligen Sinn für Humor. Ich hoffe, dein Vater versohlt dir den Hintern, wenn ihr euch seht.«

»Ganz sicher«, erwiderte sie kühl. »Das tut er immer.«

»Gut so, du hast es verdient.« Coop hätte eine Menge dafür gegeben, bei diesem Treffen dabei sein zu können. Aber Alex hatte ihn nicht eingeladen. »Wann siehst du ihn?«

»Am Dienstag.«
»Was denkst du, warum er dich sprechen will?«, fragte Coop sichtlich neugierig. Er war fest davon überzeugt, dass es seinetwegen war.
»Das wird man sehen«, erwiderte Alex lächelnd, während sie Arm in Arm zu seinem Schlafzimmer gingen. Sie kannte ein probates Mittel gegen seine Wutanfälle. Tatsächlich hatte er die Sache mit dem Baseball schon fast vergessen, als sie ihn küsste. Und nur einen Augenblick später war seinen Gedanken nichts ferner als eine zerbrochene Fensterscheibe.

## 16. Kapitel

Alex wusste im Grunde schon vorher, wie das Treffen mit ihrem Vater verlaufen würde. An ihrer Beziehung hatte sich nie etwas geändert.
Er kam fünf Minuten zu früh und wartete in der Cafeteria auf sie. Dort saß er, groß, schlank, mit grauem Haar, blauen Augen und ernstem Blick. Alex wusste, dass ein triftiger Grund dafür vorliegen musste, dass er sich mit ihr treffen wollte, er wäre gar nicht in der Lage gewesen, sich einfach nur so mit ihr zu unterhalten. Das einzig Persönliche, was er zu ihr sagte und woraus man auf ihre Verwandtschaft schließen konnte, war, dass ihre Mutter sie grüßen ließ. Ihre Mutter war keinen Deut herzlicher als er, sonst hätte sie es gar nicht ausgehalten, all die Jahre mit diesem Mann verheiratet zu sein. Ihr Vater dominierte jeden Menschen, mit dem er zu tun hatte – außer Alex. Ihr Leben lang waren sie deshalb aneinandergeraten.
Er brauchte genau zehn Minuten, um zum Thema zu kommen.
»Ich möchte mit dir über Cooper Winslow sprechen, Alex. Und ich finde, das ist kein Thema für das Telefon.«
Für Alex hätte das allerdings keinen Unterschied gemacht, denn die Gespräche mit ihrem Vater waren stets distanziert und gefühllos, ganz gleich, ob sie sich dabei gegenübersaßen oder nicht.
»Warum nicht?«

»Ich hielt diese Sache für wichtig genug, um mich persönlich mit dir zu treffen.« Für Alex hätte die Tatsache, dass er ihr Vater war, als Begründung für ein Treffen gereicht, aber so etwas wäre ihm niemals in den Sinn gekommen. »Es ist eine heikle Angelegenheit, und ich habe nicht vor, lange um den heißen Brei herumzureden.« Das tat er nie, Alex allerdings auch nicht. Sie gestand es sich nur ungern ein, aber in manchen Punkten war sie ihrem Vater sehr ähnlich. Auch sie war rücksichtslos ehrlich, nicht nur anderen, sondern auch sich selbst gegenüber. Sie hatte Prinzipien, an denen sie festhielt, und klare Meinungen. Der wesentliche Unterschied zwischen ihnen bestand darin, dass Alex ein Herz hatte und er nicht. Arthur Madison verschwendete keine Zeit mit Gefühlen. Wenn etwas Unangenehmes getan oder gesagt werden musste, zögerte er keine Sekunde.

»Wie ernst ist diese Geschichte?«, fragte er jetzt ohne Umschweife, während er sie mit zusammengekniffenen Augen fixierte. Sie würde ihn nicht anlügen, ihm aber genauso wenig verraten, was sie fühlte. Das ging ihrer Meinung nach nur sie selbst etwas an.

»Das weiß ich noch nicht«, antwortete sie vorsichtig, aber wahrheitsgemäß.

»Bist du darüber im Bilde, dass dieser Mann bis über beide Ohren verschuldet ist?« Coop hatte es ihr gegenüber nie ausgesprochen, aber die Tatsache, dass er Teile des Hauses vermietete, hatte Alex bereits vermuten lassen, dass es nicht gut um seine Finanzen bestellt war. Zudem bekam er nicht gerade viele Rollen angeboten – schon seit Jahren nicht mehr. Allerdings hatte sie irrtümlich angenommen, dass er ein bisschen Geld auf die Seite gelegt hatte. Und

*The Cottage* musste auch eine Menge wert sein. Ihr Vater wusste jedoch, dass dieses Anwesen nicht nur Coops einzigen Besitz darstellte, sondern zudem mit hohen Hypotheken belastet war.

»Ich diskutiere mit ihm nicht seine finanziellen Angelegenheiten«, erklärte sie kurz und bündig. »Das geht mich nichts an, genauso wenig wie ihn meine.«

»Hat er dir Fragen über dein Einkommen oder dein Erbe gestellt?«

»Natürlich nicht, dafür ist er viel zu höflich«, entgegnete sie wahrheitsgemäß. Coop war einfach zu gut erzogen, um sie nach ihrem Vermögen zu fragen.

»Und zu clever. Wahrscheinlich hat er dich sorgfältig überprüft, so wie ich ihn. Auf meinem Schreibtisch steht ein dicker Ordner mit Unterlagen über ihn, und darin steht nicht viel Gutes. Er steckt schon seit Jahren bis zum Hals in Schulden und bekommt keinen Kredit mehr. Wahrscheinlich könnte er nicht einmal ein Buch aus der Stadtbibliothek ausleihen, wenn er wollte. Und er hat offenbar eine enorme Anziehungskraft auf reiche Frauen.«

»Er wirkt auf *alle* Frauen anziehend«, korrigierte Alex ihn. »Und was soll das Ganze eigentlich? Willst du mir sagen, dass er hinter meinem Geld her ist? Ist es das?« Sie kam genauso schnell auf den Punkt wie er, diesbezüglich waren sie ebenbürtige Gegner. Aber es verletzte sie, dass er meinte, Coop würde in ihr nur eine Möglichkeit sehen, an Geld zu kommen. Alex war fest davon überzeugt, dass Coop sie liebte. Dass er außerdem noch Schulden hatte, war einfach Pech.

»Genau das. Ich halte es für absolut denkbar, dass seine Beweggründe nicht ganz so edel sind, wie du es dir wünschst, und dass er dich ausnutzt. Möglicherweise ist ihm das selbst nicht klar. Dieser Mann ist in einer schrecklichen Lage. Verzweiflung ist nie eine gute Basis. Sie könnte ihn dazu bringen zu glauben, dass er dich wirklich heiraten will. Abgesehen davon ist er viel zu alt für dich. Du scheinst nicht die geringste Ahnung zu haben, auf was du dich da einlässt. Bis deine Mutter dich bei der Oscar-Verleihung im Fernsehen gesehen hat, wusste ich nicht einmal, dass du dich mit diesem Mann triffst. Deine Mutter und ich waren entsetzt. Offenbar hatte er einmal eine Beziehung zu einer Frau, die deine Mutter vor vielen Jahren kannte. Er hat sich nie wirklich etwas zuschulden kommen lassen, aber er schrammt immer dicht dran vorbei. Und ich nehme an, dass du von dem unehelichen Kind mit diesem Pornostar weißt. Aber das ist nur das Tüpfelchen auf dem i.«

»So etwas kann jedem passieren«, erwiderte Alex ruhig. Sie hasste ihren Vater für jedes einzelne Wort, das er gerade gesagt hatte, wovon ihre Miene jedoch nicht das Geringste verriet.

»Verantwortungsbewussten Männern nicht. Cooper Winslow ist ein Playboy, Alex, und führt seit Jahren ein hemmungsloses und verschwenderisches Leben. Er hat nicht einen Cent auf die Seite gelegt. Und sein Schuldenberg beläuft sich derzeit auf knapp zwei Millionen Dollar, ganz zu schweigen von den Hypotheken, die auf dem Haus lasten.«

»Wenn er nur eine große Rolle in einem Film bekommt, kann er seine Schulden bezahlen«, verteidigte sie ihn tapfer. Sie liebte Coop, ganz gleich, was ihr Vater von ihm hielt.

»Das Problem ist nur, dass er keine Rolle mehr bekommt. Er ist zu alt. Und selbst wenn er unerwartet zu Geld kommen sollte – was unwahrscheinlich ist –, wird er es sofort ausgeben. Das hat er immer getan. Und mit so jemandem möchtest du verheiratet sein? Ein Mann, der mit dem Geld um sich wirft und jeden Cent, den er verdient, sofort ausgibt? Und dein Vermögen möglicherweise auch noch? Was glaubst du wohl, warum er hinter dir her ist? Unmöglich, dass er nicht weiß, wer du bist.«
»Natürlich weiß er das. Ich habe ihm noch keinen einzigen Cent gegeben, und er hat mich auch nicht darum gebeten. Dafür ist er viel zu stolz.«
»Alles leeres Geschwätz! Er kann es sich ja gar nicht leisten, sich selbst, geschweige denn dich zu unterhalten. Und was ist mit dieser Frau, die ein Kind von ihm erwartet? Was will er in dieser Sache unternehmen?«
»Sie unterstützen, wenn er muss«, entgegnete sie sachlich.
»Bisher steht noch nicht einmal fest, dass dieses Kind von ihm ist. Im Juli muss diese Frau einen DNA-Test machen lassen.«
»Sie würde ihn ja wohl kaum bezichtigen, wenn es nicht sein Kind wäre.«
»Vielleicht doch. Es ist mir aber auch egal. Das Ganze ist zwar sehr unerfreulich, bedeutet aber nicht das Ende der Welt. Solche Dinge passieren eben. Für mich ist viel wichtiger, ob er liebevoll mit mir umgeht, und das tut er.«
»Warum sollte er auch nicht? Du bist reich und ledig, ganz davon abgesehen, dass du ein sehr hübsches Mädchen bist. Aber offen gesagt, wenn dein Nachname nicht Madison lautete, würde er dir wahrscheinlich nicht einmal die Uhrzeit sagen.«

»Das glaube ich nicht einen Moment lang.« Alex sah ihrem Vater fest in die Augen. »Aber das werden wir wohl nie erfahren, nicht wahr, Dad? Ich bin nun mal, wer ich bin, und ich suche mir die Männer nicht nach der Größe ihres Vermögens aus. Er stammt aus einer angesehenen Familie und ist ein guter Mensch. Und manche Leute haben nun einmal eben weniger Geld als andere – so ist das Leben. Und es interessiert mich nicht im Geringsten.«

»Ist er ehrlich zu dir, Alex? Hat er dir je gesagt, dass er hoch verschuldet ist?« Ihr Vater beharrte auf seiner Meinung und versuchte, ihre Gefühle für Coop ins Wanken zu bringen, aber das war ihr gleichgültig. Sie musste nicht zuerst Coops Kontoauszug sehen, um zu wissen, was für ein Mensch er war, mit all seinen guten Eigenschaften, aber auch Fehlern. Und sie liebte ihn, so wie er war. Wirklich beunruhigend fand sie nur, dass er keine Kinder wollte.

»Ich sagte dir bereits, dass wir nicht über unsere Finanzen sprechen, weder über seine noch über meine.«

»Dieser Mann ist vierzig Jahre älter als du. Wenn du ihn heiratest, wirst du als seine Pflegerin enden.«

»Dieses Risiko werde ich vielleicht in Kauf nehmen müssen. Es gibt Schlimmeres.«

»Das sagst du jetzt. Wenn du vierzig bist, ist er achtzig, doppelt so alt wie du. Das ist einfach grotesk, Alex. Sei vernünftig – und klug. Dieser Mann ist hinter deinem Portemonnaie her und nicht hinter deinem Herzen.«

»Was du da sagst, ist abscheulich«, erwiderte sie hitzig.

»Kann man ihm einen Vorwurf machen? Vielleicht versucht er nur, sich ans rettende Ufer zu bringen. Du bist seine einzige Chance – quasi seine Altersversorgung –, andere Möglichkeiten hat er nicht mehr. Dieses Mädchen,

das er geschwängert hat, wird ihn wohl kaum unterstützen. Sicher ist es nicht schön, aber leicht durchschaubar. Ich sage dir ja nicht, dass du aufhören sollst, dich mit ihm zu treffen – falls er dir tatsächlich etwas bedeutet. Aber sei um Himmels willen vorsichtig und heirate ihn nicht. Und solltest du doch dumm genug sein, es zu riskieren, dann versichere ich dir, dass ich alles tun werde, was in meiner Macht steht, um es zu verhindern. Wenn es sein muss, rede ich persönlich mit ihm, um ihm zu sagen, dass er die Finger von dir lassen soll. Er macht sich mit mir einen mächtigen Feind.«
»Ich wusste, dass ich auf dich zählen kann, Dad.« Alex lächelte müde. Selbst wenn es gut gemeint war, warum musste ihr Vater auf diese hässliche, schmerzhafte Weise mit ihr sprechen? So hatte er sie von jeher behandelt, immer ging es ihm nur um Macht und Kontrolle. Als Carter sie damals wenige Stunden vor der Hochzeit verlassen hatte, hatte Dad ihr sogar vorgeworfen, sie hätte ihren Verlobten nicht richtig behandelt, da er ihr das sonst nie angetan hätte. Immer gab er ihr die Schuld. Obwohl ihr zu Ohren gekommen war, dass die Begeisterung ihres Vaters für Carter beträchtlich nachgelassen hatte. Der hatte nämlich große Teile des Vermögens ihrer Schwester durch Spekulationen am Aktienmarkt verloren. Der Cleverste schien er nicht zu sein.
»Ich weiß, dass du es lieblos findest, wenn ich solche Dinge sage. Aber ich mache mir Sorgen um dich. Und als ich mich genauer über diesen Mann informierte, war ich entsetzt, was dabei zutage kam. Er mag ja gut aussehen und Charme haben, und sicher ist es amüsant, mit ihm zusammen zu sein – alles Dinge, die auf jemanden in deinem

Alter faszinierend wirken. Aber dieser Mann wird dich langfristig nicht glücklich machen, schon gar nicht als Ehemann. Er will seinen Spaß und wechselt die Frauen wie andere Leute die Kleidung. Das ist alles andere als seriös, Alex. Und sicher nicht das, was ich mir für dich wünsche. Ich möchte nicht mit ansehen müssen, wie du um den Verstand gebracht und dann abserviert wirst. Oder schlimmer noch, dass er dich heiratet, damit du ihm aus seiner finanziellen Klemme helfen kannst. Mag ja sein, dass ich mich täusche, aber ich glaube es ehrlich gesagt nicht«, schloss ihr Vater. Seine Worte schreckten Alex jedoch nicht ab, sondern trieben sie im Gegenteil erst recht in Coops Arme. Und dass er so hoch verschuldet war, weckte nur ihr Mitgefühl.
Zum Glück meldete sich in diesem Augenblick ihr Pieper. Es handelte sich zwar nicht um einen Notfall, aber Alex benutzte es trotzdem als Ausrede, um das Gespräch mit ihrem Vater zu beenden. Sie hatten beide keinen Bissen gegessen. Es war ihm wichtiger gewesen, ihr ins Gewissen zu reden, das sah er als seine Verpflichtung an. Er hatte auch mit ihrer Mutter darüber gesprochen, aber wie immer wollte sie nichts mit der Sache zu tun haben. Allerdings hatte sie ihn darin bestärkt, mit Alex zu reden. Irgendeiner musste es tun. Und er war ja immer dazu bereit, die Drecksarbeit zu übernehmen. Dieses Treffen war für sie beide kein Zuckerschlecken gewesen.
»Ich muss zurück an meine Arbeit«, sagte Alex und stand auf.
»Du solltest dich bemühen, nicht mit ihm in der Presse in Erscheinung zu treten, Alex. Mit ihm in Verbindung gebracht zu werden ist nicht gerade förderlich für deinen

Ruf. Jeder Mitgiftjäger auf diesem Erdboden wird dann hinter dir her sein.« Was sie bisher, dank ihrer eigenen Bemühungen und der Art, wie sie lebte, zu verhindern gewusst hatte. Ihre Kollegen im Krankenhaus hatten nicht die geringste Ahnung, wer sie war, viel wichtiger noch: wer ihr Vater war. »Nachdem Winslow mit dir fertig ist, werden sie von dir angezogen werden wie ein Hai vom Blutgeruch im Wasser.« Noch so ein netter Vergleich. Sie wusste, dass ihr Vater sich Sorgen machte, aber wie er sie zum Ausdruck brachte, war einfach abscheulich. Außerdem fand sie es erbärmlich, wie er über die Welt dachte – misstrauisch gegenüber jedem und immer mit dem Schlimmsten rechnend. Es war für ihn einfach unvorstellbar, dass Coop, welchen Ruf oder wie viele Schulden er auch hatte, sie wirklich liebte. Sie war jedenfalls fest davon überzeugt. »Kommst du diesen Sommer nach Newport?«, fragte er in dem Bemühen, auf ein unverfängliches Thema umzuschwenken. Alex schüttelte den Kopf.

»Ich kann keinen Urlaub nehmen«, erwiderte sie. Aber selbst wenn sie gekonnt hätte, würde sie lieber die ganze Zeit in Los Angeles bleiben. Sie hatte nicht das geringste Bedürfnis, ihre Mutter zu sehen oder ihre Schwester und Carter noch ihren Vater oder irgendeinen von deren Freunden. Ihre Rückfahrkarte in diese Welt hatte sie längst weggeworfen. Sie lebte in Kalifornien, zusammen mit Coop.

»Melde dich mal«, sagte ihr Vater steif und küsste sie zum Abschied flüchtig auf die Wange.

»Mach ich. Grüß Mom von mir.« Ihre Mutter kam nie, um Alex zu sehen, dabei reiste sie ständig durch die ganze Welt, um Leute zu besuchen. Aber sie erwartete von ihrer

Tochter, zu ihr nach Palm Beach zu kommen. Dabei hatten sie keinerlei Gemeinsamkeiten, und ihre Mutter wusste nie, was sie zu ihr sagen sollte, und rief deshalb auch selten an. Für sie war ihre älteste Tochter ein Sonderling, und sie hatte nie verstanden, was der Sinn einer Karriere als Ärztin sein sollte. In ihren Augen hätte Alex zu Hause bleiben und einen netten Jungen aus Palm Beach heiraten sollen. Wenn auch nichts aus der Sache mit Carter geworden war, es gab genügend andere Männer dieser Art – was im Übrigen genau der Grund gewesen war, warum Alex von dort wegging. Sie wollte keinen Mann wie ihn. Und trotz allem, was ihr Vater gesagt hatte, war sie im Moment sehr glücklich mit Coop.

Ihr Vater begleitete sie zum Aufzug. Nachdem sich die Tür hinter ihr geschlossen hatte, drehte er sich um und ging. Alex schloss die Augen, während sie nach oben fuhr. Sie fühlte sich wie betäubt – wie immer, wenn sie mit ihrem Vater gesprochen hatte.

## 17. Kapitel

Während Alex sich mit ihrem Vater traf, entspannte sich Coop unter einem Baum neben dem Pool. Er achtete immer sorgfältig darauf, die Sonne zu meiden, um seine Haut zu schützen. Das war Bestandteil des Geheimnisses, warum er scheinbar nicht alterte. Coop genoss die friedliche Stille an Wochentagen, wenn niemand außer ihm da war. Seine Mieter waren arbeiten und Marks missratene Kinder in der Schule. Mit nachdenklicher Miene lag Coop auf einer Liege und fragte sich, was Alex' Vater ihr wohl zu sagen hatte. Bei diesem Gespräch ging es sicher auch um ihn, und ihr Vater war bestimmt nicht begeistert über den neuen Mann in Alex' Leben. Coop konnte nur hoffen, dass der alte Herr Alex nicht zu sehr aufregte. Allerdings musste Coop zugeben, dass die Sorge ihres Vaters berechtigt war, denn wenn er Nachforschungen angestellt hätte, wüsste er bereits, dass Coop mehr als knapp bei Kasse war.
Zum ersten Mal in seinem Leben war es Coop nicht gleichgültig, was ein anderer über ihn dachte. Er hatte sich bisher gewissenhaft und untadelig gegenüber Alex verhalten. Sie war ein so anständiger Mensch, dass es schwerfiel, sie als Lösung seiner finanziellen Probleme zu betrachten, obwohl er schon einmal daran gedacht hatte. Abgesehen davon beschlich ihn zunehmend der Verdacht, dass er sie tatsächlich liebte, was auch immer das bei ihm heißen

mochte. Im Laufe der Jahre hatte sich dieses Gefühl unterschiedlich geäußert, doch was Alex betraf, bedeutete es, sich wohl und entspannt zu fühlen und sich nicht mit Beziehungsproblemen herumzuschlagen. Es gab so viele schwierige Frauen, Mädchen wie Charlene zum Beispiel. Mit einer Frau wie Alex zusammen zu sein, war wesentlich angenehmer. Sie war unbeschwert, nett und witzig, und sie verlangte nichts von ihm. Dass sie so unabhängig war, gefiel ihm und gab ihm die beruhigende Gewissheit, dass sie ihn auffangen würde, wenn sein finanzielles Kartenhaus endgültig zusammenbräche. Ihr Vermögen war für ihn wie eine Versicherung – nur für den Fall.
Aber eine Sache gefiel ihm überhaupt nicht: Alex war jung genug, um Kinder zu bekommen, und würde es sicher auch eines Tages wollen. Das war wirklich schade und der einzige Haken an ihrer Beziehung. Aber man konnte eben nicht alles haben. Und dass sie die Tochter von Arthur Madison war, sollte ihn dafür vielleicht genug entschädigen. Bisher hatte sie ihn wegen ihres Kinderwunsches nicht unter Druck gesetzt, auch das gefiel ihm an ihr. Mit ihr zusammen zu sein war gänzlich stressfrei. Es gab wirklich viel, das er an ihr mochte, fast zu viel.
Immer noch in Gedanken an Alex vertieft, ging er ins Haus zurück, wo er beinahe mit Paloma zusammenstieß. Sie wischte Staub und aß gleichzeitig ein Sandwich, aus dem Mayonnaise auf den Teppich tropfte.
»'tschuldigung«, sagte sie, als Coop sie darauf aufmerksam machte, und verschmierte den Fleck auch noch, indem sie mit ihren Turnschuhen im Leopardenlook darauf trat.
Coop hatte es aufgegeben, ihr etwas beizubringen oder sie

zu erziehen. Sie beide versuchten einfach nur, nebeneinanderher zu leben, ohne sich gegenseitig an die Gurgel zu gehen. Vor ein paar Wochen hatte er herausgefunden, dass Paloma nebenbei für die Friedmans arbeitete, aber solange sie ihren Job bei ihm deshalb nicht vernachlässigte, war es ihm gleichgültig. Es war keinen Streit wert. Bei diesem Gedanken stellte Coop fest, dass er offenbar nachgiebiger wurde, und er fragte sich, ob das an Alex' Einfluss auf ihn lag. An diesem Nachmittag setzten die Glaser im Wohnzimmer eine neue Fensterscheibe ein. Verdaut hatte Coop den Zwischenfall mit dem Baseball noch nicht. Falls er eines Tages mit Alex Kinder haben sollte, dann hoffentlich keine Jungs. Allein der Gedanke machte ihn krank, ebenso wie der an diese verdammte Charlene. Wenigstens war in dieser Woche nichts über sie in den Boulevardblättern berichtet worden.

Coop holte sich einen Eistee. Er hatte Paloma gezeigt, wie man ihn zubereitete, und sie hatte einen Krug voll in den Kühlschrank gestellt. Als er sich gerade ein Glas einschenkte, klingelte das Telefon. Er hob ab, weil er annahm, dass es vielleicht Alex sei, aber die Stimme am anderen Ende sagte ihm nichts. Eine Frau namens Taryn Dougherty meldete sich, die sich gern mit ihm treffen wollte.

»Sind Sie Produzentin?«, fragte er und hielt immer noch das Glas in der Hand. Seit dem Zwischenfall mit Charlene hatte er nur nachlässig die Werbetrommel in eigener Sache gerührt. Er hatte momentan andere Sachen im Kopf.

»Nein, ich bin Designerin. Aber das hat nichts mit dem Grund meines Anrufs zu tun. Ich möchte etwas mit Ihnen besprechen.« Vielleicht war sie Journalistin. Coop bedauerte bereits, an den Apparat gegangen zu sein. Leider hatte er sich bereits zu erkennen gegeben, es war also zu spät, um zu behaupten, er sei der Butler und Mr. Winslow sei ausgegangen. Auf diesen Trick griff Coop manchmal zurück, seit Livermore nicht mehr da war.

»In welcher Angelegenheit?«, fragte er ablehnend. In letzter Zeit traute er niemandem mehr. Alle schienen etwas von ihm zu wollen – Charlene vorneweg.

»Etwas Persönliches. Ich habe einen Brief, den eine sehr alte Freundin von Ihnen geschrieben hat.« Das klang ziemlich geheimnisvoll, und Coop befürchtete, dass das Ganze womöglich irgendein Trick war, den Charlene angezettelt haben könnte. Aber die Frau am Telefon wirkte sympathisch.

»Wer soll das sein?«

»Jane Axman. Ich bin nicht sicher, ob Sie sich an den Namen erinnern.«

»Nein. Sind Sie ihre Anwältin?« Wenn es kein Trick war, dann schuldete er dieser Frau vielleicht Geld. Anrufe dieser Art erhielt er zuhauf, und er verwies die Leute dann immer an Abe. Früher hatte Liz solche Anrufe abgefangen, jetzt musste er sich selbst darum kümmern.

»Nein, ich bin ihre Tochter.« Die Frau schien nicht bereit, am Telefon mehr zu sagen, beharrte jedoch darauf, dass es wichtig sei und nicht viel Zeit in Anspruch nehmen würde. Mittlerweile war Coops Neugierde geweckt, und es hätte ihn gelockt, sich mit der Anruferin im *Beverly Hills Hotel* zu treffen. Aber andererseits war er zu faul auszugehen und wartete außerdem darauf, dass Alex sich nach dem Treffen mit ihrem Vater meldete. Bisher hatte sie noch nicht angerufen, und Coop machte sich allmählich Sorgen, dass sie ziemlich durcheinander sein könnte. Auf

keinen Fall wollte er ihren Anruf auf dem Handy entgegennehmen, während er mitten in einem Restaurant saß.
»Wo sind Sie jetzt?«, fragte Coop.
»Im *Hotel Bel-Air.* Ich bin gerade erst aus New York angekommen.« Wenigstens wohnte sie in einem guten Hotel. Das besagte zwar nicht viel, aber immerhin.
»Ich wohne gar nicht weit von da. Warum kommen Sie nicht einfach kurz her?«
»Vielen Dank, Mr. Winslow«, erwiderte sie höflich. »Ich werde auch wirklich nicht viel Ihrer Zeit in Anspruch nehmen.« Sie wollte ihn einfach nur sehen. Ein einziges Mal. Und ihm den Brief ihrer Mutter zeigen – es war ein Stück Geschichte, das sie miteinander verband.
Zehn Minuten später war sie bereits am Tor, und Coop drückte auf den Öffner im Haus. Minuten später fuhr ein Mietwagen vor, aus dem eine große, schlanke, attraktive Blondine etwa Ende dreißig stieg. Offenbar hatte sie Stil, den sie war äußerst geschmackvoll gekleidet. Irgendetwas an ihr kam Coop sonderbar vertraut vor, aber er hätte nicht sagen können, was es war. Er glaubte nicht, sie schon einmal gesehen zu haben. Als sie auf ihn zukam, lächelte sie und reichte ihm die Hand.
»Vielen Dank, dass Sie mich empfangen. Tut mir leid, dass ich Sie so überfalle. Ich habe lange überlegt, ob ich Ihnen schreiben soll, aber dann habe ich beschlossen, dass ich Sie anrufe.«
»Was führt Sie nach Kalifornien?«, fragte er, während er sie in die Bibliothek führte. Er bot ihr ein Glas Wein an, was sie jedoch dankend ablehnte. Stattdessen bat sie um einen Schluck Wasser. Es war ziemlich heiß an diesem Tag.
»Ich bin noch nicht sicher, was meine Pläne angeht. Ich

hatte in New York eine Designfirma, die ich gerade erst verkauft habe. Ich wollte immer Filmkostüme entwerfen, aber das ist wahrscheinlich nur so ein verrückter Traum. Ich dachte, ich sehe mich hier einfach mal um.«
»Das klingt so, als wären sie nicht verheiratet«, sagte er und reichte ihr ein Baccarat-Glas mit Wasser. Paloma benutzte ein solches Glas zum Blumengießen.
»Geschieden. Ich wurde geschieden, habe mein Geschäft verkauft, und meine Mutter starb – alles innerhalb weniger Monate. Es war eine dieser seltenen Situationen, in denen man plötzlich keinerlei Verpflichtungen mehr hat und tun kann, was man will. Ich bin noch nicht sicher, ob mir das gefällt oder eher schreckliche Angst macht«, sagte sie lächelnd. Sie wirkte auf ihn jedoch nicht wie ein ängstlicher Typ, sondern selbstbewusst und couragiert.
»Was steht denn nun in diesem Brief? Hat mir jemand Geld hinterlassen?«, fragte er lachend, und sie lächelte zurück.
»Ich fürchte nein.« Wortlos reichte sie ihm den Brief von dieser Frau, an die er sich nicht mehr erinnerte. Es war ein sehr langer Brief, und während Coop ihn las, schaute er immer wieder kurz auf. Nachdem er geendet hatte, saß er einen Moment lang einfach nur da und betrachtete sein Gegenüber. Er wusste nicht, was er sagen sollte oder was diese Taryn Dougherty von ihm wollte. Mit ernster Miene gab er ihr den Brief zurück. Noch ein Erpressungsversuch wäre zu viel des Guten gewesen, der eine reichte ihm vollauf.
»Was wollen Sie von mir?«, fragte er ganz direkt. Sie war enttäuscht, denn sie hatte sich eine herzlichere Reaktion erhofft.
»Nichts. Ich wollte Sie ein einziges Mal treffen und hatte

gehofft, dass Sie mich auch gern sehen würden. Mir ist klar, dass es für Sie ein Schock sein muss, das war es für mich auch. Meine Mutter hat mir nie etwas gesagt. Sie hat es so eingerichtet, dass ich diesen Brief erst nach ihrem Tod fand. Mein Vater starb vor vielen Jahren. Ich kann nicht sagen, ob er es gewusst hat.«

»Hoffentlich nicht«, erwiderte Coop mit ernster Stimme. Er stand noch unter Schock, aber ihre Antwort erleichterte ihn. Sie machte einen ehrlichen Eindruck, und er glaubte ihr, dass sie nichts weiter von ihm wolle.

»Ich glaube, er hätte damit umgehen können. Er war ein sehr netter Mann und mir immer ein guter Vater. Wenn er es tatsächlich wusste, dann ließ er es weder meine Mutter noch mich spüren. Er hatte keine anderen Kinder und vermachte mir den Großteil seines Geldes.«

»Sie können sich glücklich schätzen«, sagte Coop und musterte sie sehr genau. Plötzlich verstand er, warum sie ihm so vertraut vorkam – sie sah ihm ähnlich. Und das aus gutem Grund. In dem Brief stand nämlich, dass ihre Mutter vierzig Jahre zuvor eine kurze Affäre mit Coop gehabt hatte. Sie hatten damals gemeinsam in London auf der Bühne gestanden. Nachdem das Gastspiel beendet und sie wieder nach Chicago zurückgekehrt war, stellte sie fest, dass sie schwanger war. Sie entschied sich, Coop nichts davon zu erzählen. Wie sie es ausdrückte, kannten sie einander kaum, und sie wollte sich ihm nicht aufdrängen. So zu denken, wenn man ein Kind von Cooper Winslow erwartete, war sicher ungewöhnlich – insbesondere da sie dieses Kind bekommen wollte. Sie heiratete jemand anderen, bekam eine Tochter und ließ diese in dem Glauben aufwachsen, bei ihrem leiblichen Vater zu sein. Erst der

Brief, den sie hinterließ, brachte die Wahrheit ans Licht. Und jetzt saßen sie hier und betrachteten einander neugierig. Der Mann, der nie Kinder haben wollte, hatte plötzlich zwei. Aber Taryn war kein Kind, sondern eine erwachsene Frau, die einen ansprechenden und intelligenten Eindruck auf ihn machte, vermögend war und ihm sehr ähnlich sah. »Wie hat Ihre Mutter ausgesehen? Haben Sie vielleicht ein Foto dabei?« Er war gespannt, ob er sich an sie erinnern könnte.

»Ich habe sicherheitshalber eins eingesteckt. Es stammt ungefähr aus der Zeit, als Sie ihr begegneten.« Sie zog das Bild vorsichtig aus ihrer Handtasche und reichte es ihm. Als Coop es sich ansah, klingelte irgendetwas in seinem Kopf. Diese Frau hatte zwar keinen dauerhaften Eindruck bei ihm hinterlassen, aber er meinte, sich an sie zu erinnern. Sie war damals eigentlich nur die Zweitbesetzung gewesen, aber die ursprünglich vorgesehene Schauspielerin war ständig betrunken. Coop erinnerte sich noch daran, wie er gemeinsam mit Taryns Mutter aufgetreten war. Es war eine ziemlich wilde Zeit gewesen, und Coop hatte selbst viel getrunken. Und seither hatte es eine Menge Frauen gegeben. Als Taryn gezeugt wurde, war er gerade einmal dreißig gewesen.

»Was für eine ungewöhnliche Geschichte«, sagte er und reichte ihr das Foto zurück. Er sah seine Tochter lange an. Sie war sehr attraktiv, von klassischer Schönheit und für eine Frau recht groß. Er schätzte sie auf knapp 1,80 Meter. Er selbst war 1,95 und meinte sich zu erinnern, dass ihre Mutter auch relativ groß gewesen war. »Ich weiß nicht, was ich sagen soll.«

»Das ist schon in Ordnung«, erwiderte Taryn Dougherty

freundlich. »Ich wollte Sie einfach nur einmal sehen. Ich hatte eine schöne Kindheit, einen wunderbaren Vater und eine liebevolle Mutter. Ich mache Ihnen keinen Vorwurf – Sie wussten ja gar nichts davon. Meine Mutter hat lange Jahre alles für sich behalten, aber auch ihr werfe ich deshalb nichts vor. Ich bedaure nichts.«
»Haben Sie Kinder?«, fragte er ängstlich. Herauszufinden, dass er eine erwachsene Tochter hatte, war ein ziemlicher Schock, jetzt obendrein zu erfahren, dass er bereits Großvater war, hätte er kaum ertragen.
»Nein. Mir war die Arbeit immer wichtiger. Es mag befremdlich klingen, aber eigentlich wollte ich nie welche.«
»Das muss Ihnen nicht unangenehm sein. So etwas ist wohl genetisch bedingt.« Er grinste verschmitzt. »Ich wollte auch nie Kinder. Sie sind immer nur laut und machen viel Dreck.« Sie musste lachen. Coop war ihr sympathisch, und sie verstand, warum ihre Mutter sich damals in ihn verliebt hatte. Er war äußerst charmant und unterhaltsam, ein Gentleman der alten Schule. So jung wie er auf sie wirkte, war es kaum vorstellbar, dass er der gleiche Jahrgang wie ihre Mutter war. Aber ihre Mutter war auch viele Jahre lang krank gewesen. »Werden Sie noch eine Weile in Los Angeles bleiben?«, fragte er interessiert. Er mochte sie und fühlte sich ihr auf eine bislang unbekannte Weise verbunden.
»Ich denke schon.« Sie war immer noch unsicher, was sie jetzt mit ihrem Leben anfangen sollte. Aber dieses Treffen mit Coop hatte eine Last von ihr genommen, die von dem Tag an auf ihr ruhte, seit sie den Brief ihrer Mutter gelesen hatte. Jetzt fühlte sie sich befreit und konnte ihr Leben weiterleben, ob sie mit ihm in Kontakt blieb oder nicht.

»Kann ich Sie im *Bel Air* erreichen? Es könnte nett sein, sich noch einmal zu treffen. Vielleicht hätten Sie ja auch Lust, irgendwann zum Abendessen herzukommen.«

»Das wäre sehr schön«, sagte sie und stand auf. Sie hatte sich vorgenommen, dass dieses Treffen nur eine halbe Stunde dauern sollte, und versuchte auch nicht, es in die Länge zu ziehen. Sie hatte getan, weswegen sie hergekommen war, und jetzt würde sie in ihr eigenes Leben zurückkehren. An der Tür wandte sie sich ihm noch einmal mit einem ernsten Blick zu. »Falls Sie sich Sorgen machen, möchte ich Ihnen versichern, dass ich nicht vorhabe, mich an die Presse zu wenden. Diese Sache geht nur uns beide etwas an.«

»Vielen Dank«, sagte er gerührt. Seine Tochter hatte wirklich nichts anderes gewollt, als ihn nur ein einziges Mal zu sehen. »Es ist wahrscheinlich verrückt, so etwas zu sagen, aber Sie waren bestimmt ein niedliches kleines Mädchen. Ihre Mutter muss ein sehr anständiger Mensch gewesen sein.« Er fragte sich, ob sie einander damals etwas bedeutet hatten. Schwer zu sagen. Aber er mochte seine Tochter, ihre gemeinsame Tochter. »Tut mir leid, dass sie nicht mehr lebt.« Es war ein seltsames Gefühl, dass er die ganze Zeit über, während der er sein Leben lebte, irgendwo da draußen immer eine Tochter gehabt hatte.

»Danke. Ich bedaure es auch. Ich habe sie sehr geliebt.« Zum Abschied küsste er sie auf die Wange. Sie drehte sich zu ihm und lächelte ihn an. Es war das gleiche Lächeln, das er jeden Tag im Spiegel sah, und diese Erkenntnis war ihm ein bisschen unheimlich. Die Ähnlichkeit zwischen ihnen beiden war unübersehbar, das musste auch für ihre Mutter sehr sonderbar gewesen sein.

Den Rest des Tages war Coop ziemlich schweigsam, denn ihm ging vieles durch den Kopf. Als Alex um sieben kam, wirkte er immer noch sehr nachdenklich, und sie fragte ihn, ob alles in Ordnung sei. Er bejahte und erkundigte sich nach dem Treffen mit ihrem Vater, aber sie erzählte nichts, außer dass es »wie üblich« gewesen sei.
»War er gemein zu dir?«, fragte Coop deutlich besorgt.
Sie zuckte mit den Schultern.
»Er kann nicht aus seiner Haut. Wenn man mich nach meiner Meinung gefragt hätte, wäre er sicher nicht der Vater meiner Wahl gewesen, aber er ist es nun mal«, sagte sie und schenkte sich ein Glas Wein ein.
Es war für sie beide ein langer Tag gewesen. Bis zum Abendessen erwähnte Coop Taryn mit keinem Wort. Paloma hatte Hühnchen zubereitet, und Alex machte dazu Pasta und Salat. Während sie aßen, blickte Coop plötzlich mit ernstem Gesichtsausdruck von seinem Teller hoch.
»Ich habe eine Tochter«, sagte er geheimnisvoll.
Alex blickte ihn erstaunt an. »Das kann sie noch gar nicht wissen, es ist viel zu früh. Sie lügt, Coop. Sie will dich nur weichkochen«, sagte sie ärgerlich, weil sie das für einen neuen Trick Charlenes hielt.
»Ich rede nicht von Charlene.« Er wirkte beinahe wie in Trance. Den ganzen Nachmittag lang hatte er über Taryn nachgedacht, das Treffen mit ihr hatte ziemliche Spuren bei ihm hinterlassen.
»Bekommt noch jemand ein Kind von dir?«, fragte Alex entsetzt.
»Offenbar hat jemand eines bekommen. Vor neunundreißig Jahren.« Er erzählte ihr die ganze Geschichte, und Alex konnte ihm ansehen, wie sehr sie ihn bewegte.

»Was für eine erstaunliche Geschichte«, sagte sie, und in ihrer Stimme schwang Ehrfurcht mit. »Wie hat ihre Mutter es geschafft, dieses Geheimnis all die Jahre zu hüten? Und wie ist sie so, deine Tochter?«, fuhr sie fasziniert fort.
»Nett. Ich mag sie. Sie sieht mir ziemlich ähnlich, denke ich. Natürlich ist sie hübscher«, fügte er galant hinzu. »Sie ist sehr ...« – er suchte nach dem richtigen Wort – »würdevoll ... aufrichtig ... etwas in der Art. Irgendwie erinnert sie mich an dich. Sie ist sehr geradlinig und offen. Sie wollte nichts von mir, sondern mich einfach nur sehen. Ein einziges Mal, sagte sie. Sie hat mir sogar von sich aus versichert, dass sie nicht an die Presse gehen würde.«
»Du könntest sie einladen, noch einmal herzukommen«, schlug Alex vor. Sie konnte ihm ansehen, dass er das gern wollte.
»Ich denke, das werde ich tatsächlich tun.«

Stattdessen traf er sich am nächsten Tag mit Taryn zum Mittagessen im *Bel Air*. Sie erzählten sich alles Mögliche über sich und waren erstaunt, wie ähnlich sie sich in vielerlei Hinsicht waren – bis hin zu Lieblingseiscreme, Lieblingsdessert oder welche Bücher sie mochten und welche nicht. Es war geradezu unheimlich, wie prägend die Gene offenbar waren. Gegen Ende des Mittagessens hatte Coop plötzlich eine verrückte Idee.
»Hättest du Lust, auf dem Anwesen zu wohnen, solange du in Los Angeles bist?« Es war sein voller Ernst, denn er wollte mehr Zeit mit seiner Tochter verbringen. Sie kam ihm vor wie ein unverhofftes Geschenk, das ihm das Leben gemacht hatte. Er wollte sie in seiner Nähe haben, wenigs-

tens für ein paar Tage, vielleicht sogar Wochen. Taryn gefiel die Idee.
»Ich möchte mich aber nicht aufdrängen«, sagte sie zögernd. Coop sah jedoch, dass sie sich freute.
»Tust du nicht.« Jetzt bedauerte er, den Gästeflügel und das Pförtnerhaus vermietet zu haben. Es wäre nett gewesen, sie dort unterzubringen. Aber es gab im Haupthaus noch eine riesige Gästesuite, und er war sicher, dass Alex nichts dagegen haben würde. Er hatte Taryn von ihr erzählt, und sie meinte, Alex müsse eine wunderbare Frau sein, was Coop bestätigte.
Taryn versprach, am nächsten Tag bei ihm einzuziehen, und Coop erzählte Alex abends von ihrem Plan. Sie freute sich sehr für Coop und war aufgeregt bei dem Gedanken, Taryn kennenzulernen. Im Übrigen hatte sie beschlossen, Coop nichts über das Gespräch mit ihrem Vater zu erzählen. Im Nachhinein betrachtet, hatte dieser es sicher gut gemeint, aber es würde Coop verletzen zu erfahren, wie ihr Vater ihn einschätzte. Er verstand einfach nicht, wie Coop wirklich war.

*18. Kapitel*

Taryn zog mit wenig Gepäck und noch weniger Aufhebens ein. Sie war taktvoll, höflich und unkompliziert und achtete tunlichst darauf, sich Coop nicht aufzudrängen. Alex und sie verstanden sich vom ersten Moment an. Sie waren beide unabhängige, starke Frauen und zudem ihren Mitmenschen gegenüber aufgeschlossen. Alex sah, wie ähnlich Coop und Taryn sich waren, und das nicht nur äußerlich: Sie strahlten die gleiche aristokratische Würde aus. In zwei Punkten waren sie jedoch völlig unterschiedlich: Taryn reiste mit wenig Gepäck und war solvent. Ansonsten glichen sie sich, wie Vater und Tochter sich nur gleichen konnten, und Coop war glücklich, sie um sich zu haben.
Sie verbrachten die Tage damit, einander besser kennenzulernen, sich gegenseitig aus ihrem bisherigen Leben zu erzählen und ihre Meinungen über alle Themen auszutauschen, die ihnen in den Sinn kamen. Es gab Unterschiede und Ähnlichkeiten, die sie beide faszinierten. Nachdem sie einander schon besser kannten, fragte sie ihn einmal, wie ernst die Sache mit Alex sei, und er antwortete, dass er es nicht wisse. Das war das Ehrlichste, was er je im Leben gesagt hatte. Selbst in der kurzen Zeit, die Taryn jetzt zu seinem Leben gehörte, brachte sie das Beste in ihm zum Vorschein – mehr noch als Alex. Es war, als wäre sie vom Himmel gesandt worden, um seine Persönlichkeit zu ver-

vollständigen. Umgekehrt gab aber auch er seiner Tochter etwas, und da sie nun einmal von ihm wusste, wollte sie ihn möglichst gut kennenlernen. Er gefiel ihr, obwohl sie keineswegs seine Schwächen übersah.
»Was Alex angeht, stecke ich in einem echten Dilemma«, gestand er.
»Weil sie so jung ist?«, fragte Taryn. Sie lagen im Schatten am Pool, während alle anderen arbeiten waren. Taryn hatte die gleiche makellose, alabasterfarbene Haut wie ihr Vater und mied genau wie er die Sonne. Coop hatte ihr erzählt, dass sie diese helle Haut ihren englischen Vorfahren verdankten.
»Nein, daran bin ich gewöhnt, das beunruhigt mich nicht«, antwortete er schmunzelnd. »Sie ist sogar fast schon zu alt für mich.« Taryn wusste, was er meinte – er hatte ihr auch von Charlene erzählt –, und sie mussten beide lachen. »Alex' Vater ist Arthur Madison", fuhr Coop fort. »Du weißt, was das bedeutet. Ich frage mich ständig, was meine wahren Beweggründe sind, mit ihr zusammen zu sein. Schließlich stecke ich bis zum Hals in Schulden.« Seine Ehrlichkeit rührte sie. »Manchmal habe ich Angst, ich könnte nur auf ihr Geld aus sein. Dann wieder bin ich sicher, dass es nicht so ist. Es käme mir einfach so unheimlich gelegen, weißt du? Die Frage ist, würde ich sie auch lieben, wenn sie keinen Cent hätte? Ich weiß es nicht, und solange das nicht geklärt ist, stecke ich fest. Es ist eine verdammte Quälerei, sich ständig diese Frage zu stellen.«
»Vielleicht spielt es gar keine Rolle«, erklärte Taryn ganz pragmatisch.
»Möglicherweise aber doch.« Es war für ihn sehr erleichternd, so offen über seine Beziehung mit Alex sprechen zu

können. Taryn war der einzige Mensch, dem er sich so öffnen konnte. Sie verfolgte ihm gegenüber keine eigennützigen Interessen, und auch er wollte nichts von ihr, weder ihre Liebe noch ihren Körper oder ihr Geld. Er wollte einfach nur, dass sie zu seinem Leben gehörte. Es war die bedingungsloseste Liebe, die er je erfahren hatte, und sie war förmlich über Nacht in sein Leben getreten. Dabei hatte er manchmal das Gefühl, als hätte er immer schon gespürt, dass es Taryn irgendwo da draußen gab und er nur darauf warten musste, dass es geschah. Er brauchte sie, und auf eine sonderbare und unerwartete Weise brauchte sie ihn vielleicht auch. »Sobald sich Sex und Geld vermischen, ist das Chaos perfekt. Aber im Grunde war mein Leben immer chaotisch.« Er liebte es, seine Geheimnisse mit ihr zu teilen, eine Tatsache, die ihn selbst am meisten überraschte.

»Vielleicht hast du recht. Mit meinem Ehemann gab es auch deswegen Probleme. Wir haben zusammen die Firma aufgebaut, und am Ende hat sie uns auseinandergebracht. Für mich war der finanzielle Erfolg zweitrangig, aber er wollte unbedingt immer mehr Geld verdienen. Ich machte die Entwürfe und erntete den Ruhm, darauf war er eifersüchtig. Am Ende versuchte er sogar, bei der Scheidung die Firma zu bekommen. Aber es war einfacher, sie zu verkaufen. Er hatte ein Verhältnis mit meiner Assistentin und zog nach unserer Trennung sofort mit ihr zusammen. Das brach mir fast das Herz.«

»Ich verstehe, was du meinst.« Coop nickte. »Geld und Sex sind immer schwierige Themen in einer Beziehung – und können alles zerstören. Zwischen uns spielt beides keine Rolle, das macht alles so einfach.«

»Wie hoch sind deine Schulden?«, fragte sie mit besorgtem Blick.
»Hoch genug. Und Alex weiß nichts davon. Sie soll nicht denken, ich sei hinter ihrem Geld her.«
»Ist es denn so?«
»Wie gesagt, ich bin nicht sicher«, gab er zu. »Es wäre sicher leichter, von Alex' Vermögen zu leben, als mich krummzuarbeiten bei einem albernen Werbespot nach dem anderen. Aber sie ist so verdammt anständig, ich will ihr Geld nicht – und deines auch nicht«, stellte er klar. Auf keinen Fall wollte er damit ihre Beziehung belasten. »Alles, was ich brauche, ist eine Rolle in einem guten Film, eine Hauptrolle, und schon bin ich wieder auf dem Damm. Aber der Himmel weiß, wann es dazu kommt, und ob überhaupt. Vielleicht ja nie mehr«, fügte er nachdenklich hinzu.
»Und dann?« Seine Worte hatten ein mulmiges Gefühl bei ihr ausgelöst.
»Ach, irgendetwas tut sich immer auf.« Und sonst gab es ja immer noch Alex – aber genau das zu denken schien ihm ja so falsch zu sein. Das war es, was er versucht hatte, Taryn zu erklären. Während sie zurück ins Haus gingen, wies Coop plötzlich auf ihre Füße.
»Stimmt etwas nicht?«, fragte sie. Taryn war gerade erst zur Pediküre gewesen und hatte ihre Nägel rosa lackieren lassen.
»Du hast meine Füße.« Er stellte einen seiner Füße neben ihre, und sie mussten beide lachen. Tatsächlich hatten sie die gleichen schlanken, schönen Füße. Taryn streckte die Hände aus. »Und die gleichen Hände.« Die Ähnlichkeit zwischen ihnen war wirklich nicht zu leugnen, was Coop

aber auch gar nicht vorhatte. Er hatte schon darüber nachgedacht, sie in der Öffentlichkeit als seine Nichte auszugeben, aber je besser er sie kennenlernte, desto größer wurde sein Wunsch, sie als seine Tochter vorzustellen. Er fragte Taryn, was sie davon hielt.
»Klingt gut, aber nur wenn es für dich keine Probleme nach sich zieht.«
»Ich wüsste nicht, welche. Wir können ja sagen, du wärst eben etwas groß geraten für deine vierzehn Jahre.«
»Ich werde niemandem verraten, wie alt ich bin«, lachte sie. Sogar ihr Lachen ähnelte seinem. »Käme mir auch entgegen. In meinem Alter wieder Single zu sein ist eine unangenehme Angelegenheit. Ich bin fast vierzig und stehe plötzlich allein da, nachdem ich seit meinem zweiundzwanzigste Lebensjahr verheiratet war.«
»Wie langweilig!«, stöhnte er. Taryn musste wieder lachen. Es machte Spaß, mit ihm zusammen zu sein, und sie konnte gut mit ihm reden. Seit Tagen verbrachten sie jede freie Minute miteinander, als wollten sie auf einen Schlag all die Jahre nachholen. »Es war höchste Zeit für eine Veränderung. Wir werden hier jemand Neues für dich suchen.«
»Das hat Zeit«, erwiderte sie gelassen. »Dazu bin ich noch nicht bereit. Innerhalb weniger Monate habe ich alles verloren, was mein bisheriges Leben ausmachte – und meinen Vater gefunden. Jetzt muss ich erst einmal auf die Bremse treten und das alles verarbeiten.«
»Was hast du beruflich vor? Wirst du dir hier etwas suchen?« Er entwickelte ihr gegenüber bereits Beschützerinstinkte.
»Keine Ahnung. Ich muss nicht unbedingt arbeiten. Wir haben die Firma zu einem guten Preis verkauft, und Mom

hat mir auch etwas hinterlassen. Mein Vater … mein *anderer* Vater«, ergänzte sie lächelnd, »hat gut für mich gesorgt. Ich kann mir Zeit damit lassen herauszufinden, was ich wirklich will. Vielleicht kann ich dir helfen, deine Angelegenheiten zu bereinigen. Ich bin sehr gut darin, Ordnung in ein Chaos zu bringen.«
»Das musst du von deiner Mutter haben. Ich mache es genau anders herum und verwandele regelmäßig Ordnung in ein Chaos. Aber ich kann damit leben, ein finanzielles Chaos bin ich schließlich gewohnt«, sagte er aufrichtig. »Lass mich einfach wissen, wenn du möchtest, dass ich mir deine finanzielle Situation einmal genauer ansehe.«
»Du könntest mir vielleicht erklären, was mein Steuerberater von mir will, obwohl das eigentlich eindeutig ist. Er hat kein großes Repertoire. Im Grunde sagt er in einem fort, ich solle keine Anschaffungen mehr machen und das Haus verkaufen. Dieser Mann ist unglaublich langweilig und engstirnig.«
»Das haben Steuerberater so an sich«, sagte sie mitfühlend.

Sie verstanden sich auch zu dritt sehr gut. Wenn Alex da war, kochten sie gemeinsam, gingen ins Kino oder führten lange Gespräche. Und Taryn spürte immer, wenn der Moment für sie gekommen war, sich diskret zurückzuziehen. Sie wollte sich keinesfalls zwischen die beiden drängen. Eines Samstagmorgens lagen Taryn und Alex am Pool und sprachen über Alex' Arbeit, als Mark mit seinen Kindern aus dem Gästeflügel kam. Coop saß auf der Terrasse des Haupthauses und las ein Buch. Er hatte sich ein bisschen erkältet und wollte deshalb nicht schwimmen gehen.

Alex stellte Taryn den Friedmans vor, erwähnte jedoch nicht, dass sie Coops Tochter war. Aber das war auch gar nicht nötig, denn Mark fragte Taryn sofort, ob sie mit Coop verwandt sei. Er sagte, die Ähnlichkeit sei unverkennbar, und fragte Alex, ob es ihr auch aufgefallen sei. Die beiden Frauen lachten.

»Tatsächlich ist er mein Vater«, sagte Taryn gelassen. »Wir haben uns längere Zeit nicht gesehen.« Bei dieser gelinden Untertreibung musste Alex kichern.

»Ich wusste gar nicht, dass Coop eine Tochter hat«, sagte Mark verblüfft.

»Er auch nicht«, erwiderte Taryn lächelnd, bevor sie mit einem eleganten Kopfsprung ins Wasser sprang.

»Was hat sie da gerade gesagt?«, wandte sich Mark verständnislos an Alex.

»Das ist eine lange Geschichte. Die beiden werden sie dir bestimmt irgendwann einmal erzählen.«

Kurz darauf tauchte auch Jimmy auf. Es war sehr heiß an diesem Tag, und sie hatten alle Lust auf ein erfrischendes Bad. Mark unterhielt sich mit Taryn über New York und ihre Firma. Die Kinder hatten gerade Besuch von Freunden bekommen, und Alex bat sie, keine Musik anzustellen, da Coop sich nicht wohl fühlte. Also setzten sich die Jugendlichen ans andere Ende des Pools, alberten herum und lachten. Das gab Alex die Gelegenheit, sich einmal ganz in Ruhe mit Jimmy zu unterhalten.

»Wie geht's?« fragte sie leichthin und ließ sich in einen Liegestuhl fallen, während Jimmy seine Arme mit Sonnencreme einrieb. Trotz seiner dunklen Haare hatte er relativ helle Haut. Alex bot an, ihm den Rücken einzucremen. Jimmy zögerte einen Moment lang, nickte dann dankend und wandte sich um. Seit Maggies Tod hatte das niemand mehr für ihn getan, aber Alex dachte sich so wenig dabei, dass sie es in dem Moment schon wieder vergessen hatte, als sie ihm die Tube zurückgab.

»Ganz gut, glaube ich. Und dir? Was macht die Arbeit?«, wollte er wissen.

»Viel zu tun. Manchmal glaube ich, die ganze Welt ist voller Frühgeborener oder kranker Neugeborener. Ich bekomme überhaupt keine gesunden Säuglinge mehr zu Gesicht.«

»Ist diese Arbeit nicht hin und wieder deprimierend?«, fragte Jimmy verständnisvoll.

»Eigentlich nicht. Die meisten Kinder können wir ja heilen. Aber einige eben nicht – und an diesen Teil meines Jobs habe ich mich nie gewöhnen können.« Es setzte ihr jedes Mal unheimlich zu, wenn sie einen ihrer kleinen Patienten verloren. Dafür waren die Erfolge umso schöner. »Die Kinder, mit denen du arbeitest, haben es auch nicht gerade leicht im Leben. Kaum vorstellbar, was manche Eltern ihren Kindern antun.«

»Das werde ich auch nie verstehen können«, gab er zu. Sie hatten beide in ihren Jobs schon viel zu sehen bekommen. Und beide retteten sie Leben – jeder auf seine Weise.

»Warum wolltest du eigentlich Ärztin werden?«, fragte er, plötzlich richtig neugierig geworden.

»Wegen meiner Mutter«, sagte Alex nur und lächelte.

»Ist sie auch Ärztin?«

»Nein«, Alex grinste. »Sie führt ein absolut unnützes Leben, geht einkaufen, besucht Dinnerpartys und lackiert sich die Nägel. Das war's auch schon. Und meine Schwester ist genauso. So wollte ich auf keinen Fall werden. Als

Kind träumte ich davon, Flugkapitän werden, aber das erschien mir später dann doch zu langweilig. Nach einer Weile ist es bestimmt nichts anderes, als sei man eine Art besserer Busfahrer. In meinem Job dagegen ist kein Tag wie der andere.«

»Das ging mir ähnlich.« Jimmy lächelte. »Während meiner Zeit in Harvard wollte ich Profi-Eishockeyspieler bei den Bruins werden. Aber meine damalige Freundin überzeugte mich davon, dass ich ohne Zähne ziemlich dämlich aussehen würde. Eislaufen tue ich allerdings immer noch gern.« Maggie und er hatten das sehr oft getan, aber darüber wollte er jetzt lieber nicht weiter nachdenken. »Wer ist eigentlich die Frau, mit der Mark sich unterhält?«, wechselte er das Thema. Alex lächelte.

»Coops Tochter. Sie ist gerade aus New York hergekommen und wird eine Weile hier wohnen.«

»Ich wusste gar nicht, dass Coop eine Tochter hat.« Man konnte Jimmy ansehen, wie verblüfft er war.

»Für Coop war es auch eine ziemliche Überraschung.«

»Überraschungen dieser Art scheinen bei ihm öfters vorzukommen.«

»Nun ja, *diese* war aber sehr schön. Taryn ist ausgesprochen nett.« Das schien Mark auch zu finden. Er unterhielt sich seit mittlerweile einer ganzen Stunde mit ihr, und Alex konnte sehen, dass Jessica begann, Taryn neugierig zu mustern. Jason planschte derweil mit seinen Freunden im Pool herum. »Es sind wirklich nette Kinder«, sagte Alex über die beiden Friedman-Sprösslinge, und Jimmy stimmte ihr zu.

»Ja, das sind sie. Mark ist ein Glückspilz, zumindest was seine Kinder angeht. Ich vermute allerdings, dass sie bald

wieder zu ihrer Mom zurückgehen. Sie werden Mark ganz schön fehlen.« Diese Vorstellung stimmte Alex traurig. Mark war so glücklich, seine Kinder um sich zu haben.
»Vielleicht zieht er ja auch wieder nach New York. Was ist mir dir? Bleibst Du oder zieht es dich zurück an die Ostküste?« Sie wusste, dass er aus Boston stammte.
»Ich möchte hierbleiben«, erwiderte Jimmy nachdenklich. »Obwohl mir meine Mom ein bisschen leidtut. Seit dem Tod meines Vaters ist sie ganz allein. Sie hat nur noch mich.« Alex nickte. Plötzlich fiel ihr ein, dass er ihren Cousin kennen könnte, der etwa zur gleichen Zeit wie Jimmy in Harvard studiert hatte. Sie sprach ihn darauf an, und Jimmy grinste. »Luke Madison? Er war während des Studiums einer meiner besten Freunde. Wir hatten Zimmer im selben Wohnheim. Während unseres Abschlusssemesters haben wir uns regelmäßig am Wochenende betrunken.«
»Klingt ganz nach Luke.« Alex lachte.
»Ich muss zu meiner Schande gestehen, dass ich ihn seit zehn Jahren nicht mehr gesehen habe. Soweit ich mich erinnere, ging er nach dem Examen nach London. Dann haben wir uns aus den Augen verloren.«
»Er lebt immer noch in London – und hat sechs Kinder. Alles Jungs, soviel ich weiß. Ich sehe ihn auch nur selten, in der Regel bei Hochzeiten, und die meide ich eher.«
»Aus einem bestimmten Grund?«, fragte Jimmy neugierig. Alex faszinierte ihn, und er fragte sich wieder einmal, was sie nur an Coop fand. In seinen Augen passten die beiden absolut nicht zusammen, aber das behielt er lieber für sich. Er mochte Coop nicht sonderlich, ohne dass er hätte sagen können, warum.

»Ich habe mir an einer Hochzeit mal fürchterlich den Magen verdorben ...« Alex erklärte ihm, wie sie es gemeint hatte, und Jimmy lachte.

»Das ist wirklich übel. Aber mit dem richtigen Partner kann das Heiraten sehr schön sein. Bei mir war es das. Nicht so sehr die Hochzeit als vielmehr das Verheiratetsein. Maggie war eine fantastische Frau – und geheiratet haben wir im Rathaus.«

»Es tut mir wirklich sehr leid, was passiert ist«, sagte Alex. Sie fühlte mit ihm, und zu ihrer Erleichterung sah er in letzter Zeit nicht mehr ganz so niedergeschlagen aus. Er schien sogar wieder etwas zugenommen zu haben. Die Abende mit den Friedmans taten ihm offenbar gut – zumindest aß er dann etwas. Und es machte ihm großen Spaß, mit Marks Kindern zusammen zu sein.

»Das mit der Trauer ist schon sonderbar. An manchen Tagen denkst du, es bringt dich um. An anderen hältst du es ganz gut aus. Und du weißt morgens beim Aufwachen nie, was dich an dem Tag erwartet. Ein guter Tag kann plötzlich zur Katastrophe werden. Wie bei einer Krankheit, deren Entwicklung man nicht vorhersagen kann. Ich glaube, dass ich mich allmählich daran gewöhne. Nach einer Weile wird die Trauer zur Normalität.«

»Das Einzige, was Linderung bringt, ist wahrscheinlich Zeit.« Das kam Alex so abgedroschen vor, und doch war es zutreffend. Fast fünf Monate waren vergangen, seit Jimmy ins Pförtnerhaus gezogen war, und damals hatte er ausgesehen wie eine lebende Leiche. »Bei vielen Dingen ist das so. Ich habe sehr lange gebraucht, um über meine Fast-Ehe hinwegzukommen. Genau genommen viele Jahre.«

»Das ist etwas anderes, weil es dabei um Vertrauen geht. Ich dagegen habe jemanden verloren, und niemanden trifft Schuld. Es tut einfach nur höllisch weh.« Jimmy sprach erstaunlich offen über seine Trauer, und Alex vermutete, dass es ihm gut tat. »Wie lange dauert deine Assistenzzeit noch?«, fragte er.

»Ein Jahr. Manchmal kommt mir das vor wie eine Ewigkeit. Aber wenn sie mich nehmen, werde ich auch danach an der Uniklinik bleiben. Die Intensivstation für Frühgeborene dort ist wirklich gut, und in diesem Fachgebiet gibt es nicht viele Stellen. Ursprünglich wollte ich eine ganz gewöhnliche Kinderärztin werden, aber dann bin ich auf dieser Station hängen geblieben. Die ständigen Adrenalinstöße halten mich auf Trab. Wenn es anders wäre, würde ich mich wahrscheinlich entsetzlich langweilen.«

Sie plauderten immer noch, als sich Taryn und Mark eine Weile später zu ihnen gesellten. Die beiden hatten sich über Steuerrecht unterhalten, und Mark war verblüfft, dass Taryn sich nicht nur gut auf diesem Gebiet auskannte, sondern sich sogar dafür interessierte. Alex lächelte, als sie die beiden auf sich zukommen sah. Sie waren ein hübsches Paar. Taryn war fast so groß wie Mark, und sie waren etwa gleich alt.

»Über was redet ihr zwei?«, fragte Mark, während er sich setzte.

»Arbeit. Was sonst?« Alex grinste.

»So wie wir.« Während sie sich jetzt zu viert unterhielten, nahmen die Teenager wieder den Pool in Besitz. Alex war froh, dass Coop nicht heruntergekommen war, die Jugendlichen hätten ihn wahnsinnig gemacht. Irgendwie passte es zu ihm, dass sein einziges Kind erst in dessen neunundreißigsten Lebensjahr in sein Leben getreten war, es war für ihn das richtige »Kindesalter«. Genau so hatte Alex es am Tag zuvor Taryn gegenüber ausgedrückt, und sie hatten sich beide köstlich darüber amüsiert. Coop ließ schließlich keine Gelegenheit aus, seine Abneigung gegenüber Kindern lautstark kundzutun.

Fünf Minuten später begannen die Kinder, Wasserball zu spielen. Sie hatten einen Mordsspaß, und Mark und Jimmy waren sofort mit von der Partie.

»Mark ist sehr nett«, sagte Taryn zu Alex. »Ich vermute, er war am Boden zerstört, als seine Frau ihn verließ. Ein Glück für ihn, dass die Kinder zu ihm wollten.«

»Coop war nicht ganz so begeistert«, lautete Alex' trockener Kommentar, und die beiden Frauen lachten. »Dabei sind es wirklich liebenswerte Kinder«, bekräftigte Alex.

»Und was ist mit Jimmy?«, fragte Taryn interessiert.

»Das ist eine traurige Geschichte. Er hat vor ein paar Monaten seine Frau verloren. Es muss sehr schwer für ihn sein.«

»Ein anderer Mann?« Das klang ja fast nach einer Epidemie, aber Alex schüttelte den Kopf.

»Nein. Krebs. Sie war erst zweiunddreißig«, flüsterte sie, weil Jimmy sich ihnen im Pool näherte. Er hatte gerade einen Treffer für seine Mannschaft erzielt und warf jetzt Jason den Ball zu, der sofort nachlegte. Es ging recht laut zu bei diesem Spiel, und das Wasser spritzte nur so durch die Gegend. Während Alex dem Spektakel zusah, entdeckte sie plötzlich Coop, der ihnen von oben zuwinkte. Offenbar wollte er, dass sie zu ihm nach oben kamen. »Unser Herr und Meister ruft.« Alex machte Taryn auf ihn aufmerksam. Die schaute nach oben und lächelte. Selbst auf

diese Entfernung konnte Alex erkennen, wie stolz Coop auf seine Tochter war. Taryn stellte eine wunderbare Bereicherung für sein Leben dar, und Alex freute sich für ihn.
»Bist du glücklich mit Coop, Alex?« fragte Taryn. Sie hatte schon oft darüber nachgedacht, was Alex diese Beziehung wohl bedeuten mochte. Von Coop hatte sie ja schon jede Menge über Alex gehört.
»Ja, das bin ich. Nur schade, dass er diese Abneigung gegenüber Kindern hat. Ansonsten ist er genau der Mann, den ich will.«
»Und der Altersunterschied macht dir nichts aus?«
»Natürlich habe ich mich das am Anfang auch gefragt, aber es scheint tatsächlich überhaupt keine Rolle zu spielen. Und manchmal benimmt er sich sogar wie ein kleiner Junge.«
»Aber das ist er nicht«, erwiderte Taryn nachdenklich. Sie wusste, dass der Altersunterschied mit der Zeit eine Rolle spielen würde, eines Tages sogar eine sehr große.
»Genau das hat mein Vater übrigens auch gefragt.«
»Billigt er deine Beziehung mit Coop nicht?« Taryn war keineswegs überrascht. Cooper war wohl kaum die Art Schwiegersohn, die ein Vater sich wünschte. Und nach allem, was Taryn über Alex' Vater wusste, hielt er ohnehin nicht viel von Filmstars.
»Mein Vater billigt nichts von dem, was ich tue. Oder so gut wie nichts. Und von Coop ist er ganz und gar nicht begeistert.«
»Verständlich. Bei dem Lebenswandel, den er bisher geführt hat. Und dieses Mädchen, das angeblich ein Kind von ihm bekommt – macht dir das eigentlich nicht zu schaffen?«

»Nein. Diese Frau bedeutet Coop nichts. Und bisher steht noch nicht einmal fest, dass er wirklich der Vater ist.«
»Und falls doch?«
Alex zuckte mit den Schultern. »Dann schickt er ihr jeden Monat einen Scheck. Er sagt, er will das Kind nicht sehen. Auf diese Charlene ist er ziemlich wütend.«
»Kann ich verstehen. Es wäre wirklich klüger, sie würde einer Abtreibung zustimmen. Das wäre für alle Beteiligten besser.«
»Wäre es. Aber stell dir vor, deine Mutter hätte auch so gedacht, dann würdest du jetzt nicht hier sitzen. Ich bin froh, dass sie dich bekommen hat, insbesondere für Coop. Dass du da bist, bedeutet ihm sehr viel.«
»Mir bedeutet es auch sehr viel, und damit habe ich gar nicht gerechnet. Am Anfang war ich einfach neugierig auf Coop, aber jetzt habe ich ihn wirklich gern. Ich weiß nicht, was für ein Vater er gewesen wäre, als ich noch klein war, aber jetzt ist er für mich ein wundervoller Freund.«
Alex entging nicht, was für eine positive Wirkung Taryn auf ihren Vater hatte, es war, als hätte er ein fehlendes Teil von sich gefunden.
Taryn und Alex winkten den anderen zu und gingen langsam zum Haupthaus zurück. Coop erwartete die beiden schon.
»Die machen vielleicht einen Krach«, beschwerte er sich. Seine Erkältung machte ihm ziemlich zu schaffen.
»Sie werden ganz sicher bald aus dem Pool herauskommen und zum Essen reingehen«, versicherte Alex.
»Wie wäre es, wenn wir drei zum Abendessen ins *Ivy* fahren?«, schlug Coop vor, und den beiden Frauen gefiel die Idee.

Sie gingen sich rasch umziehen, und zwanzig Minuten später waren alle bereit zum Aufbruch.
Er chauffierte sie in dem alten Rolls nach North Robertson, und sie schwatzten und lachten die ganze Fahrt über. Dann aßen sie auf der Terrasse des Restaurants und verbrachten einen entspannten und amüsanten Abend. Als Alex Coop nach dem Essen einen Blick zuwarf, tauschten sie ein Lächeln, und in diesem Moment wusste sie, dass in seiner Welt alles in Ordnung war – so wie in ihrer.

## 19. Kapitel

Es war fast Ende Mai, und Alex hatte seit zwei Tagen hintereinander Dienst im Krankenhaus. Vor dieser Mammutschicht hatte sie mit Coop ein erholsames Wochenende verbracht, und im Krankenhaus ging es ausnahmsweise einmal nicht ganz so hektisch zu. Als sie vom Mittagessen zurückkam, rief ihr die Sekretärin vom Stationsempfang zu, dass jemand für sie am Telefon sei.
»Wer ist es denn?«, fragte Alex, während sie nach dem Hörer griff.
»Keine Ahnung«, antwortete das Mädchen. »Ist ein interner Anruf.« Alex nahm an, dass es ein Kollege war.
»Dr. Madison«, meldete sie sich in berufsmäßigem Ton.
»Ich bin beeindruckt.« Alex erkannte die Stimme nicht.
»Wer ist denn da?«
»Ich bin's, Jimmy. Ich musste zur Untersuchung hier ins Labor und dachte, ich rufe einfach mal an. Ist es gerade ungünstig, oder hast du Zeit für ein Schwätzchen?«
»Es passt prima. Du hast einen guten Moment erwischt. Alles schläft ganz friedlich. Ich sollte es nicht zu laut sagen, aber heute hatten wir noch keinen einzigen Notfall. Wo steckst du?« Sie freute sich, seine Stimme zu hören, und erinnerte sich gern an das vertraute Gespräch, das sie am Pool geführt hatten. Jimmy war wirklich ein netter Kerl, der verdammtes Pech gehabt hatte, und was er jetzt

nötiger brauchte als alles andere, waren gute Freunde. Alex würde ihm gern zur Verfügung stehen, wenn er von Zeit zu Zeit jemanden brauchte, bei dem er sich ausweinen konnte.

»Ich bin unten im Zentrallabor.« Er klang ein bisschen angeschlagen, und Alex fragte sich, ob er krank sei. Wahrscheinlich war es der Stress – und sein Kummer.

»Hättest du Lust, auf meine Station zu kommen? Ich kann leider nicht hier weg, aber wenn dein Magen mitspielt, würde ich dir einen Becher Stationskaffee anbieten.«

»Klingt wunderbar.« Es war genau das, was er erhofft hatte, als er der spontanen Idee folgte, sie anzurufen – trotz des schlechten Gewissens, weil er sie vielleicht störte. Alex beschrieb ihm den Weg, und er sagte, er sei in zwei Minuten da.

Als er aus dem Aufzug trat, wartete Alex schon am Stationsempfang auf ihn. Sie telefonierte gerade mit einer Mutter, deren Baby vor Kurzem entlassen worden war, und winkte Jimmy zu. Fünf Monate hatte die Behandlung des Mädchens gedauert, und die Kleine war Alex während der Zeit sehr ans Herz gewachsen.

»Hier arbeitest du also«, sagte Jimmy beeindruckt, während er sich umschaute. Durch die Glasscheibe hinter dem Tresen konnte er in einen Raum sehen, in dem Brutkästen und medizinische Geräte standen. Alex trug ihren Arztkittel und hatte ein Stethoskop um den Hals hängen. Es war ihr anzusehen, dass sie im Krankenhaus in ihrem Element war.

»Schön dich zu sehen, Jimmy«, sagte sie und führte ihn in ihr winziges Büro mit der schmalen Liege, auf der sie zwischendurch schlief. »Weswegen musstest du denn untersucht werden – wenn die Frage nicht zu indiskret ist?« Sie machte sich Sorgen um ihn.

»Reine Routine. Wegen meines Jobs muss ich mich einmal im Jahr von Kopf bis Fuß durchchecken lassen. Die Lunge wird geröntgt, Tuberkuloseuntersuchung und solche Sachen. Ich war schon überfällig und wurde ständig angemahnt. Aber ich hatte einfach keine Zeit dazu. Am Ende haben sie mir gedroht, ohne diese Untersuchung dürfe ich nicht mehr zum Dienst erscheinen. Heute habe ich mich dann endlich aufgerafft. Ich musste mir den ganzen Nachmittag dafür frei nehmen, weil man nie weiß, wie lange es dauert – deshalb hatte ich es ja immer vor mir hergeschoben. Die liegen gebliebene Arbeit werde ich wohl Samstag erledigen müssen.«

»Das ist ja genau wie bei mir«, sagte Alex lächelnd. Sie war erleichtert, dass er nicht ernsthaft krank war. Als sie ihm in seine dunkelbraunen Augen blickte, spürte sie sofort wieder, wie sehr sie ihn mittlerweile mochte. »Was genau machst *du* eigentlich?«, fragte sie interessiert, während sie ihm einen Styroporbecher mit dem Gebräu reichte, das sich Kaffee schimpfte. Er nahm einen Schluck und musste grinsen.

»Bei euch gibt's die gleiche Giftmischung wie bei uns. Wir tun zusätzlich noch Sand rein, das verleiht ihm das gewisse Etwas.« Alex lachte. Sie war zwar an dieses Zeug gewöhnt, fand es aber trotzdem widerlich. »Was ich mache? Kinder aus Wohnungen herausholen, nachdem sie windelweich geprügelt oder vergewaltigt wurden – von ihrem Vater, Onkel, den beiden älteren Brüdern … Ich höre Müttern zu, die im Grunde keine schlechten Menschen sind, aber Todesangst haben, sie könnten ausflippen und ihren Kindern etwas Schlimmes antun, weil sie sieben davon haben und nicht genug zu essen, weil selbst die Lebensmittelmarken nicht reichen, wobei ihr Mann sie obendrein ständig zusammenschlägt ... ich stecke elfjährige Fixer in Antidrogen-Programme – manchmal sind sie sogar erst neun – oder ich kicke mit einem Trupp Jugendlicher einen Ball durch die Gegend. Wahrscheinlich ist es genauso wie bei dir. Ich versuche etwas zu bewirken, obwohl das oft gar nicht möglich ist, wie sehr ich es mir auch wünsche.« Alex war von seiner Schilderung genauso beeindruckt wie er zuvor beim Anblick der Intensivstation. »Ich glaube, das könnte ich nicht – jeden Tag solches Elend zu sehen, würde mich fertigmachen. Ich kümmere mich um Kinder, die gerade erst auf die Welt gekommen sind und mit einigen Schwierigkeiten zu kämpfen haben. Die versuchen wir zu beheben und den Kindern dadurch eine Chance zu geben. Aber bei deinem Job würde ich den Glauben an die Menschheit verlieren.«

»Komischerweise passiert das nicht.« Er trank noch einen kleinen Schluck und zuckte unwillkürlich zusammen. Dieses Zeug war tatsächlich noch schlimmer als das Gebräu in seinem Büro. »Manchmal gibt es einem sogar Hoffnung. Du glaubst fest daran, etwas verändern zu können – und ganz selten gelingt das tatsächlich. Damit hält man sich bis zum nächsten Erfolg über Wasser. Und egal wie dir zumute ist, du musst dableiben, denn ohne dich wäre die Situation noch viel schlimmer. Für die meisten würde das bedeuten ...« Er brach mitten im Satz ab, und ihre Blicke begegneten sich. Alex hatte plötzlich eine Idee.

»Hättest du Lust auf eine Führung?« Sie dachte, es könnte ihn vielleicht interessieren.

»Durch die Neugeborenenintensivstation?«, fragte er ungläubig. »Geht das denn?« Alex nickte.

»Wenn jemand fragt, sage ich, du seiest Arzt und würdest dich hier umschauen.« Sie reichte ihm einen weißen Kittel, und Jimmy hatte Mühe, sich mit seinen breiten Schultern hineinzuzwängen. Die Ärmel waren ein bisschen zu kurz, aber das würde keinem auffallen, auf der Station lief schließlich niemand herum wie auf einer Modenschau.

Ohne dass ihnen jemand begegnete, konnte Alex Jimmy herumführen und ihm alles erklären. Sie sagte ihm, wie die kleinen Patienten in den Brutkästen behandelt wurden, von denen die meisten so winzig waren, dass sie nicht einmal Windeln tragen konnten. Jimmy hatte nie zuvor so viele medizinische Apparate und Schläuche gesehen, geschweige denn so winzige Babys. Der derzeit kleinste Patient wog gerade einmal 750 Gramm, aber es war unwahrscheinlich, dass er überlebte. Alex erklärte Jimmy, dass sie sogar noch kleinere Patienten gehabt hätte. Je höher das Geburtsgewicht, desto größer waren die Chancen des Kindes. Es zerriss ihr immer fast das Herz, wenn sie die Mütter hier sitzen sah, die liebevoll die kleinen Fingerchen und Füßchen berührten und nichts tun konnten als warten. Das wunderschöne Ereignis, ein Kind zu bekommen, war für sie plötzlich zu einem Albtraum geworden, und es konnte Monate dauern, bis abzusehen war, ob das Kind ganz gesund sein würde.

»Du liebe Güte, Alex, das ist einfach unfassbar. Wie hältst du diesen Druck aus?« Nur eine falsche Entscheidung, manchmal eine Frage von Sekunden, und schon stand das Leben eines Menschen auf dem Spiel, wurde die Geschichte einer Familie für alle Zeiten verändert. Jimmy dachte, dass er einer solchen Belastung nicht würde standhalten können, und er bewunderte Alex zutiefst für das, was sie machte. »Ich glaube, ich hätte jeden Morgen Angst, zur Arbeit zu gehen.«

»Nein, hättest du nicht. Außerdem ist dein Job auf seine Art genauso hart. Wenn du etwas übersiehst oder nicht schnell genug reagierst, könnte ein Kind sterben oder dauerhafte Schäden davontragen. In deinem Job brauchst du die gleichen Instinkte wie ich in meinem.«

»Du musst ein großes Herz haben, um deine Arbeit tun zu können«, sagte er mit sanfter Stimme. Davon war er schon längst überzeugt gewesen, und genau aus diesem Grund verstand er einfach nicht, wie sie es mit Coop aushalten konnte. Coop war ausschließlich auf sich selbst fixiert, während Alex ständig für andere da war. Aber womöglich funktionierte ihre Beziehung gerade wegen ihrer grundverschiedenen Wesen.

Sie standen noch eine Weile lang in der Nähe des Stationsausgangs und plauderten, bis Alex zur Visite gerufen wurde.

»Danke, dass ich mir die Station ansehen durfte«, sagte Jimmy. »Ich bin schwer beeindruckt.«

Er drückte sie zum Abschied und ging zum Aufzug. Jimmy winkte, bis sich die Tür hinter ihm schloss, und Alex kehrte an ihre Arbeit zurück.

Sie sah ihn erst am Wochenende wieder, denn wie durch ein Wunder hatte sie Samstag noch einmal dienstfrei. Nachmittags war sie mit Taryn, Coop, Mark und den Kindern am Pool, als Jimmy aus Richtung des Pförtnerhauses angeschlendert kam. Er sieht endlich einmal ausgeruht aus, schoss es Alex durch den Kopf, während sie ihn einer

Ferndiagnose unterzog. Oft konnte sie nicht dagegen angehen, ihre Mitmenschen durch die Brille des Arztes zu sehen, und wenn sie sich dabei ertappte, musste sie über sich selbst lachen. Jimmy lächelte, sobald er sie entdeckte. Er gab Coop die Hand und winkte Taryn und Mark zu, die in ein Gespräch vertieft waren, das sie anscheinend beide ungemein faszinierte. Die Kinder hatten ausnahmsweise keine Freunde zum Schwimmen eingeladen, sodass es einigermaßen ruhig am Pool zuging. Bei dem guten Wetter hatte man in der letzten Zeit ständig das Gefühl gehabt, am Pool wäre eine Party im Gange, aber heute fanden sich nur die Bewohner des Anwesens ein, was Coop sehr erleichterte. Die Gruppe war auch ohne Gäste schon groß genug.

Seit Taryn eingezogen war, hatte er unentwegt gute Laune. Sie verbrachten viel Zeit miteinander. Er hatte sie bereits zum Essen ins *Spago* und ins *Le Dôme* ausgeführt und in alle anderen seiner Lieblingslokalitäten. Coop genoss es, sie zu präsentieren und als seine Tochter vorzustellen, wobei darüber niemand sonderlich überrascht wirkte. Wahrscheinlich dachten alle, sie hätten einfach nur vergessen, dass Cooper Winslow eine erwachsene Tochter hatte. Taryn genoss ihren ersten Aufenthalt in Hollywood und erzählte Alex von ihren Unternehmungen, sobald sie Gelegenheit dazu hatte. Für Taryn war es eine neue Erfahrung, und sie hatte ihren Spaß. Früher oder später würde sie sich entscheiden müssen, ob sie nach New York zurückging oder versuchte, in Los Angeles beruflich Fuß zu fassen, aber das hatte keine Eile. Momentan genoss sie es einfach, hier zu sein, und nichts drängte sie zu einer Entscheidung.

Alex fand, dass Taryn einen unglaublich guten Einfluss auf Coop ausübte. Er war auch vorher ein wunderbarer Mensch gewesen, aber jetzt wirkte er gefestigter und interessierte sich plötzlich mehr für das Schicksal anderer Menschen. Er war nicht mehr ganz so auf sich fixiert. Wenn er sie fragte, wie ihr Tag im Krankenhaus gewesen war, dann schien es ihn wirklich zu beschäftigen. Doch wenn sie ihm dann erzählte, was sie erlebt hatte, wurde sein Blick schnell wieder unkonzentriert. Mit komplizierten Krankengeschichten konnte er nichts anfangen. Gelegentlich arbeitete er ein bisschen, aber nicht genug, wie er selbst sagte. Und auch Abe beschwerte sich nach wie vor. Eines Tages hatte sich Liz noch einmal gemeldet. Sie war fassungslos gewesen, als sie erfuhr, wie viele Leute mittlerweile auf dem Anwesen lebten. Sie äußerte ihre Sorge darüber, dass die Friedman-Kinder Coop auf die Nerven gehen könnten, und sie war gerührt über die Geschichte mit Taryn.
»Da lasse ich dich fünf Minuten allein, und schon hast du das Haus voller Leute«, hatte sie ihn geneckt. Genau wie Alex fand auch sie, dass Coop bemerkenswert zufrieden und entspannt klang, so wie Liz ihn noch nie erlebt hatte. Als sie ihn nach Alex gefragt hatte, war er jedoch ausgewichen. Er grübelte selber ständig über diese Beziehung, mochte aber nicht mit Liz darüber sprechen. Immer häufiger sagte er sich, dass er Alex nur heiraten müsse, um nie wieder arbeiten zu müssen. Tief im Innern war ihm klar, dass er andernfalls bis zum Rest seiner Tage von einem Gastauftritt zum nächsten stolpern würde. Aber es widerstrebte ihm, sich kampflos für den leichteren Weg zu entscheiden, wie verlockend der auch sein mochte. Er liebte

Alex und hatte Skrupel, sie derartig auszunutzen. Außerdem besäße sie Macht über ihn, wenn er sich derartig verkaufte; sie hätte dann das Recht, ihm Vorschriften zu machen – eine Vorstellung, die ihm ein absolutes Gräuel war. Noch sah er keinen Ausweg aus diesem Dilemma. Alex dagegen ahnte nicht, mit welchen Gedanken er sich herumplagte, in ihren Augen entwickelte sich die Beziehung bestens. Das sah Coop nicht anders, aber sein Gewissen quälte ihn wie ein bösartiger Tumor, der in seinem Kopf wuchs. So etwas hatte es früher nicht gegeben, erst Alex hatte diese Seite an ihm zum Leben erweckt, und sein Zusammensein mit Taryn schien das noch zu fördern. Er hatte jetzt zwei bemerkenswerte Frauen um sich, die einen starken Einfluss auf ihn ausübten, mehr als er je erträumt oder sich gewünscht hätte. Ohne die Bürde eines Gewissens war sein Leben viel einfacher gewesen, aber ob es ihm gefiel oder nicht, die Stimmen in seinem Kopf ließen sich nicht mehr vertreiben. Ihm blieb jetzt nichts anderes übrig, als ihre quälenden Fragen zu beantworten – und genau diese Antworten suchte er noch.

Als sich der Samstagnachmittag allmählich dem Ende näherte, zog Jimmy mit Jason los, um eine neue Sportausrüstung zu kaufen. Jessie saß mit einer Freundin am anderen Ende des Pools, Taryn und Mark plauderten immer noch angeregt, und Coop war im Schatten eingeschlafen. Auf einmal wandte sich Mark Alex zu und lud die Bewohner des Haupthauses für abends zum Essen in den Gästeflügel ein. Alex tauschte rasch einen Blick mit Taryn, die unmerklich nickte. Also nahm Alex die Einladung in ihrer aller Namen an. Als Coop erwachte, erzählte Alex ihm von der Einladung. Mark und Taryn hatten sich inzwischen auf

den ramponierten Tennisplatz verzogen, um ein Spiel zu versuchen, und die Mädchen waren ins Haus gegangen.
»Wir sollten es nicht übertreiben – wir sind ja nur noch mit diesen Leuten zusammen«, beschwerte sich Coop. Da sie allein waren, entschied Alex, ihm gegenüber ehrlich zu sein.
»Ich glaube, Taryn mag Mark, und es scheint auf Gegenseitigkeit zu beruhen«, erklärte sie. »Sie wollte gern, dass ich die Einladung annehme. Wenn du nicht magst, müssen wir nicht mit, Taryn kann auch allein hingehen.«
»Nein, es ist schon in Ordnung. Ich werde für meine Tochter tun, was immer nötig ist«, erwiderte er grinsend. »Für die eigenen Kinder darf einem kein Opfer zu groß sein.« Bei diesen Worten fiel ihm erneut Charlene ein. Sie verlangte inzwischen über ihre Anwälte mehr Geld, damit sie in ein größeres Appartement in einer besseren Wohngegend ziehen könnte. Ihr schwebte Bel Air vor, in der Nähe von *The Cottage*, und sie spielte mit dem Gedanken, dann Coops Pool zu nutzen. Als Coops Anwalt ihm diese Forderung der Gegenseite mitgeteilt hatte, hatte Coop einen Wutanfall bekommen. Er sagte klipp und klar, dass er gar nichts zahlen würde, solange das Ergebnis des DNA-Tests nicht vorläge. Der Untersuchungstermin war erst in sechs Wochen, und bis dahin – und wahrscheinlich erst recht ab dann – würde Coop keinen Cent zahlen. Charlene war nicht willkommen auf seinem Anwesen oder irgendwo sonst, wo sie ihm begegnen könnte. Coops Anwalt hatte diese Schimpftirade dann in bereinigter Form der Gegenseite übermittelt.
Alex spürte, wie sehr ihn diese Situation beunruhigte und ihm zuwider war und dass Coop sich wegen möglicher

Unterhaltszahlungen Sorgen machte. Kürzlich war in den Medien über einen Fall berichtet worden, in dem ein Mädchen 20 000 Dollar monatliche Alimente von einem Mann eingeklagt hatte, mit dem sie gerade einmal zwei Monate zusammen gewesen war. Alex hatte Coop aber sofort darauf hingewiesen, dass dieser Mann ein gut verdienender Rockstar auf der Höhe seines Erfolgs war. Coop war in einer völlig anderen Situation, darüber war sich Alex spätestens seit dem Gespräch mit ihrem Vater im Klaren. Coop selbst redete nie über seine Schulden und gab weiterhin hemmungslos Geld aus.

Um Punkt sieben gingen die drei an diesem Abend hinunter in den Gästeflügel. Taryn trug einen zartblauen, weit geschnittenen Seidenanzug, der ihren Körper schmeichelnd umspielte. Sie hatte ihn in der letzten Saison, bevor sie ihre Firma verkaufte, selbst entworfen. Alex trug rote Seidenhosen, ein weißes T-Shirt und goldfarbene Sandaletten mit hohen Absätzen. Sie sah aus wie ein Model, und ihr Outfit erinnerte nicht im Geringsten an den Arztkittel und die Clogs, die sie im Job trug. Als Jimmy sie jetzt den Gästeflügel betreten sah, fand er es aufregend, sie immer wieder anders zu erleben.

Während des Essens erzählte er von seiner Führung durch die Station, während Taryn und Jessie Mark beim Servieren der ausgezeichneten Spaghetti Carbonara halfen, die er selbst zubereitet hatte. Jimmy hatte dazu einen Salat gemacht. Zum Nachtisch gab es Tiramisu. Coop hatte zwei Flaschen besten Weißwein mitgebracht. Alle hörten Jimmys Beschreibung fasziniert zu, und Alex war beeindruckt, wie genau Jimmy hingeguckt und wie viel er verstanden hatte.

»Er scheint ja eine Menge über deine Arbeit zu wissen«, bemerkte Coop trocken, als sie später wieder nach oben gingen. Es war schon nach Mitternacht. Taryn hatte entschieden, noch ein bisschen zu bleiben; es gefiel ihr, mit Mark und Jimmy zu plaudern. Die Kinder waren zu Freunden gefahren, bei denen sie auch übernachten würden. »Wann hat er dich denn im Krankenhaus besucht?«, fragte Coop, und Alex war überrascht wegen seines kühlen Tonfalls. Er klang tatsächlich eifersüchtig, was zwar völlig unnötig war, Alex aber trotzdem rührte.
»Er war diese Woche im Labor, um sich untersuchen zu lassen. Danach kam er auf eine Tasse Kaffee vorbei, und ich habe ihm die Station gezeigt. Er muss sehr genau hingeguckt haben.« Genauer als sie ahnte. Coop durchschaute das sofort – mit den Maschen der Männer kannte er sich schließlich aus. Ihm war nicht entgangen, dass Jimmy während des Essens neben Alex gesessen und sie fast die ganze Zeit mit Beschlag belegt hatte. Alex war sich dessen nicht im Geringsten bewusst gewesen. Sie hatte immer zum Kopfende des Tisches geschaut, wo Coop zwischen Taryn und Mark saß. Von dem Platz aus, den Mark ihm zugeteilt hatte, konnte Coop alles bestens beobachten, und er hatte Jimmy den ganzen Abend lang nicht aus den Augen gelassen.
»Ich glaube, er ist scharf auf dich«, sagte Coop jetzt unverblümt, und er schien sich nicht gerade darüber zu freuen. Jimmy war genauso jung wie sie, und die Nähe ihrer beruflichen Interessen war nicht von der Hand zu weisen. Coop dagegen lebte in einem anderen Universum und hatte nicht die geringste Lust, mit Männern zu konkurrieren, die halb so alt waren wie er. Er war es gewohnt, der

einzige Stern am Himmel zu sein, und genau das erwartete er auch jetzt.

»Sei nicht albern, Coop«, wies Alex ihn zurecht. »Jimmy ist viel zu deprimiert, um auf irgendjemanden scharf zu sein. Seit dem Tod seiner Frau ist er das reinste Wrack. Er hat mir erzählt, dass er immer noch unter Schlafstörungen und Appetitlosigkeit leidet. Um die Wahrheit zu sagen: Als er es mir erzählte, war ich ziemlich in Sorge. Ich denke, er sollte mit Antidepressiva behandelt werden, aber ich habe nichts gesagt, um ihn nicht noch mehr zu beunruhigen.«

»Verschreib ihm doch welche!«, erwiderte er trocken. Alex schlang die Arme um seinen Hals.

»Ich bin aber nicht seine Ärztin – und außerdem vielmehr daran interessiert, dir jetzt etwas zu verabreichen.« Sie fuhr mit den Händen unter sein Hemd, und sofort entspannte er sich ein wenig. Ganz offensichtlich hatte Coop im Gegensatz zu ihr diesen Abend nicht sonderlich genossen. Sie war gern mit den anderen zusammen und mochte es, mit ihnen zu plaudern. »Aber da wir gerade von romantischen Gefühlen sprechen. Es kommt mir so vor, als fühlten sich Taryn und Mark mächtig zueinander hingezogen. Denkst du nicht auch?«

Er schien zu zögern, nickte dann aber. Für ihn war Mark ein Langweiler. »Sie könnte etwas Besseres bekommen, schließlich ist sie ein großartiges Mädchen, und ich habe vor, sie mit einigen Produzenten bekannt zu machen. Ihr Leben war bisher ziemlich eintönig und stumpfsinnig, und dieser Ehemann, der sie verlassen hat, muss ein richtiger Idiot sein. Was sie jetzt braucht, ist ein bisschen Glamour und Aufregung.« Alex fand, dass Coop mit seiner

Einschätzung gewaltig danebenlag. Taryn strebte ganz eindeutig nicht nach den Sternen, was einer der Punkte war, warum Alex sie so mochte. Coops Tochter war realistisch und stand mit beiden Beinen fest auf dem Boden – und einen ebensolchen Partner brauchte sie auch. Trotzdem war es das ultimative Kompliment für Taryn, dass ihr Vater sie überall vorstellen wollte. Und er war zu Recht unglaublich stolz auf sie.
»Wir werden sehen, was passiert«, entgegnete Alex ausweichend.
Sie gingen ins Bett und liebten sich. Danach fühlte sich Coop etwas besser, es kam ihm vor, als hätte er sein Territorium noch einmal klar abgesteckt. Es begann ihm auf die Nerven zu gehen, dass sich jüngere Männer in seinem Reich tummelten, insbesondere da Alex es offenbar genoss.
Als er am nächsten Morgen erwachte, war sie bereits weg zur Arbeit. Er fuhr mit Taryn nach Malibu, um Freunde zu besuchen. Es war schon fast zehn Uhr abends, als Coop Alex in der Klinik anrief. Sie hatte einen anstrengenden Tag hinter sich, während Coop und Taryn viel Spaß gehabt hatten. Die Gereiztheit, die am Vorabend in seiner Stimme mitgeschwungen hatte, war verschwunden. Sie sagte ihm, dass sie sich am kommenden Abend sehen würden und dass sie um achtzehn Uhr Feierabend habe. Coop hatte versprochen, dann mit ihr ins Kino zu gehen. Es lief ein Film, den Alex unbedingt sehen wollte, und sie freute sich schon sehr darauf.
Dann sprach Alex am Telefon noch kurz mit Taryn. Taryn erzählte ihr, dass sie am nächsten Abend mit Mark essen gehen würde, und Alex freute sich für die beiden.

Nach dem Telefonat legte sich Alex in ihrem Büro zum Schlafen hin. Wenn sie Dienst hatte, blieb sie immer komplett angezogen, und ihre Clogs standen griffbereit neben der Liege.

Im Ernstfall konnte sie so innerhalb von Sekunden auf der Station sein. In ihrem Büro schlief sie auch nie wirklich tief, sondern lauschte mit einem Ohr immer auf das Telefon. Als es um vier Uhr morgens klingelte, war sie mit einem Satz am Apparat.

»Madison«, meldete sie sich und war bereits hellwach. Als sie Marks Stimme erkannte, bekam sie einen Schrecken.

»Stimmt etwas nicht?«, fragte sie besorgt.

»Es hat einen Unfall gegeben«, sagte er und klang ziemlich verzweifelt.

»Im Haus?« Womöglich waren Coop und Taryn verletzt. Dass Taryn gar nicht im Haupthaus war, sondern in Marks Schlafzimmer lag, konnte Alex nicht wissen. Taryn war spätabends noch zu einem Drink zu ihm hinübergegangen, und da die Kinder bei Freunden übernachteten, waren sie unverhofft allein gewesen und sich schnell nähergekommen.

»Nein, Jimmy hat einen Autounfall gehabt«, sagte Mark. »Ich weiß nicht, was passiert ist. Vor ein paar Tagen haben wir noch darüber gesprochen, dass wir beide keine Verwandten in der Nähe haben, falls uns einmal etwas zustoßen sollte. Anscheinend hat er mich daraufhin in seinen Papieren vermerkt. Jedenfalls erhielt ich gerade einen Anruf. Jimmy wurde in die Uniklinik gebracht. Sie sagten was von Unfallchirurgie. Ich dachte, du könntest vielleicht nach ihm sehen. Taryn und ich kommen so schnell wie möglich hin.«

»Haben sie etwas über seinen Zustand gesagt?«, fragte Alex besorgt.
»Nein, nur dass es ernst sei. Er kam in Malibu von der Straße ab und ist fast vierzig Meter in die Tiefe gestürzt. Von dem Wagen ist nicht mehr viel übrig, und Jimmy ...«
»Verdammt.« Alex schoss durch den Kopf, dass es vielleicht gar kein Unfall gewesen war. »Hattest du ihn heute schon gesehen, Mark?«
»Nein.« Am Abend zuvor hatte Jimmy gute Laune gehabt, aber das musste nichts heißen. Potenzielle Selbstmörder wirkten oft glücklicher, manchmal geradezu euphorisch, wenn sie den Entschluss einmal gefasst hatten.
»Sobald ich jemanden gefunden habe, der mich hier vertritt, fahre ich runter in die Unfallchirurgie.«
Nachdem sie aufgelegt hatte, rief Alex einen der anderen Assistenzärzte an, einen netten Kerl, der schon öfter für sie eingesprungen war. Sie erklärte ihm die Situation und sagte, dass sie nicht länger als eine halbe Stunde weg sein würde. Er versicherte ihr, dass es kein Problem sei, und war zehn Minuten später bei ihr, wobei er noch ganz verschlafen wirkte. In der Zwischenzeit hatte Alex mit der Unfallchirurgie telefoniert, aber man konnte ihr nicht mehr sagen, als dass Jimmys Zustand kritisch sei. Er war jetzt seit einer Stunde im OP, und ein ganzes Ärzteteam kämpfte um sein Leben.
Als Jimmy aus dem OP kam und auf die Intensivstation gebracht wurde, erfuhr sie, dass er sich beide Beine, einen Arm und das Becken gebrochen hatte. Die größten Sorgen bereiteten den Ärzten jedoch seine schwere Kopfverletzung. Er lag im Koma. Seine Vitalfunktionen waren instabil und sein Gesicht derartig schlimm zugerichtet,

dass Alex ihn kaum erkannte. Sie schluckte, als sie ihn da so liegen sah, angeschlossen an die vielen Maschinen, die ihn am Leben hielten.

»Wie schwer ist die Kopfverletzung?«, fragte sie den Chefarzt. Der schüttelte den Kopf.

»Das wissen wir noch nicht. Vielleicht hat er Glück gehabt. Sein EEG sieht ziemlich gut aus. Aber alles hängt davon ab, ob sein Hirn noch weiter anschwillt.« Die Ärzte hatten entschieden, vorerst nicht zu operieren, weil sie hofften, dass der Hirndruck von selbst sinken würde. Jetzt war alles eine Frage der Zeit – und des Glücks. Als die anderen Ärzte fort waren, trat Alex zu Jimmy ans Bett. Seine Beine und der Arm waren eingegipst und die Wunden im Gesicht medizinisch versorgt worden. Jimmy war entsetzlich zugerichtet.

Als Alex später in den Warteraum hinüberging, waren Taryn und Mark soeben eingetroffen. Sie blickten Alex ängstlich an.

»Wie schlimm ist es?«, kam Taryn Mark zuvor.

»Es sieht nicht gut aus«, erwiderte Alex leise, »aber es könnte noch schlimmer sein."

»Wie konnte das nur passieren?«, fragte Mark. Jimmy setzte sich nie angetrunken ans Steuer.

Ihren Verdacht behielt Alex lieber für sich. Sie hatte allerdings mit dem behandelnden Arzt darüber gesprochen, denn wenn ihre Vermutung zutreffen sollte, musste Jimmy nach dem Aufwachen besonders gut beobachtet werden.

»Kennen Sie den Mann?«, fragte der Arzt, und sie sagte, dass sie befreundet seien, und erzählte ihm von der Geschichte mit Maggie. Er hatte eine Notiz in Jimmys

Krankenblatt gemacht und ein Fragezeichen in einem roten Kreis dahintergesetzt.

Alex erklärte Mark und Taryn mit möglichst einfachen Worten, worin die Gefahr einer Hirnschwellung bestand.

»Willst du damit sagen, dass sein Gehirn dauerhaft geschädigt sein könnte?«, fragte Mark entsetzt. Jimmy und er waren in den letzten Monaten gute Freunde geworden.

»Die Gefahr besteht, aber wir hoffen, dass es nicht dazu kommt. Seine Hirnströme werden nonstop per Monitor überwacht. Wenn sich irgendetwas ändert, wissen wir es sofort.«

»Himmel!« Mark fuhr sich durchs Haar. Er war bestürzt, und Taryn teilte seine Besorgnis. »Jemand sollte seine Mutter anrufen.«

»Das denke ich auch«, sagte Alex leise. Jimmys Zustand war so kritisch, dass sie ihn jederzeit verlieren konnten. »Möchtest du, dass ich mich darum kümmere?« Solche Anrufe waren nicht gerade leicht, aber da es zu ihrem Job gehörte, schlechte Nachrichten zu überbringen, konnte sie vielleicht besser damit umgehen.

»Nein, ich mache es. Das schulde ich Jimmy.« Mark ging zum nächsten Telefon und holte eine Nummer aus seiner Brieftasche, die ihm Jimmy für genau diesen Fall gegeben hatte. Es war eine reine Vorsichtsmaßnahme gewesen, und Mark hatte niemals damit gerechnet, dass er sie tatsächlich irgendwann brauchen würde. Doch jetzt stand er hier und rief Jimmys Mutter an, um ihr zu sagen, dass ihr Sohn im Koma lag.

»Wie sieht es aus?«, fragte Taryn Alex leise, nachdem Mark weggegangen war. Alex sah sie traurig an.

»Er ist in einem schrecklichen Zustand.« Sie und Taryn hielten einander an den Händen, während sie auf Mark warteten. Als er zurücknahm, wischte er sich rasch über die Augen und brauchte einen Moment, um sich zu fassen.

»Die arme Frau! Jimmy hat mir gesagt, dass sie Witwe ist und er ihr einziges Kind.«

»Ist sie sehr alt?«, fragte Alex, die sich sofort Gedanken um die Verfassung der Frau machte.

»Keine Ahnung, ich habe Jimmy nie gefragt«, antwortete Mark nachdenklich. »Sie hörte sich eigentlich nicht so an, aber wer weiß. Ich hatte es kaum ausgesprochen, da fing sie schon an zu weinen. Sie will mit dem nächsten Flieger herkommen. In acht oder neun Stunden müsste sie hier sein.«

Alex sah noch einmal nach Jimmy, aber sein Zustand war unverändert. Dann musste sie wieder zurück an ihre Arbeit. Als sie sich von Taryn und Mark im Warteraum verabschiedete, fragte er, ob sie Coop anrufen wolle. Alex blickte auf die Uhr. Es war mittlerweile fünf Uhr morgens – zu früh für Coop.

»Ich rufe ihn so gegen acht an«, sagte sie. Für alle Fälle nannte sie Mark ihre Durchwahl und die Nummer ihres Piepers. Dann drückten sie sich zum Abschied ganz fest, und als Alex ging, hatte Taryn den Kopf an Marks Schulter gelehnt.

Auf ihrer eigenen Station blieb es an diesem Morgen zum Glück sehr ruhig. Kurz nach acht rief sie Coop an. Er hatte noch geschlafen und war überrascht, dass sie sich so früh meldete. Aber er sagte, es sei nicht schlimm, er habe um neun einen Termin mit seinem Trainer und müsse

ohnehin allmählich aufstehen. Und sobald Paloma auftauchte, wollte er frühstücken.
»Jimmy hatte letzte Nacht einen Unfall«, sagte sie mit trauriger Stimme, sobald Coop richtig wach war.
»Woher weißt du das?«, fragte er misstrauisch – eine Reaktion, die sie recht sonderbar fand.
»Mark hat mich angerufen. Er und Taryn sind unten auf der Intensivstation. Jimmy ist mit seinem Wagen von der Malibu Road abgekommen. Er hat sich etliche Brüche zugezogen und liegt im Koma.«
Die Nachricht schien Coop tatsächlich mitzunehmen.
»Glaubst du, er wird es schaffen?«
»Das ist momentan schwer zu sagen. An den Brüchen wird er nicht sterben. Aber wir müssen abwarten, ob es zu einer starken Hirnschwellung kommt und wie schnell er wieder aus dem Koma erwacht.«
»Armer Kerl. Er ist nicht gerade mit Glück gesegnet. Erst die Frau und jetzt das.« Alex behielt auch jetzt ihren Verdacht für sich. Schließlich hatte sie keinerlei Beweise für ihre Vermutung. »Halte mich auf dem Laufenden«, sagte Coop.
»Möchtest du nicht herkommen und gemeinsam mit Mark und Taryn warten?« Insgeheim fand sie, dass er es hätte anbieten müssen, aber das war ihm offenbar gar nicht in den Sinn gekommen.
»Ich wüsste nicht, was das nützen sollte«, erklärte Coop. Er konnte doch sowieso nichts für Jimmy tun. Außerdem hasste er Krankenhäuser, sie machten ihn nervös. »Außerdem ist es jetzt auch zu spät, um meinem Trainer noch abzusagen.« Für Alex war das eine sonderbare Begründung. Aber Coop wollte Jimmy wohl nicht mit all den

Schläuchen und Apparaten sehen. Sie wusste, dass Coop bei solchen Dingen extrem empfindlich war.

»Der Unfall hat die beiden ziemlich mitgenommen«, ließ Alex nicht locker, aber Coop biss nicht an. Er wollte partout nicht mit der Realität dieser Situation konfrontiert werden.

»Das ist verständlich«, erwiderte er ruhig. »Aber ich habe schon vor Jahren erkannt, dass es niemandem hilft, in Krankenhäusern herumzusitzen. Es deprimiert einen nur und nervt die Ärzte. Sag ihnen, ich werde sie mittags zum Essen abholen, wenn sie dann immer noch da sind – was ich nicht hoffe.« Er weigerte sich offenbar, den Ernst der Lage zu akzeptieren. Alex wusste, dass es dadurch für ihn erträglicher war.

»Ich glaube nicht, dass sie Jimmy allein lassen wollen.« Außerdem konnte sie sich nicht vorstellen, dass die beiden mittags in der Stimmung wären, essen zu gehen.

»Wenn es so ist, wie du sagst, dann macht es für Jimmy keinen Unterschied, ob sie deprimiert im Warteraum sitzen oder im *Spago* zu Mittag essen.« Alex fand seine Bemerkung geschmacklos und entgegnete nichts. Sie wusste aus Erfahrung, dass Menschen manchmal sehr merkwürdig auf Extremsituationen reagieren.

Um zehn rief sie noch einmal auf der Intensivstation an, aber es gab keinerlei Neuigkeiten. Sobald Alex Pause hatte, fuhr sie hinunter, um selbst nach Jimmy zu sehen. Mark und Taryn saßen immer noch im Warteraum. Mark wirkte fürchterlich mitgenommen. Er berichtete Alex, dass Mrs. O'Connor mittlerweile im Flugzeug saß, wenn alles klappte, würde sie nachmittags im Krankenhaus eintreffen. Alex ging in Jimmys Krankenzimmer, wo er unter

ständiger Beobachtung stand. Sie sprach kurz mit den Schwestern, die ihr berichteten, dass die Schwellung anscheinend zumindest nicht weiter zugenommen hatte. Trotzdem sah es nicht gut aus für Jimmy.
Alex stand schweigend neben seinem Bett und berührte ganz vorsichtig mit den Fingern seine nackte Schulter. Auf seiner Brust klebten Elektroden, die mit medizinischen Geräten verdrahtet waren, und an eine Vene in seinem unversehrten Arm war eine Infusion angeschlossen.
»Na, mein Lieber«, sagte sie leise, nachdem die Schwester gegangen und Alex mit ihm allein gelassen hatte. Alex würde die Monitore so lange im Auge behalten. »Was zum Teufel machst du nur hier?« Tränen brannten ihr in den Augen, während sie mit ihm sprach. Mit Tragödien dieser Größenordnung hatte sie in ihrem Job jeden Tag zu tun, aber trotzdem war dies etwas anderes. Jimmy war ihr Freund, und sie wollte ihn nicht verlieren.
»Ich weiß, dass du Maggie vermisst, Jimmy … aber wir alle lieben dich auch … du wirst gebraucht … Jason wäre am Boden zerstört, wenn dir etwas passiert … Komm zurück, Jimmy … du musst einfach …« Tränen liefen ihr über die Wangen. Eine halbe Stunde lang stand sie neben dem Bett und redete leise, aber bestimmt auf ihn ein. Schließlich küsste sie ihn auf die Wange, berührte ihn sanft am Arm und ging zurück zu den anderen in den Warteraum.
»Wie geht es ihm?« Mark wirkte immer noch erschüttert, und Taryn sah erschöpft aus. Sie hatte den Kopf nach hinten auf die Stuhllehne gelegt und döste. Als sie Alex' Stimme hörte, öffnete sie sofort die Augen und setzte sich aufrecht hin.

»Unverändert. Vielleicht hilft es, wenn er die Stimme seiner Mutter hört.«
»Meinst du wirklich, das könnte etwas bewirken?«, fragte Taryn überrascht. Sie hatte so etwas schon gehört, es aber nie glauben können.
»Ich weiß es nicht«, antwortete Alex ehrlich. »Ich habe schon erlebt, dass Komapatienten nach dem Aufwachen sagten, sie hätten gehört, wie man mit ihnen sprach. Menschen sind schon durch verrücktere Dinge wieder vom Rand des Todes zurückgeholt worden. Die Medizin ist genauso sehr eine Kunst wie eine Wissenschaft. Ich würde auf meiner Station auch Hühnerfedern verbrennen und Ziegen opfern, wenn ich der Meinung wäre, dass es meinen Babys helfen könnte. Und mit ihm zu sprechen kann zumindest keinen Schaden anrichten.«
»Vielleicht sollten wir alle das tun«, sagte Mark. Er wirkte unruhig und sah mit Bangen der Begegnung mit Jimmys Mutter entgegen. Alex' Worte hatten seine Besorgnis nur gesteigert. Vielleicht war Mrs. O'Connor schon ziemlich alt und von der Situation überfordert. »Können wir zu ihm?« Bisher hatten sie nur einmal kurz von der Tür aus einen Blick auf ihn werfen können. Alex fragte nach und winkte die beiden dann heran. Doch ihre Freunde waren einen solchen Anblick nicht gewöhnt, und Taryn hielt es nur zwei Minuten aus, bevor sie weinend aus dem Zimmer lief. Mark hatte sich neben das Bett gestellt und redete standhaft mit seinem Freund, so wie Alex es geraten hatte. Doch nach ein paar Minuten brachte er kein Wort mehr heraus.
Jimmy war so blass, und obwohl er noch nicht in den letzten Zügen lag, sah er doch aus, als würde er sterben. Alex

wusste, dass die Möglichkeit bestand, und selbst Mark konnte es erkennen.

Danach saßen sie zu dritt im Warteraum und weinten. Es war ein kräftezehrender Vormittag gewesen, und sie alle fühlten sich ängstlich und erschöpft.

Schließlich musste Alex wieder auf ihre eigene Station zurückkehren, aber bevor sie ging, wollte Mark von ihr wissen, ob Coop auch ins Krankenhaus käme.

»Ich glaube nicht«, sagte sie leise. »Er hat einen Termin.« Sie brachte es nicht fertig zu sagen, dass es sich um einen Termin mit seinem Trainer handelte.

Alex erkundigte sich stündlich nach Jimmys Zustand. Um halb eins piepte Mark sie an, und als Alex zurückrief, sagte er ihr, dass Mrs. O'Connor eingetroffen und sofort zu Jimmy gegangen sei.

»Wie geht es ihr?«, fragte Alex in tiefer Sorge um diese Frau, der sie nie begegnet war. Ihren Sohn in einem solchen Zustand zu sehen musste einer Mutter das Herz brechen.

»Sie ist völlig durcheinander. Aber wer ist das nicht?« Marks Stimme klang verweint. Er und Taryn waren jetzt schon den ganzen Morgen über im Krankenhaus, was Alex sehr rührte. Taryn kannte Jimmy ja kaum, und trotzdem nahm das Ganze sie entsetzlich mit. Falls Jimmy starb, bestand der einzige Trost darin, dass er keine Kinder als Waisen zurückließ.

»Ich komme in ein paar Minuten wieder nach unten«, versprach Alex. Es war jedoch schon fast zwei Uhr, bis sie sich endlich loseisen konnte. »Wo ist seine Mom?«, fragte sie die anderen sofort.

»Immer noch bei ihm drin, schon seit fast einer Stunde.«

Sie wussten nicht, ob das ein gutes oder ein schlechtes Zeichen war. Aber Alex konnte die Frau verstehen – auch mit dreiunddreißig war Jimmy immer noch ihr Baby. Sie unterschied sich nicht von den verzweifelten Müttern auf Alex' Station, außer dass sie ihren Sohn besser kannte und mehr Zeit gehabt hatte, ihn zu lieben. Das alles würde sie verlieren, wenn er jetzt starb. Alex konnte sich gut vorstellen, was in der Frau vorging.

»Ich möchte die beiden jetzt nicht stören«, sagte sie rücksichtsvoll, aber Mark und Taryn überredeten sie, wenigstens kurz nachzuschauen.

Als Alex das Zimmer betrat, war sie überrascht. Die Frau neben Jimmys Bett war keine gebrechliche alte Dame, sondern eine attraktive, zierliche, jugendlich wirkende Frau Anfang fünfzig. Valerie O'Connor hatte ihr dunkles Haar zu einem Pferdeschwanz gebunden und trug Jeans und einen schwarzen Rollkragenpullover. Alles in allem wirkte sie wie eine weibliche, hübschere Version von Jimmy, lediglich ihre Figur war wesentlich zierlicher und nicht so sportlich, und sie hatte große blaue Augen, während die von Jimmy braun waren.

Sie stand neben dem Kopfende des Bettes und sprach leise mit ihrem Sohn, so wie Alex es am Morgen getan hatte. Als Alex hereinkam, blickte Mrs. O'Connor kurz zur Tür und glaubte offenbar, eine der behandelnden Ärztinnen vor sich zu haben.

»Stimmt etwas nicht?«, fragte sie ängstlich und schaute zwischen den Monitoren und Alex hin und her.

»Nein, entschuldigen Sie bitte … ich bin eine Freundin von Jimmy … ich arbeite hier. Dies ist keine offizielle Visite.« Die Blicke der Frauen begegneten sich für einen

langen Moment, dann wandte sich Mrs. O'Connor wieder ihrem Sohn zu und fuhr fort, mit ihm zu reden.
Als sie wieder aufschaute, stand Alex immer noch da. Valerie warf ihr einen dankbaren Blick zu. Alex nickte und ging leise zurück zu den anderen. Sie war froh, dass Jimmys Mutter stark genug zu sein schien, um der Situation gewachsen zu sein. Kaum zu glauben, dass diese Frau einen Sohn in Jimmys Alter hatte.
»Sie macht einen sehr netten Eindruck«, sagte Alex, während sie sich zu den anderen setzte. Sie war erschöpft und fühlte sich wie ausgedörrt.
»Jimmy hat immer von ihr geschwärmt«, sagte Mark mit ausdrucksloser Stimme.
»Habt ihr etwas gegessen?«, erkundigte sich Alex. Die beiden schüttelten den Kopf. »Ihr solltet in die Cafeteria hinunterfahren und euch wenigstens eine Kleinigkeit holen.«
»Ich bekomme sowieso nichts hinunter«, erwiderte Taryn, die ganz elend aussah.
»Ich auch nicht«, bestätigte Mark. Er hatte sich den Tag frei genommen und war mittlerweile seit neun Stunden hier.
»Wird Coop kommen?«, fragte Mark noch einmal. Seiner Meinung nach hätte er auch im Krankenhaus sein sollen.
»Keine Ahnung. Ich werde ihn noch einmal anrufen«, erwiderte Alex. In dreieinhalb Stunden hatte sie Feierabend, aber sie spielte mit dem Gedanken, im Krankenhaus zu bleiben, um nach Jimmy sehen zu können. Mark musste wegen der Kinder irgendwann nach Hause, und Taryn sollte sich ein bisschen ausruhen, so erschöpft wie sie aussah. Sie war Mark eine große Stütze gewesen.

Sobald Alex wieder oben auf ihrer Station war, rief sie Coop an. Er kam gerade von einem Mittagsschläfchen am Pool zurück und klang gut gelaunt.
»Wie läuft's, Dr. Kildare?«, zog er sie auf, was Alex ziemlich unangebracht fand. Dann wurde ihr klar, dass Coop offenbar überhaupt nicht verstanden hatte, wie kritisch es um Jimmys Gesundheit stand. Also erklärte sie es ihm mit deutlicheren Worten. »Ich weiß, Baby, ich weiß«, antwortete er leise. »Aber ich kann doch sowieso nichts dagegen tun, warum also sollte ich deswegen in Depressionen verfallen? Ihr drei scheint mir schon besorgt genug zu sein, dem kann ich nichts mehr hinzufügen. Es hilft ihm doch nicht, wenn ich auch noch hysterisch würde.« Damit hatte er zwar recht, aber Alex ärgerte sich über seine Wortwahl. Ihrer Meinung nach hätte Coop bei ihnen im Krankenhaus sein sollen, ob er diesen Ort nun hasste oder nicht. Immerhin konnte ein Mensch, den er gut kannte, jeden Moment sterben. »Bei diesem ganzen medizinischen Zeug bekomme ich eine Gänsehaut. Das ist alles so unerfreulich.« So ist das Leben eben manchmal, dachte Alex. Und wie viel »Unerfreuliches« Jimmy wohl hatte durchmachen müssen, als Maggie starb. Er hatte ihr erzählt, dass er Maggie bis zu ihrem letzten Atemzug zu Hause gepflegt hatte. Eine Krankenschwester oder ein Sterbehospiz hatte er abgelehnt, weil er der Meinung gewesen war, dass er es seiner Frau schuldig sei. Aber die Menschen waren nun einmal verschieden, und Alex wusste, dass Coop nicht gut mit Dingen umgehen konnte, die weder schön noch angenehm waren. Und ein Komapatient war ganz sicher nicht angenehm.
»Wann kommst du nach Hause?«, fragte er, als wäre das

mit Jimmy nie passiert. »Bleibt es dabei, dass wir ins Kino gehen?« In diesem Augenblick hatte Alex das Gefühl, als schlüge in ihrem Innern eine Tür zu.

»Ich kann nicht, Coop. Ich kann kaum klar denken. Ich werde noch eine Weile hierbleiben und sehen, ob ich Jimmys Mutter irgendwie helfen kann. Mark und Taryn müssen bald nach Hause, und ich fände es erbärmlich, Mrs. O'Connor in einer fremden Stadt mit einem Sohn allein zu lassen, der im Koma liegt. Sie ist ganz allein hergekommen.«

»Wie rührend.« Coops Kommentar klang ein wenig spitz. »Findest du nicht, dass das ein bisschen zu weit geht, Alex? Immerhin hast du nichts mit ihm – zumindest hoffe ich das.« Seine Worte waren gefühllos und verletzend, und sie würdigte seine Äußerung keines Kommentars. Coops Eifersucht auf Jimmy war fehl am Platz und völlig realitätsfern.

»Ich komme später«, war alles, was sie sagte.

»Vielleicht geht Taryn ja mit mir ins Kino«, entgegnete er gereizt, und Alex schüttelte sich innerlich. Er benahm sich wie ein verwöhntes Kleinkind und nicht wie ein erwachsener Mann. Aber Coop war manchmal eben noch ein Kind, genau das war ja Teil seines Charmes.

»Ich glaube nicht, dass sie mitkommt, aber du kannst sie gern fragen. Bis später«, erwiderte Alex steif und legte auf.

Um sechs machte sie Feierabend, und als sie auf die Intensivstation kam, wollten Taryn und Mark gerade gehen. Jimmys Mutter saß schweigend mit ihnen im Warteraum. Sie wirkte traurig, aber gefasst und in einem besseren Zustand als die anderen. Für sie war es ein langer Tag gewesen, angefangen von der entsetzlichen Nachricht bis zu dem schier endlosen Flug von Boston nach Los Angeles. Doch trotz allem schien sie in sich zu ruhen. Mark und Taryn verabschiedeten sich kurz darauf, und Alex bot Mrs. O'Connor an, ihr eine Suppe und ein Sandwich oder einen Kaffee zu holen.

»Sie sind sehr freundlich.« Valerie lächelte Alex an. »Aber ich fürchte, ich bekomme nichts hinunter.« Am Ende akzeptierte sie wenigstens ein paar Cracker und eine Tasse Suppe, die Alex aus dem Schwesternzimmer holte. »Was für ein Glück, dass Sie sich hier so gut auskennen«, sagte sie dankbar und trank langsam die Suppe. »Ich kann immer noch nicht glauben, was passiert ist. Der arme Jimmy hat schon so viel durchgemacht. Erst wird Maggie krank und stirbt, und jetzt das hier. Ich mache mir große Sorgen um ihn.«

»Ich auch«, sagte Alex leise.

»Aber ich bin unglaublich froh, dass er so gute Freunde hat. Gott sei Dank hatte er Mark meine Nummer gegeben.« Die beiden Frauen unterhielten sich eine Weile lang, und Valerie fragte Alex nach ihrer Arbeit. Mark hatte ihr die Situation erklärt, damit sie nicht etwa falsche Schlüsse zog und Alex für Jimmys Freundin hielt. Aber Valerie war ohnehin im Bilde gewesen. Sie hielt engen Kontakt mit Jimmy und wusste, dass er sich seit Maggies Tod mit keiner Frau verabredet hatte. Tief im Innern machte sie sich Sorgen, dass er das nie wieder tun würde. Maggie und Jimmy waren wie füreinander geschaffen gewesen und hatten eine beneidenswerte Ehe geführt, so wie Valerie selbst auch. Sie war jetzt seit zehn Jahren Witwe und glaubte längst nicht mehr daran, dass sie noch einmal einem Mann begegnen würde, der ihr etwas bedeutete. Einen Mann wie Jimmys Vater würde es nicht noch einmal geben. Vierundzwanzig Jahre lang waren sie verheiratet gewesen, und Valerie wusste, dass niemand ihn je würde ersetzen können. Aber sie verspürte auch gar nicht den Wunsch, es zu versuchen.

Als Valerie das nächste Mal zu Jimmy hineinging, bat sie Alex mitzukommen. Hinterher brach Valerie in Tränen aus. Sie konnte sich nicht vorstellen, wie ihr Leben ohne Jimmy weitergehen sollte, immerhin war er alles, was sie noch hatte. Nach allem, was sie erzählte, führte sie ansonsten ein erfülltes Leben: Sie leistete in Boston gemeinnützige Arbeit für Blinde und Obdachlose. Aber Jimmy war ihr einziges Kind, und zu wissen, dass er irgendwo auf dieser Welt existierte, auch wenn es nicht in ihrer Nähe war, machte das Leben für sie erst lebenswert.

Es war schon fast zehn, als Alex eine der Schwestern überredete, für Valerie in einer Ecke ein Bett aufzustellen. Sie wollte ihren Sohn einfach nicht allein lassen, obwohl Alex ihr anbot, sie in seine Wohnung zu bringen. Doch Valerie war es lieber, im Krankenhaus zu bleiben, für den Fall, dass sich irgendetwas ereignete.

Um halb elf rief Alex noch einmal bei Coop an. Er war nicht da, und Taryn sagte ihr, er sei ins Kino gegangen.

»Ich glaube, diese Krankenhausgeschichte macht ihn nervös«, versuchte Taryn zu erklären, aber das hatte Alex selbst schon herausgefunden. Trotzdem ärgerte es sie, dass er der Situation offenbar überhaupt nicht gewachsen war und sich auf der ganzen Linie verweigerte.

»Richte ihm bitte aus, dass ich heute Nacht in meinem Appartement schlafe. Ich muss um fünf schon wieder im

Krankenhaus sein. Es ist näher, und außerdem möchte ich Coop nicht wecken, wenn ich so früh aufstehen muss«, erklärte Alex, und Taryn verstand.

»Ich lege ihm einen Zettel hin. Ich bin selbst völlig erledigt.« Alex hatte ihr bereits berichtet, dass Jimmys Zustand nach wie vor unverändert sei, sie konnten sich also nicht mehr Hoffnung machen als zuvor.

Als Alex zu Valerie ging, um sich zu verabschieden, war die bereits eingeschlafen. Alex schlich sich auf Zehenspitzen davon. Später, in ihrem eigenen Bett, versuchte sie sich über ihre Gefühle klar zu werden. Es dauerte eine Weile, aber während sie langsam einschlief, wurde ihr bewusst, dass sie nicht wütend war, sondern enttäuscht. Zum ersten Mal hatte sie eine Seite von Coop kennengelernt, die ihr nicht gefiel. Und wie sehr sie ihn auch liebte, sie musste sich eingestehen, dass sie den Respekt vor ihm verloren hatte. Ihr wurde klar, dass dies, abgesehen von Jimmys Unfall, die zweite katastrophale Neuigkeit war.

## 20. Kapitel

Als Alex Coop am nächsten Morgen von der Arbeit aus anrief, erzählte er ihr, sie hätte einen fantastischen Film verpasst. Alex war fassungslos, dass er nicht mit einem Wort nach Jimmy fragte. Trotzdem informierte sie ihn, dass Jimmys Zustand unverändert sei, und Coop meinte, er bedaure, das zu hören.
»Aber das Leben geht weiter«, fügte er beinahe schnippisch hinzu und wechselte das Thema. Alex hätte ihn am liebsten gepackt und durchgeschüttelt. Wollte oder konnte er nicht verstehen, dass das Leben eines Menschen am seidenen Faden hing?
Später sprach Alex Taryn darauf an. Sie saßen allein im Warteraum, während Mark und Valerie bei Jimmy waren.
»Er kann mit schwierigen Situationen offenbar einfach nicht umgehen«, sagte Taryn. Seine Reaktion hatte auch sie überrascht. Beim Frühstück hatte er irgendetwas davon gefaselt, »negative Energie« abwehren zu müssen, und dass es gefährlich sei, diese Teil seines Lebens werden zu lassen. Aber Taryn vermutete, dass er sich in Wahrheit schuldig fühlte, weil er insgeheim wusste, dass er sich nicht richtig verhielt. Darüber ärgerte sich Alex nicht nur, sondern war von Coop bitter enttäuscht. Für ihn mochte es ja die beste Art sein, mit einer solchen Situation umzugehen, aber sie mochte gar nicht daran denken, was passieren würde, wenn ihr eines Tages etwas »Unschönes«

zustieße. Würde er dann auch ins Kino gehen? Es war beängstigend, wie er um jeden Preis versuchte, der Realität zu entfliehen.

Nach der Arbeit fuhr sie hinaus auf das Anwesen, obwohl alle anderen mit Valerie im Krankenhaus geblieben waren. Coop empfing sie gut gelaunt mit einem köstlichen Abendessen, das er für sie beide vom *Spago* hatte liefern lassen. Das war seine Art der Wiedergutmachung, und sie verbrachten trotz allem einen schönen Abend, der in Alex' Augen jedoch etwas Unwirkliches hatte.

Später rief sie noch einmal im Krankenhaus an, um sich nach Jimmys Zustand zu erkundigen, sagte Coop jedoch nichts davon. Sie erfuhr, dass es noch immer keine Veränderung gab; Jimmy lag jetzt seit fast achtundvierzig Stunden im Koma, und allmählich schwand ihre Hoffnung, dass er jemals wieder ganz gesund werden würde. Als sich Alex an diesem Abend neben Coop ins Bett legte, war sie sehr bedrückt, nicht nur wegen Jimmy, sondern auch wegen Coops Verhalten seit dem Unfall. Sie musste sich nämlich eingestehen, dass es keine Kleinigkeit war.

Am nächsten Tag hatte Alex frei, fuhr aber dennoch ins Krankenhaus, um Valerie Gesellschaft zu leisten und nach Jimmy zu sehen. Sie hatte sogar ihre Dienstkleidung angezogen, weil sie dadurch leichter Zutritt zu allen Räumen hatte.

»Danke, dass Sie hier mit mir warten«, sagte Valerie, die wirklich froh darüber war. Die beiden Frauen blieben den ganzen Tag über allein. Mark musste wieder arbeiten, und Coop drehte einen Werbespot für ein nationales Pharmaunternehmen und hatte darauf bestanden, dass Taryn ihn begleitete.

Stunde um Stunde saßen Valerie und Alex im Warteraum. Abwechselnd sahen sie nach Jimmy und redeten mit ihm, als könne er sie hören. Einmal, als sie gemeinsam bei ihm waren, saß Valerie neben dem Kopfende des Bettes und sprach mit Jimmy, während Alex am Fußende stand. Plötzlich sah sie, dass sich ein Zeh bewegte. Im ersten Moment hielt sie es für einen Reflex, aber dann bewegte sich der ganze Fuß. Alex schaute zum Monitor und zur Krankenschwester, die die Bewegung offenbar auch gesehen hatte. Und dann, ganz langsam, ergriff Jimmy die Hand seiner Mutter. Tränen liefen den beiden Frauen über die Wangen, während Valerie weiter mit ihm sprach. Mit ruhiger, fester Stimme sagte sie ihm, wie sehr sie ihn liebe und sich freue, dass es ihm besser gehe – sie tat einfach so, als wäre er bereits über den Berg. Nach einer weiteren halben Stunde öffnete Jimmy die Augen und sah als Erstes seine Mutter.

»Hi, Mom«, flüsterte er heiser.

»Hi, Jimmy«, wisperte sie unter Tränen zurück, und Alex unterdrückte nur mühsam ein lautes Schluchzen.

»Was ist passiert?«, krächzte er, eine Nachwirkung des Intubierens. Der Tubus war an diesem Morgen entfernt worden, da Jimmy wieder selbstständig atmen konnte.

»Du bist ein miserabler Autofahrer«, erwiderte seine Mutter, und in diesem Augenblick musste selbst die Krankenschwester lachen.

»Wie sieht mein Auto aus?«

»Schlimmer als du. Mit Vergnügen werde ich dir ein neues kaufen.«

»Einverstanden.« Jimmy schloss die Augen, öffnete sie aber sofort wieder und sah Alex an. »Was tust du hier?«

»Ich habe frei und wollte dich besuchen.«

»Danke, Alex«, sagte er leise und schloss die Augen wieder. Nur Minuten später kam der behandelnde Arzt, um sich Jimmy anzusehen.

»Bingo!«, sagte er und strahlte Alex an. »Wir haben es geschafft.« Es war ein toller Erfolg für das ganze Team, und während Jimmy gründlich untersucht wurde, lag Valerie draußen auf dem Flur schluchzend in Alex' Armen. Sie hatte gedacht, ihr Sohn würde sterben, und jetzt war sie so erleichtert, dass sie ihren Tränen freien Lauf ließ. Der ganze Stress forderte seinen Tribut.

»Ist ja gut … alles wird wieder gut …«, redete Alex beruhigend auf Valerie ein und wiegte sie in ihren Armen.

Am späten Abend konnte sie Valerie endlich überreden, Jimmy allein zu lassen und ins Pförtnerhaus zu fahren. Alex besorgte sich im Haupthaus einen Ersatzschlüssel, um Valerie hineinlassen zu können. Coop war noch unterwegs wegen der Aufnahmen für den Werbespot, und Alex sorgte dafür, dass Valerie alles hatte, was sie brauchte.

»Du hast dich so nett um mich gekümmert«, sagte Valerie, der erneut die Tränen in die Augen schossen. Im Moment hätte sie ständig weinen können. Die letzten beiden Tage waren furchtbar gewesen, und jetzt brach die ganze Erschöpfung durch. »Ich wünschte, ich hätte eine Tochter wie dich.«

»Und ich wünschte, ich hätte eine Mutter wie dich«, entgegnete Alex lächelnd, dann ließ sie Valerie allein. Während sie zum Haupthaus zurückging, spürte sie erst, wie erleichtert sie war, dass Jimmy über den Berg war. Als Coop um elf Uhr nach Hause kam, hatte Alex bereits

gebadet und sich das Haar gewaschen. Coop sah müde aus, auch für ihn war es ein langer Tag gewesen.
»Himmel, ich bin vielleicht erledigt«, jammerte er, während er sich selbst, Alex und Taryn Champagner einschenkte. »Es dauert ewig, so einen entsetzlichen Werbespot zu drehen.« Aber wenigstens wurde es gut bezahlt, und Taryn hatte das Ganze sehr spannend gefunden. Außerdem hatte es sie ein bisschen von ihrer Sorge um Jimmy abgelenkt. Trotzdem hatte sie regelmäßig angerufen, um sich nach seinem Zustand zu erkundigen. »Wie war dein Tag, Liebling?«, fragte Coop Alex fröhlich.
»Fantastisch.« Sie lächelte Taryn an, die bereits im Bilde war. »Jimmy ist heute aus dem Koma erwacht. Er wird wieder gesund werden. Zwar muss er noch eine ganze Weile im Krankenhaus bleiben, aber er ist über den Berg.« Ihre Stimme zitterte, während sie es Coop erzählte. Diese Geschichte hatte sie alle ganz schön mitgenommen – alle, außer Coop.
»Und sie lebten von nun glücklich und zufrieden«, fügte Coop hinzu und lächelte Alex ein bisschen gönnerhaft an.
»Du siehst, mein Schatz, wenn du diesen Dingen nicht deine gesamte Aufmerksamkeit schenkst, regeln sie sich irgendwann von allein. Es ist so viel angenehmer, Gott die Sache in die Hand nehmen zu lassen und sich um seine eigenen Angelegenheiten zu kümmern.«
Was er da sagte, verleugnete ihre Aufgabe als Ärztin auf der ganzen Linie. Natürlich lag alles in Gottes Hand, aber sie hatte mit ihrer Arbeit auch einen gewissen Anteil daran.
»So kann man es auch sehen«, entgegnete sie leise. Taryn lächelte erleichtert.

»Wie geht es seiner Mutter?«, fragte sie mit einem Anflug von Besorgnis.
»Sie ist mit ihren Kräften am Ende, aber es geht ihr gut. Ich habe sie im Pförtnerhaus untergebracht.«
»Vielleicht sollte sie in ihrem Alter lieber in ein Hotel gehen, da hätte sie einen gewissen Service«, warf Coop ein.
»Womöglich kann sie sich das aber nicht leisten«, erklärte Alex trocken. »Außerdem ist sie längst nicht so alt, wie wir gedacht haben.«
Coop wirkte überrascht, aber nicht sonderlich interessiert an diesem ganzen Drama. Sein Bedarf an Aufregungen war für diesen Tag gedeckt. »Wie alt ist sie denn?«, fragte er trotzdem.
»Keine Ahnung. Sie wirkt wie höchstens Mitte vierzig … dabei müsste sie eigentlich Anfang fünfzig sein.«
»Genau dreiundfünfzig«, sagte Taryn. »Ich habe sie gefragt. Sie sieht fantastisch aus. Man könnte sie für Jimmys Schwester halten.«
»Nun, dann müssen wir uns ja zumindest keine Sorgen machen, dass sie im Pförtnerhaus stürzt und sich das Hüftgelenk bricht«, stichelte Coop. Er war einfach nur froh, dass diese Geschichte ausgestanden war und sie alle wieder zur Normalität zurückkehren konnten. »Und, was wollen wir morgen Feines unternehmen?«, fragte er gut gelaunt. Er hatte wieder etwas Geld verdient und war in Hochstimmung.
»Ich muss arbeiten«, erwiderte Alex lachend.
»Schon wieder?« Er wirkte enttäuscht. »Wie langweilig. Du solltest dir einen Tag frei nehmen, und wir gehen am Rodeo Drive shoppen.«
»Das wäre wundervoll.« Alex lächelte ihn an. Er konnte

so liebevoll und jungenhaft sein, dass es unmöglich war, ihm lange böse zu sein. Wegen der Geschichte mit Jimmy hatte sie sich sehr über Coop geärgert. Diese Seite an ihm hatte sie nicht nur überrascht, sondern auch tief verletzt.
»Im Krankenhaus wäre man sicher irritiert, wenn ich nicht zur Arbeit käme, weil ich bummeln bin. Es wird nicht leicht sein, ihnen das zu erklären.«
»Sag ihnen, du hättest Kopfschmerzen. Oder behaupte einfach, die Räume seien asbestverseucht und du würdest sie allesamt verklagen.«
»Vielleicht sollte ich aber auch einfach zur Arbeit gehen.«
Alex lachte ihn an. Um Mitternacht gingen sie alle schlafen. Sie und Coop liebten sich, und als sie am nächsten Morgen ging, küsste sie den Schlafenden. Sie hatte ihm die Sache mit Jimmy verziehen. Manche Menschen konnten eben nicht mit Extremsituationen oder Krankheiten umgehen. Sie war an diese Dinge gewöhnt, aber es war eben nicht jeder für diese Art Stress geschaffen. Sie wollte partout Entschuldigungen für Coop finden und war bereit, ihm noch eine Chance zu geben. In ihren Augen bedeutete Liebe nicht nur Leidenschaft und Kompromissbereitschaft, sondern auch Vergebung. Coops Definition mochte ein kleines bisschen anders aussehen, sie handelte von Schönheit, Amüsement und Romantik – und es durfte keine Probleme geben. Aber nach Alex' Verständnis war in einer Beziehung nicht immer alles einfach.
Während ihrer Mittagspause schaute sie kurz bei Jimmy vorbei. Seine Mutter war gerade in die Cafeteria gegangen, um sich ein Sandwich zu holen. Alex und Jimmy sprachen darüber, was für eine wunderbare Frau Valerie sei. Jimmy lag regungslos auf dem Bett. Am nächsten

Morgen würde er von der Intensivstation auf eine andere Station verlegt.

»Danke, dass du mir Gesellschaft geleistet hast, während ich bewusstlos war. Mom hat gesagt, dass du den ganzen Tag bei ihr gewesen bist. Das war sehr nett von dir, Alex.«

»Ich wollte nicht, dass sie hier ganz allein ist. So eine Situation ist für jeden sehr ängstigend«, sagte sie und schaute ihn an. Dann entschied sie, ihn mit der Frage zu konfrontieren, die sie schon die ganze Zeit quälte. »Wie kam es zu dem Unfall? Ich nehme an, du hattest nichts getrunken.« Sie saß dicht bei ihm, und ohne nachzudenken, ergriff er ihre Hand.

»Nein, hatte ich auch nicht ... keine Ahnung, ich muss wohl die Kontrolle verloren haben. Abgefahrene Reifen ... kaputte Bremsen ...«

»Wolltest du vielleicht, dass es passiert?«, fragte sie leise. »Hast du es forciert oder zugelassen?« Ihre Stimme war kaum mehr als ein Flüstern. Er sah sie lange schweigend an.

»Ehrlich gesagt, ich bin nicht sicher ... ich habe mir diese Frage selbst schon gestellt. Ich war wie benommen ... in Gedanken bei ihr ... Am Sonntag wäre ihr Geburtstag gewesen ... ich glaube, für den Bruchteil einer Sekunde wollte ich, dass es passiert. Ich geriet ins Schleudern, ließ es einen Moment lang zu, und als ich versuchte gegenzusteuern, konnte ich es nicht mehr verhindern. Und dann war schon alles vorbei, und ich bin hier aufgewacht.« Genau das hatte sie vermutet. Während Jimmy ihr alles erzählte, wirkte er genauso entsetzt wie sie. »Das ist ein schreckliches Geständnis. Ich würde es auch nie wieder tun, aber in dieser einen Sekunde überließ ich alles dem

Schicksal ... und glücklicherweise hat es mich ins Leben zurückgejagt.«
»Du hattest verdammtes Glück.« Es tat ihr weh, dass es so weit hatte kommen müssen. Wie verzweifelt musste Jimmy die ganze Zeit über gewesen sein! Er hatte seine Lektion gelernt, aber auf was für eine furchtbare Weise. »Meinst du nicht, dass vielleicht eine Therapie angebracht wäre?«
»Ja, das denke ich auch. Mit dem Gedanken habe ich in letzter Zeit sowieso schon gespielt. Ich kam mir vor wie ein Ertrinkender, der nicht mehr an die Wasseroberfläche gelangt. Es klingt verrückt«, sagte er und fuhr mit den Augen über all die medizinischen Geräte, »aber ich fühle mich jetzt besser.«
»Ich bin froh, das zu hören«, sagte Alex erleichtert. »In Zukunft werde ich dich im Auge behalten und dir Dampf unterm Hintern machen, bis du die ganze Auffahrt vom Gästehaus bis hinunter zum Tor vor Freude Luftsprünge machst.«
Diese Vorstellung brachte ihn zum lachen. »Ich glaube kaum, dass ich so bald überhaupt irgendwelche Sprünge mache.« Jimmy wusste bereits, dass er noch eine ganze Weile im Rollstuhl sitzen und danach an Krücken gehen würde.
Seine Mutter hatte ihm angeboten, so lange bei ihm zu bleiben und ihn zu versorgen. Die Ärzte rechneten damit, dass er in vielleicht sechs bis acht Wochen wieder laufen könne, und er lechzte bereits danach, so schnell wie möglich wieder arbeiten zu gehen, was ein gutes Zeichen war.
»Alex«, begann er zögerlich, »danke, dass du dir Sorgen um mich machst. Woher wusstest du eigentlich, was

passiert ist?« Es beeindruckte ihn, dass sie herausgefunden hatte, welche Rolle er selbst bei dem Unfall gespielt hatte.
»Ich bin Ärztin, wie du dich vielleicht erinnerst.«
»Oh ja, diese Geschichte. Aber Frühchen fahren im Allgemeinen keine Autos über irgendwelche Klippen.«
»Als Mark es mir erzählte, war das mein erster Gedanke. Ich weiß nicht warum. Ich habe es einfach gespürt.«
»Du bist eine kluge Frau.«
»Und du bist mir eben sehr wichtig«, sagte sie mit ernster Stimme, und Jimmy nickte. Alex bedeutete ihm auch sehr viel, aber er wagte nicht, es auszusprechen.
Sobald seine Mutter mit ihrem Sandwich zurückkam, ging Alex wieder an die Arbeit. Valerie war ganz begeistert von Alex und versuchte Jimmy ein bisschen über sie auszuquetschen.
»Mark hat mir gesagt, sie sei mit Cooper zusammen. Ist er nicht ein bisschen zu alt für sie?«, fragte sie. Valerie hatte Coop noch nicht persönlich kennengelernt, aber sie wusste, wer er war, und hatte sowohl von Alex als auch von seinen beiden Mietern schon einiges über ihn erfahren.
»Offenbar sieht sie das anders«, entgegnete Jimmy.
»Wie ist er denn so?«, fragte seine Mutter, während sie einen Bissen Truthahn-Sandwich kaute. Jimmy war auf eine Diät gesetzt worden, und seiner Mutter beim Essen zuzusehen machte ihn hungrig. Soweit er sich erinnerte, war es das erste Mal seit langem, dass er richtigen Hunger verspürte. Vielleicht stimmte seine Vermutung tatsächlich, und er hatte endlich seine Dämonen vertrieben. Er war bis an den Rand der Klippe getreten und gesprungen. Und er hatte überlebt, was allerdings nicht sein Verdienst war.

Vielleicht würde sich dieser Unfall auf verrückte Weise letzten Endes als Segen entpuppen.
»Coop ist arrogant, gut aussehend, charmant, zuvorkommend und höllisch selbstsüchtig«, beantwortete Jimmy ihre Frage. »Das Problem ist nur, dass Alex das nicht sieht«, fügte er ärgerlich hinzu.
»Sei dir da nicht so sicher«, erwiderte Valerie leise, die sich fragte, ob ihr Sohn womöglich in diese Frau verliebt war, ohne es selbst zu wissen. »Frauen haben eine Art, Dinge wahrzunehmen und sich erst später zu entschließen, etwas zu unternehmen. Und Alex ist eine sehr intelligente junge Frau.«
»Sie ist großartig«, bekräftigte Jimmy sofort, was die Vermutungen seiner Mutter bezüglich seiner Gefühle bestärkte.
»Davon gehe ich aus. Und sie wird keinen Fehler machen. Vielleicht ist er zum jetzigen Zeitpunkt einfach das Richtige für sie. Obwohl die beiden ein merkwürdiges Paar abgeben müssen, nach allem, was ich über ihn gehört habe.«
Dennoch war sie am nächsten Tag beeindruckt, als Jimmy in ein Privatzimmer verlegt wurde und Coop einen riesigen Blumenstrauß schickte. Valerie dachte im ersten Moment, die Blumen kämen von Alex, doch dann wurde ihr klar, dass nur ein Mann ein solches Bukett schenken würde. Ein Mann, der wusste, wie man die Frauen betörte.
»Was meinst du, ob er mich heiraten will?«, scherzte Jimmy mit seiner Mutter.
»Ich hoffe nicht!« Sie lachte. Insgeheim hoffte sie, dass Coop genauso wenig Alex heiraten wollte. Sie verdiente etwas Besseres als einen alternden Filmstar, davon war Valerie nach ihren langen Gesprächen mit Alex überzeugt.

Sie brauchte einen jungen Mann, der sie liebte, umsorgte, für sie da war und ihr Kinder schenkte. Einen Mann wie Jimmy. Aber Valerie war zu klug, um das gegenüber einem der beiden zu erwähnen. Sie waren Freunde, und das war für den Moment alles, was sie wollten.

Alex kam jeden Tag, um nach Jimmy zu sehen, auch wenn sie frei hatte. In ihren Pausen fuhr sie rasch auf seine Station hinunter, brachte ihm Bücher, damit ihm nicht langweilig wurde, und erzählte ihm amüsante Geschichten aus dem Klinikalltag. Manchmal kam sie noch spät in der Nacht leise in sein Zimmer, und dann redeten sie stundenlang über die Arbeit, die Ehe seiner Eltern, sein Leben mit Maggie, wie verzweifelt er nach ihrem Tod gewesen war. Alex erzählte ihm von Carter und ihrer Schwester. Und von ihren Eltern und der Beziehung, die sie als Kind gern zu ihnen gehabt hätte, zu der ihre Eltern aber nicht in der Lage gewesen waren. Stück für Stück gewährten sie einander Zugang zu ihrem Innersten, ihren Ängsten und Gefühlen, und wagten sich dabei in immer tiefere Gewässer vor. Sie selbst waren sich dessen gar nicht bewusst, und wenn jemand sie gefragt hätte, so wären sie fest davon überzeugt gewesen, dass sie nur freundschaftliche Gefühle füreinander hegten. Aber Valerie ließ sich nicht täuschen. Die beiden mochten ihre Beziehung noch so sehr mit dem Etikett »Freundschaft« versehen – was sich zwischen ihnen entwickelte, ging weit darüber hinaus. Und sie freute sich für die zwei. Das einzige Haar in der Suppe war Coop.

Und ebendieses Haar konnte Valerie am folgenden Wochenende selbst in Augenschein nehmen. Sie musste zugeben, dass er wirklich beeindruckend war und genau so, wie Jimmy ihn beschrieben hatte: selbstsüchtig, egozentrisch, arrogant, unterhaltsam und charmant. Aber es gab noch etwas anderes. Jimmy war zu jung, um das erkennen oder nachvollziehen zu können. Was Valerie sah, war ein zutiefst verletzlicher und ängstlicher Mann. Er mochte noch so jugendlich aussehen und sich mit Unmengen junger Frauen umgeben – er wusste, dass sich das Spiel dem Ende näherte. Es graute ihm davor, alt zu sein, krank zu werden, nicht mehr gut auszusehen und zu sterben. Seine Weigerung, sich mit Jimmys Unfall auseinanderzusetzen, bestätigten ihre Theorie, genau wie seine Augen. Hinter all dem Lachen verbarg sich ein sehr unglücklicher Mann. Und wie charmant Coop sich auch gab, er tat Valerie leid. Sie sah in ihm einen Mann, der Angst hatte, seinen Dämonen gegenüberzutreten. Aber sie wusste, dass Jimmy das nicht verstehen würde, wenn sie versuchte, es ihm zu erklären. Und dieser Unsinn über das Mädchen, das ein Kind von ihm erwartete, war reines Futter für Coops Ego. Wenn er auch darüber schimpfte, so spürte Valerie doch instinktiv, dass es ihm in Wahrheit schmeichelte und er es benutzte, um Alex auf subtile Weise daran zu erinnern, dass sich auch andere Frauen Kinder von ihm wünschten. Es bedeutete einfach, dass er nicht nur jung, sondern auch potent war.

Valerie glaubte nicht, dass es wirklich Liebe war, was Alex für diesen Mann empfand. Er beeindruckte Alex und war für sie der aufmerksame Vater, den sie sich immer gewünscht, aber nie gehabt hatte. Überhaupt stellten die Bewohner von *The Cottage* für Valerie eine sehr interessante Mischung dar. Mark und Taryn waren ihrer Meinung nach geradezu füreinander gemacht.

Am faszinierendsten fand sie jedoch Coops komplizierte Persönlichkeit. Er dagegen wirkte auf den ersten Blick gänzlich unbeeindruckt von ihr. Valerie entsprach gar nicht seinem bevorzugten Frauentyp, sondern war alt genug, um die Mutter einer seiner Freundinnen zu sein. Allerdings gefiel ihm ihr stilvolles und elegantes Auftreten. Das sagte er auch zu Alex, als sie später im Bett lagen und den Abend Revue passieren ließen. Valerie hatte bei ihrer Begegnung graue Freizeithosen, einen grauen Pullover und eine Perlenkette getragen. Sie hatte überhaupt nichts Aufgesetztes an sich, sondern strahlte Klasse und Niveau aus. Und gerade weil sie nicht krampfhaft versuchte, jung auszusehen, war es genau so.

»Wie bedauerlich, dass sie nicht reich ist«, sagte Coop. »So wie sie wirkt, sollte sie es sein. Andererseits«, er lachte, »sollten wir alle es sein.« Alex war die einzig Begüterte unter ihnen – und es bedeutete ihr nichts. Was für eine Verschwendung, dachte Coop. Geld war dazu da, ausgegeben zu werden und sich damit ein schönes Leben zu machen. Alex brauchte da noch ein paar Nachhilfestunden, die er ihr leicht geben könnte, aber noch scheute er davor zurück. Wieder meldete sich dieses verdammte Gewissen, und noch immer haderte er damit, es endlich zu überwinden. Das war eine neue Erfahrung für ihn und höchst lästig.

Am nächsten Tag begegnete Coop Valerie erneut. Da sie erst nachmittags ins Krankenhaus fahren würde, hatte sie es sich am Pool im Schatten seines Lieblingsbaums auf einer Liege bequem gemacht. Sie trug einen schlichten schwarzen Bikini, der ihre fantastische Figur zeigte. Alex und Taryn waren ganz neidisch und hofften, sie würden in

Valeries Alter nur halb so gut aussehen. Als sie es ihr sagten, erwiderte Valerie, dass sie einfach Glück gehabt habe, es läge wohl an den Genen, denn sie tue reichlich wenig für ihre Figur. Trotzdem freute sie sich über die Komplimente der jüngeren Frauen.

Coop lud sie für später zu einem Glas Champagner in sein Haus ein, und Valerie ging tatsächlich hin, einfach um es einmal gesehen zu haben. Sie war überrascht, wie geschmackvoll und dezent es eingerichtet war. Es hatte nichts Protziges an sich, sondern wirkte mit all den schönen Antiquitäten und kostbaren Materialien sehr erlesen. Ganz eindeutig das Haus eines Menschen gesetzten Alters – so beschrieb sie es Jimmy, als sie später mit ihm darüber sprach. Und wieder ging ihr durch den Kopf, dass Alex so gar nicht dorthin passte.

Coop schien es allerdings wirklich ernst mit dieser Beziehung zu sein. Immerzu war er aufmerksam und liebevoll um sie bemüht. Seine Verliebtheit war unübersehbar, aber es war schwer zu sagen, wie tief seine Gefühle wirklich gingen. Valerie konnte sich jedoch gut vorstellen, dass er Alex heiraten wollte, und wenn es nur war, um sich selbst etwas zu beweisen – oder schlimmer noch, weil er an das Geld der Madisons wollte. Um Alex' willen hoffte Valerie, dass aufrichtigere Gefühle dahintersteckten. Alex schien das alles rein gar nicht zu belasten. Sie fühlte sich auf dem Anwesen wie zu Hause und lebte gern dort, insbesondere seit Taryn da war.

»Du hast wirklich liebenswerte Freunde«, bemerkte Valerie Jimmy gegenüber, als sie ihn an diesem Abend im Krankenhaus besuchte. Sie erzählte ihm, wie gut ihr Coops Haus und auch das Pförtnerhaus gefielen. »Ich

kann verstehen, warum du dich in das Haus verliebt hast.«
Ihr ging es nicht anders. Es verströmte eine so friedvolle Atmosphäre.
»Hat Coop dich angebaggert?«, fragte er gespannt.
»Natürlich nicht.« Darüber konnte Valerie nur lachen. »Ich bin etwa dreißig Jahre zu alt für ihn. Dafür ist er zu clever. Frauen meines Alters durchschauen ihn zu leicht. Es würde ihm zwar gut tun, aber für einen Mann wie Coop braucht man eine Menge Energie.« Sie lächelte Jimmy an.
»Vielleicht solltest du mit Alex um ihn konkurrieren«, zog er sie auf.
»Sicher nicht, mein Liebling«, schmunzelte sie. »Im Übrigen würde Alex spielend gewinnen, und das hätte sie auch verdient.« Ob es gut oder schlecht für sie wäre, war jedoch eine andere Frage, die man nicht aus den Augen verlieren sollte.

## 21. Kapitel

Bis Juni wurde die Romanze zwischen Taryn und Mark immer intensiver, wobei sie sich so diskret wie möglich verhielten, da sie die Kinder nicht beunruhigen wollten. Allerdings kamen sowohl Jessica als auch Jason ausgesprochen gut mit Taryn zurecht. So gut, dass die beiden am Ende des Schuljahres nicht zu ihrer Mutter nach New York zurückkehren wollten. Seit die Kinder in Los Angeles waren, hatte Janet sie nur ein einziges Mal gesehen, und jetzt bestand sie darauf, dass die beiden zu ihr kämen und bis nach der Hochzeit blieben. Janet wollte Adam am Wochenende des vierten Juli heiraten.

»Ich werde nicht fahren«, weigerte sich Jessica stur. Und Jason sagte, er würde tun, was immer seine Schwester machte. Jessica war fürchterlich wütend auf ihre Mutter. »Ich will hier bei dir bleiben und mich mit meinen Freunden treffen«, sagte sie zu Mark. »Und zu dieser Hochzeit gehe ich auf keinen Fall.«

»Das ist ein anderes Thema, darüber reden wir noch. Aber du kannst dich nicht weigern, deine Mutter zu sehen«, versuchte er sie zu beschwichtigen.

»Und ob ich das kann! Sie hat dich wegen dieses Arschlochs verlassen.«

»Das ist eine Sache zwischen deiner Mutter und mir und geht dich nichts an«, wies Mark seine Tochter streng zurecht. Aber ihm wurde immer deutlicher, dass Janet

sämtliche Brücken hinter sich abgebrochen oder zumindest stark beschädigt hatte. Adam war ihr dabei zur Hand gegangen – er hatte kein Blatt vor den Mund genommen und den Kindern mehr als deutlich zu verstehen gegeben, dass er bereits mit ihrer Mutter zusammen gewesen war, bevor sie nach New York zog. Das war dumm gewesen und hatte Janets Beziehung zu den Kindern beträchtlich geschadet. Trotzdem war Mark der Ansicht, dass die beiden ihrer Mutter früher oder später verzeihen mussten. »Komm schon, Jess, triff dich mit ihr«, redete er seiner Tochter ins Gewissen, »sie liebt dich.«
»Ich liebe sie ja auch«, räumte Jessica ein, »aber ich bin unglaublich sauer auf sie.« Sie war gerade sechzehn geworden und focht einen schweren Konflikt mit ihrer Mutter aus. Jason verhielt sich eher wie ein Zuschauer, aber auch er war von seiner Mutter unübersehbar enttäuscht. Außerdem gefiel es ihm ohnehin besser, bei seinem Vater zu leben, und Jessica ging es diesbezüglich nicht anders. »Ich werde auf keinen Fall wieder in New York zur Schule gehen«, fuhr sie fort. Davon hatte Mark noch kein Wort gesagt, aber tatsächlich war es genau das, was Janet wollte. Das Ende vom Lied war, dass er Janet noch einmal anrufen und die Sache erneut mit ihr besprechen musste.
»Ich kann es ihnen nicht schmackhaft machen, Janet. Ich versuche es wirklich, aber sie weigern sich, nach New York zurückzugehen – und erst recht, an deiner Hochzeit teilzunehmen.«
»Das können sie doch nicht tun …« Janet brach in Tränen aus, noch bevor Mark zu Ende geredet hatte. »Du musst dafür sorgen, dass sie kommen!«
»Ich kann sie schlecht betäuben und in Säcken verschnürt

ins Flugzeug setzen!« Mark verlor allmählich die Geduld. Wieso sollte er jetzt das gestörte Verhältnis zwischen Janet und den Kindern kitten? Sie hatte es sich schließlich selbst eingebrockt. »Warum kommst du nicht her, um mit ihnen zu reden? Das würde es für sie vielleicht leichter machen«, schlug er vernünftigerweise vor, aber davon wollte Janet nichts wissen.

»Dafür habe ich keine Zeit, ich bin vollauf mit den Vorbereitungen für die Hochzeit beschäftigt.« Sie hatten für die Feier ein Haus in Connecticut gemietet und planten einen Empfang mit 250 Gästen.

»Nun, du musst wissen, was du tust. Deine Kinder werden jedenfalls bei deiner Hochzeit wohl nicht mit von der Partie sein – es sei denn, du unternimmst etwas. Ich habe getan, was in meiner Macht liegt.«

»Zwing sie dazu«, verlangte Janet. Sie war wütend und verzweifelt zugleich. »Ich werde sie vor Gericht schleifen, wenn es nötig ist.«

»Sie sind alt genug, dass man ihnen bei Gericht Gehör schenken wird. Mit sechzehn und vierzehn sind sie keine Babys mehr.«

»Sie benehmen sich wie jugendliche Straftäter.«

»Nein«, verteidigte er die beiden mit ruhiger Stimme. »Sie sind verletzt, weil sie glauben, dass du sie in Bezug auf Adam angelogen hast. Und das hast du ja auch. Er hat ihnen gesagt, dass du mich seinetwegen verlassen hast, die Kinder haben es laut und deutlich gehört. Wahrscheinlich hat er das für sein Ego gebraucht.«

»Er hat keine Erfahrung im Umgang mit Kindern«, stellte Janet sich schützend vor Adam, wusste jedoch, dass Mark recht hatte.

»Nun, und du warst ihnen gegenüber nicht aufrichtig, und dabei ist Ehrlichkeit meistens das Beste.« Er hatte seine Kinder nie angelogen, auch Janet nicht – bis Adam in ihr Leben trat. Sie war so in ihn vernarrt, dass sie nicht mehr klar denken konnte und tat, was immer er von ihr verlangte. Seinetwegen machte sie sich sogar ihre Kinder zum Feind. »Ich kann dir nicht helfen, wenn du nicht auch selbst daran arbeitest. Warum kommst du nicht einfach für ein Wochenende her?«

Genau das tat sie am Ende. Sie stieg für zwei Tage im *Hotel Bel-Air* ab, und Mark überredete die Kinder, so lange bei ihr im Hotel zu wohnen. Am Ende dieser Zeit war zwar längst nicht alles zwischen ihnen bereinigt, aber die Kinder hatten zugestimmt, den restlichen Juni in New York zu verbringen. Janet hatte im Gegenzug versprochen, die beiden nicht zu drängen, an der Hochzeit teilzunehmen. Insgeheim ging sie davon aus, dass sie die Kinder schon noch würde überreden können, wenn sie erst einmal in New York waren. Jessica hatte ihr aber auch unmissverständlich erklärt, dass sie nach den Ferien wieder in Los Angeles zur Schule gehen würden, und Jason war ganz ihrer Meinung. Janet erkannte, dass sie die beiden nicht zwingen konnte. Also schlug sie Mark vor, einen Besuchsplan aushandeln, nach dem die Kinder einmal im Monat oder sogar öfter übers Wochenende nach New York kämen. Er war einverstanden und wollte mit den Kindern darüber reden. Die beiden verbuchten es als Sieg, dass sie weiterhin bei ihrem Vater leben durften – und Mark sah das nicht anders. Einigermaßen beschwichtigt machten sich die Kinder schließlich auf den Weg nach New York. Sie würden vier Wochen lang wegbleiben, und

Mark hatte ihnen erzählt, dass Taryn für diese Zeit zu ihm in den Gästeflügel ziehen würde. Taryn und Jessica waren mittlerweile schon richtig gute Freundinnen, und auch mit Jason verstand sie sich sehr gut – und vor allem hatte sie nicht die Ehe ihrer Eltern zerstört.
Dabei hatte Taryn bisher nie viel mit Kindern anfangen können. Jetzt war sie überrascht, wie gern sie mit den beiden von Mark zusammen war.
»Dir ist klar, dass ich mich nach einem Haus für uns umsehen muss, wenn die beiden ständig bei mir leben?«, sagte Mark eines Tages nachdenklich zu Taryn, als die Kinder schon ein paar Tage lang weg waren. »Auf Dauer können wir nicht hierbleiben, wir brauchen etwas Eigenes.«
Obwohl die Zeit noch nicht drängte, wollte er in diesem Sommer anfangen, sich umzuschauen. Bis Februar hatten sie den Gästeflügel in jedem Fall gemietet, und falls sie ein Haus fanden, das erst noch renoviert werden musste, hätten sie dafür genügend Zeit. Die Vorstellung, von *The Cottage* wegzuziehen, stimmte ihn tatsächlich ein wenig wehmütig.
Wenn er über dieses Thema nachdachte, drängte sich ihm jedes Mal automatisch die Frage auf, wie es mit ihm und Taryn weitergehen würde.
»Wie fändest du es, mit uns zusammenzuleben?«, fragte er sie jetzt ganz ernst. Er war selbst verblüfft darüber, wie sich sein Leben innerhalb kürzester Zeit verändert hatte. Gerade einmal fünf Monate zuvor war er am Boden zerstört gewesen, weil Janet ihn verlassen hatte. Und dann war ihm diese wundervolle Frau begegnet, die geradezu perfekt zu ihm passte und von der sogar seine Kinder begeistert waren.

»Klingt interessant.« Sie beugte sich zu ihm und küsste ihn. »Ich könnte mich eventuell dazu überreden lassen.« Taryn hatte keine Eile damit, wieder zu heiraten, und Coop hatte ihr gesagt, sie könne in den Gästeflügel oder das Pförtnerhaus ziehen, sobald eine der Wohnungen frei wäre. Aber wenn sie ehrlich war, wollte sie viel lieber mit Mark und den Kindern zusammenleben, der Ort war dabei nebensächlich. »Du musst sicher sein, dass deine Kinder damit zurechtkommen. Ich möchte für sie kein Eindringling sein.«
»Adam erleben sie so, aber nicht dich, mein Schatz.« Mark lächelte betrübt.
Die folgenden Wochen zu zweit festigten seine Beziehung mit Taryn und verstärkten ihrer beider Entschluss, sich Gedanken über eine gemeinsame Zukunft zu machen.
Tatsächlich entwickelten sich die Dinge zwischen ihnen in einem solchen Tempo, dass Taryn sogar schon mit ihrem Vater darüber sprach. Der war zwar nicht überrascht, aber doch ein bisschen enttäuscht.
»Ich würde dich ja gern an der Seite eines aufregenderen Mannes sehen«, gab er ehrlich zu. Während der letzten drei Monate hatte sich Taryn einen Platz in seinem Leben und seinem Herzen erobert, und mittlerweile kam es ihm vor, als hätte er sie von klein an aufgezogen. Er fühlte sich als ihr Beschützer und wünschte sich insgeheim, sie würde gemeinsam mit ihm auf dem Anwesen leben.
»Ich glaube nicht, dass ich ›jemand Aufregenderes‹ möchte, ich bin mir dessen sogar sicher«, vertraute sie ihm an. »Ich habe schon einen aufregenden Vater – das genügt. Ich will einen Mann, der zuverlässig, ausgeglichen und charakterstark ist. Mark besitzt all diese Eigenschaften,

und er ist ein guter Mensch.« Das konnte sogar Coop nicht bestreiten, obwohl ihn Gespräche über Steuergesetze tödlich langweilten.

»Was ist mit seinen Kindern? Vergiss nicht unseren genetisch bedingten Horror vor Nachwuchs. Hältst du es aus, mit diesen jugendlichen Straftätern zusammenzuleben?« Coop hätte es niemals zugegeben, doch in letzter Zeit hatte er Jessica und Jason gar nicht mehr als Störenfriede empfunden, sondern im Gegenteil gerade begonnen, sie zu mögen – zumindest beinahe.

»Ich mag die Kinder. Nein, es ist mehr als das, ich habe sie richtig gern.«

»Um Himmels willen, nicht das noch!« Er verdrehte in gespieltem Entsetzen die Augen. »Das könnte fatale Folgen haben. Schlimmer noch«, fügte er hinzu, als ihm ein entscheidendes Detail bewusst wurde, »diese kleinen Monster sind dann meine Enkelkinder. Ich schwöre dir, ich werde sie erwürgen, falls sie jemals ein Sterbenswörtchen davon verraten. Ich will niemals und von niemandem der Großvater sein. Sie können mich Mr. Winslow nennen.« Taryn lachte. Mark und sie hatten tatsächlich schon darüber gesprochen, im Winter zu heiraten. Sie gingen beide davon aus, dass die Kinder nichts dagegen hätten.

»Was ist eigentlich mir dir und Alex?«, fragte Taryn, nachdem sie ihre Zukunftspläne mit Mark ausschweifend erörtert hatten.

»Keine Ahnung«, erwiderte Coop mit besorgtem Blick. »Ihre Eltern haben sie kürzlich nach Newport eingeladen, aber sie hat abgelehnt. Meiner Meinung nach sollte sie hinfahren, auch wenn ich sie nicht begleiten kann. Ihr Vater ist von unserer Beziehung nicht sonderlich erbaut, und ich kann mir vorstellen, warum. Ich weiß es wirklich nicht, Taryn. Irgendwie habe ich das Gefühl, ihr gegenüber nicht fair zu sein. So etwas hat mich früher nicht belastet. Anscheinend werde ich langsam senil oder ganz einfach alt.«

»Oder erwachsen«, sagte Taryn mit sanfter Stimme.

Als er an diesem Nachmittag allein zum Pool hinunterging, um ein paar Bahnen zu schwimmen, dachte er immer noch darüber nach. Taryn und Mark waren ausgegangen, und Alex arbeitete. Jimmy war ein paar Tage zuvor aus dem Krankenhaus entlassen worden und lag jetzt im Gästehaus im Bett. Seine Mutter kümmerte sich um ihn. Coop freute sich, ein bisschen allein zu sein, und war ganz überrascht, als er am Pool auf Valerie traf, die ruhig ihre Bahnen schwamm. Sie hatte ihr Haar zu einem Dutt hochgesteckt, war wie immer kaum geschminkt und trug einen schlichten schwarzen Badeanzug, der ihre jugendliche Figur bestens zur Geltung brachte. Coop entschied mit Kennerblick, dass sie ohne Frage eine attraktive Frau, mehr noch, eine schöne Frau war, nur ein bisschen zu alt für seinen Geschmack. Dennoch unterhielt er sich sehr gern mit ihr – sie war klug und hatte eine klare Sicht auf das Leben, durch die sie anderen half, den Nebel, von dem sie sich umgeben fühlten, zu lichten – manchmal sogar ihm.

»Hallo, Cooper«, begrüßte sie ihn lächelnd, während er sich auf einen der Liegestühle setzte und entschied, doch nicht zu schwimmen. Lieber wollte er ihr zusehen, obwohl er es auch ein wenig bedauerte, jetzt doch nicht allein zu sein. Zu vieles ging ihm momentan durch den Kopf. Nicht nur Alex, auch das Ergebnis des DNA-Tests von Charlenes Baby, das bald vorliegen würde.

»Guten Tag, Valerie. Wie geht's Jimmy?«, erkundigte er sich höflich.

»Ganz gut, er ist nur ziemlich schlecht gelaunt, weil er noch nicht wieder laufen kann. Im Moment schläft er. Ist ganz schön anstrengend, ihm dabei zu helfen, sich mit diesen Gipsverbänden fortzubewegen.« Für diese zierliche Person war Jimmy ein ziemlicher Brocken.

»Sie sollten eine Krankenschwester engagieren. Allein können Sie das alles unmöglich schaffen.«

»Ich kümmere mich gern um ihn. Dazu hatte ich schon lange keine Gelegenheit mehr – und jetzt ist es vielleicht meine letzte.« Coop wurde auf einmal klar, wie taktlos seine Bemerkung gewesen war. Vielleicht konnte sie es sich gar nicht leisten, eine Krankenschwester einzustellen. Valerie hatte zwar Stil, aber dass sie und Jimmy nicht viel Geld besaßen, lag klar auf der Hand. Coop vermutete, dass Jimmy die hohe Miete für das Gästehaus nur aufbringen konnte, weil Maggie eine Lebensversicherung gehabt hatte. Aber dieses Geld wäre früher oder später aufgebraucht. Trotzdem strahlte Valerie O'Connor so viel natürliche Noblesse aus, dass Coop schier beeindruckt war.

»Ist Alex arbeiten?«, erkundigte sich Valerie, während sie aus dem Pool stieg und sich neben Coop setzte. Sie wollte nicht lange bleiben, um ihn nicht zu stören. Er wirkte unkonzentriert, als würde ihn etwas sehr beschäftigen.

»Natürlich. Das arme Mädchen arbeitet viel zu hart, aber sie liebt ihren Job.« Er bewunderte Alex dafür, und dass sie eigentlich gar nicht hätte arbeiten müssen, machte das

Ganze noch nobler – oder verrückter, je nachdem, von welcher Seite aus man es betrachtete.
»Gestern Abend sah ich im Fernsehen einen Ihrer alten Filme«, sagte Valerie freundlich und nannte ihm den Titel. »Sie sind ein bemerkenswert guter Schauspieler, Coop. Der Film war ausgezeichnet.« Und weit entfernt von den Gastauftritten und Werbespots, die er jetzt drehte. »Sie könnten immer noch ein sehr ernst zu nehmender Darsteller sein.«
»Dazu bin ich zu träge«, bekannte er mit müdem Lächeln. »Und zu alt. Filme wie dieser sind harte Arbeit. Dafür bin ich zu verwöhnt.«
»Vielleicht auch nicht«, erwiderte sie und sah ihn mit mehr Zutrauen an, als er selbst in sich hatte. Aber sie war von dem Niveau des Films, den sie bis dahin nicht einmal dem Titel nach gekannt hatte, auch wirklich beeindruckt gewesen. Coop musste damals etwa fünfzig gewesen sein und hatte atemberaubend gut ausgesehen. »Macht Ihnen Ihre Arbeit Spaß, Coop?«
»Früher schon. Was ich heutzutage mache, ist keine besondere Herausforderung.« In jeder Hinsicht. Alles musste ohne großen Aufwand und zügig über die Bühne gehen. Es ging nur um schnell verdientes Geld. Er wusste schon gar nicht mehr, wann er angefangen hatte, sich derart zu verkaufen, so viele Jahre machte er das schon. »Ich warte darauf, dass mir die richtige Rolle angeboten wird. Aber das tue ich jetzt schon ziemlich lange.« Es schien ihn zu bekümmern, und er wirkte ziemlich entmutigt.
»An Ihrer Stelle würde ich die Hoffnung nicht aufgeben. Die Welt hat es verdient, Sie wieder in einem großartigen Film zu sehen. Diesen einen habe ich wirklich genossen.«

»Freut mich zu hören.« Er lächelte sie an, und sie schwiegen einen Moment lang. Valerie hatte ihn mit ihren Worten nachdenklich gemacht. »Das mit Ihrem Jungen tut mir leid«, sagte er schließlich. »Es muss schrecklich für Sie gewesen sein.« Er sah sie an, und zum ersten Mal konnte er wirklich nachfühlen, wie sie die Sache mit Jimmys Unfall mitgenommen haben musste. Valerie spürte es und war ihm dankbar dafür.

»Das war es. Mein Sohn ist alles, was ich habe«, bekannte sie. »Wenn ich ihn verlieren würde, hätte mein Leben keinen Wert mehr.« Seit Taryn in sein Leben getreten war, begann Coop zu ahnen, wie furchtbar es sein musste, sein Kind zu verlieren. Und diese Beziehung war noch sehr jung, während Valerie viele gemeinsame Jahre mit ihrem Sohn erlebt hatte.

»Seit wann sind Sie Witwe?«, fragte er mitfühlend.

»Zehn Jahre, aber es kommt mir vor wie eine Ewigkeit.« Sie lächelte ihn an. Valerie war eine Frau, die Frieden mit sich und ihrem Leben geschlossen hatte. Sie hatte sich den Unabänderlichkeiten des Lebens gefügt und damit arrangiert; Pathos und Drama waren ihr fremd. Coop hatte den Eindruck, dass sie eine sehr starke Frau war. »Mittlerweile bin ich daran gewöhnt.«

»Denken Sie manchmal daran, wieder zu heiraten?« Es war ein ungewöhnliches Gespräch, das die beiden da führten, während sie an einem warmen Junitag im Schatten der Bäume am Pool saßen. Valerie war alt genug, um die Dinge aus Coops Perspektive sehen zu können, aber wiederum nicht so alt, dass sie ihre Lebensfreude verloren hätte oder nicht mehr wertschätzen konnte, was es hieß, Spaß zu haben und glücklich zu sein. Er empfand es als sehr angenehm, sich mit ihr zu unterhalten, und trotz ihrer Lebensweisheit kam sie ihm überraschend jung vor. Sie war siebzehn Jahre jünger als er – von Alex trennten ihn dagegen vierzig Jahre.

»Keine Sekunde lang«, gab sie ehrlich zu. »Ich habe auch nie nach jemandem gesucht. Ich dachte mir, wenn es auf dieser Welt noch einmal einen Mann für mich gibt, dann wird er mich schon finden. Das ist bisher nicht passiert, und es macht mir nichts aus. Mein erste Ehe war sehr glücklich, ich brauche nicht unbedingt noch eine.«

»Vielleicht überrascht Sie irgendwann jemand sehr.«

»Vielleicht«, erwiderte sie gelassen. Aber sie schien weder auf das eine noch auf das andere fixiert zu sein, was Coop äußerst angenehm fand. »Sie haben in diesen Dingen weitaus mehr Energie als ich.« Sie lächelte.

»Was haben Sie zum Abendessen vor?«, fragte er unvermittelt. Alex arbeitete, und er fühlte sich ein bisschen allein.

»Für Jimmy kochen«, antwortete sie und lächelte ihn freundlich an. »Hätten Sie Lust, mit uns zu essen? Jimmy würde sich bestimmt freuen.« Seit Jimmys Entlassung aus dem Krankenhaus hatte Coop lediglich ein einziges Mal kurz im Pförtnerhaus vorbeigeschaut. Er hatte sich so schnell wie möglich wieder verabschiedet und Alex später gestanden, wie sehr er Krankenzimmer hasse.

»Wenn Sie wollen, lasse ich uns etwas vom *Spago* liefern«, bot er an und freute sich sehr über die Einladung. Er mochte Valerie und genoss ihre aufkeimende Freundschaft.

»Ich mache viel bessere Pasta als die«, erwiderte sie stolz. Coop musste laut lachen.

»Ich verrate Wolfgang nicht, was Sie gerade gesagt haben, aber ich werde Ihre Pasta mit Vergnügen kosten.«
Als Coop an diesem Abend zum Essen ins Pförtnerhaus kam, war Jimmy ziemlich überrascht. Seine Mutter hatte vergessen, ihm davon zu erzählen. Jimmy fühlte sich in Coops Anwesenheit unbehaglich. Alex hatte im Krankenhaus sehr viel Zeit mit ihm verbracht, und Jimmy fragte sich, ob Coop davon wusste und eifersüchtig war. Aber der schien weitaus mehr daran interessiert, sich mit Valerie zu unterhalten. Und was die Qualität ihrer Pasta anging, stimmte er bereitwillig zu.
»Sie sollten ein Restaurant eröffnen«, sagte er, nachdem er das Essen überschwänglich gelobt hatte. »Vielleicht sollten wir aus *The Cottage* ein Hotel oder Wellness-Center machen.« Abe hatte ihm wieder damit gedroht, dass er das Anwesen verkaufen müsse, wenn nicht bald Geld hereinkäme. Allmählich ging Coop finanziell die Luft aus, wobei sein Hang zur Verschwendung das Seine dazu beitrug.
Jimmy ging direkt nach dem Essen schlafen, und nachdem Valerie ihn zu Bett gebracht hatte, setzten sie und Coop sich ins Wohnzimmer und redeten noch stundenlang. Über Boston und Europa, seine Filme und die Stars, die er alle kannte. Überrascht stellten sie fest, dass sie einige gemeinsame Bekannte hatten. Valerie sagte zwar, dass sie sehr zurückgezogen lebe, aber Coop entdeckte zu seiner größten Verwunderung, dass sie dafür recht mondäne Leute kannte. Sie erzählte ihm, dass ihr Mann Bankier gewesen sei, ging aber nicht weiter darauf ein –, und Coop fragte auch nicht nach. Er genoss einfach ihre Gesellschaft, und sie waren beide verblüfft, als sie plötzlich feststellten,

dass es schon zwei Uhr morgens war. Als Coop ging, war er bester Laune. Der Abend mit Valerie war einfach fantastisch gewesen.

Alex hatte währenddessen mehrfach versucht, ihn anzurufen, und war erstaunt, dass er offenbar ausgegangen war. Davon hatte er gar nichts gesagt. Allerdings war ihr nicht entgangen, wie ruhelos er in letzter Zeit gewesen war, und sie stand dem ratlos gegenüber. Darauf, dass er im Pförtnerhaus mit den O'Connors zu Abend aß, wäre sie nie gekommen, und nachdem sie jetzt seit fünf Monaten zusammen waren, fand sie sein Verhalten merkwürdig.

Coop lag noch lange wach im Bett und dachte über das nach, worüber Valerie und er gesprochen hatten. Ihm war klar, dass er eine Menge Entscheidungen treffen musste. Schließlich fiel er in einen unruhigen Schlaf und träumte von Charlene und dem Baby.

## 22. Kapitel

Coops finanzielle Situation hatte sich dramatisch zugespitzt. Am nächsten Tag traf er sich mit Abe, der ihm mitteilte, dass er *The Cottage* in spätestens drei Monaten verkaufen müsse, wenn nicht sofort etwas passiere.
»Du bist mit der Steuer im Rückstand, hast Schulden bei Händlern, Geschäften und Hotels. Allein dein Schneider in London bekommt noch 80 000 Dollar. Dazu die offenen Rechnungen bei den Juwelieren – du schuldest quasi jedermann auf diesem Planeten Geld. Und wenn du bis Jahresende nicht deine Steuer zahlst – von deinen Kreditkarten rede ich erst gar nicht –, dann wirst du nicht einmal mehr die Chance haben, das Anwesen zu verkaufen – dann wird es zwangsversteigert.« Die Lage war ernster, als Coop gedacht hatte, und zum ersten Mal hörte er Abe wirklich zu.
»Du solltest Alex heiraten«, erklärte Abe pragmatisch.
»Mein Liebesleben hat nichts mit meiner finanziellen Situation zu tun«, erklärte Coop würdevoll, doch in Abes Augen waren derartige Skrupel mehr als dumm. Coop bot sich eine einmalige Gelegenheit – warum sollte er sie nicht nutzen? Alex zu heiraten wäre genau der finanzielle Glücksfall, den er dringend brauchte.
Als Alex an diesem Abend erschöpft nach Hause kam, hatte sie eine dreitägige Schicht im Krankenhaus hinter sich. Sie hatte für zwei Kollegen einspringen müssen und

eine Reihe von Notfällen erlebt sowie hysterische Mütter und einen Vater, der einen Arzt mit der Pistole bedrohte, weil sein Kind unerwartet gestorben war. Der Mann wurde sofort verhaftet. Alex' Bedarf an Dramen war mehr als gedeckt, und sie war so erledigt, dass sie nicht einmal mehr die Energie aufbrachte, Coop zu erzählen, was sie alles erlebt hatte.
»Harter Tag?«, fragte er beiläufig, aber sie schüttelte den Kopf. Vor lauter Erschöpfung war sie den Tränen nahe. Sie hätte gern noch nach Jimmy gesehen, war aber einfach zu müde. Sie wusste, dass er es kaum noch aushielt, ständig ans Haus gefesselt zu sein. Alex rief ihn so oft an, wie sie konnte, aber während der letzten beiden Tage hatte sogar dazu die Zeit gefehlt.
»Drei harte Tage«, antwortete sie. Coop bot an, etwas für sie zu kochen. »Ich bin zu müde zum Essen«, lehnte sie ab. »Ich möchte mich nur noch in die Badewanne legen und dann ins Bett. Tut mir leid, Coop. Aber morgen ist ja auch noch ein Tag.«
Aber am nächsten Morgen war Coop sonderbar schweigsam. Er saß am Frühstückstisch und starrte vor sich hin. Alex hatte Eier mit Schinken gemacht und ihm sein Lieblingsglas mit Orangensaft gefüllt. Nachdem Coop gegessen hatte, sah er sie mit betrübter Miene an.
»Alles in Ordnung?«, fragte sie leise. Nachdem sie eine ganze Nacht durchgeschlafen und richtig gefrühstückt hatte, ging es ihr deutlich besser.
»Ich muss dir etwas sagen«, begann er und wirkte sehr zerknirscht.
»Stimmt etwas nicht?« Sie hätte es nicht an etwas Konkretem festmachen können, doch in letzter Zeit war es ihr

so vorgekommen, als sei aus ihrer Beziehung die Luft raus.
»Alex ... es gibt Dinge, die du nicht von mir weißt. Dinge, über die ich nur ungern rede. Die ich nicht einmal mir selbst eingestehen will.« Er lächelte traurig. »Ich habe hohe Schulden. Mein ausschweifender Lebensstil war wohl ein bisschen zu verschwenderisch – ähnlich wie beim verlorenen Sohn. Nur dass mein Vater längst tot ist und auch nicht reich war. Er verlor alles während der Wirtschaftskrise. Und ich stecke ganz schön in der Klemme, habe Steuerschulden und bergeweise unbezahlte Rechnungen. Jetzt muss ich die Zeche bezahlen, und zwar bald. Vielleicht muss ich sogar das Anwesen verkaufen.«
Alex fragte sich einen Moment lang, ob er sie um Geld bitten wollte. Sie hätte es ihm nicht übel genommen, zumal ihr Ehrlichkeit ohnehin lieber war als Geheimniskrämerei, auch wenn die Wahrheit schmerzte. Und über Coops Finanzen war sie durch ihren Vater sowieso schon im Bilde. »Tut mir leid, das zu hören, Coop. Aber es gibt Schlimmeres.«
»Nicht für mich. Mein Lebensstil ist mir ungeheuer wichtig. So sehr, dass ich dafür sogar hin und wieder meine Seele verkauft und in schlechten Filmen mitgespielt oder Geld ausgegeben habe, das ich gar nicht hatte. Alles nur um immer so weiterzumachen zu können, wie ich meinte, dass es mir zustände. Ich bin nicht stolz darauf, aber ich habe es nun mal getan.« Er legte jetzt tatsächlich die Karten offen auf den Tisch. Es ging nicht mehr anders. Sein Gewissen drängte ihn dazu, und das war absolutes Neuland für Coop.
»Möchtest du, dass ich dir helfe?«, fragte sie und sah ihn

liebevoll an. Alex hatte tatsächlich angefangen, ihn zu lieben, auch wenn er keine Kinder wollte. Sie hatte sich entschieden, dieses Opfer zu bringen, wenn er sie darum gebeten hätte.

Aber seine Antwort überraschte sie. »Nein, das möchte ich nicht. Genau deshalb wollte ich mit dir reden. Dich zu heiraten wäre für mich der bequemste Ausweg aus dieser Misere, aber ich könnte mir nie sicher sein, warum ich es eigentlich getan habe: ob um deiner selbst willen oder wegen deines Geldes.«

»Vielleicht musst du das gar nicht wissen. Es gibt eben nur das ganze Paket, mit allem Drum und Dran.«

»Alex, ich bin wahnsinnig gern mit dir zusammen, und wir haben viel Spaß miteinander. So jemand wie du ist mir nie zuvor begegnet. Aber du bist die perfekte Lösung meiner Probleme. Und dann? In den Augen der ganzen Welt werde ich ein Gigolo sein, und das wahrscheinlich zu Recht. Und du würdest es irgendwann auch so sehen. Dein Vater sowieso. Sogar mein Steuerberater rät mir dazu, dich zu heiraten, aber so will ich nicht sein, Alex. Und vielleicht liebe ich dich tatsächlich, denn du bedeutest mir genug, dass ich dir ehrlich sagen will: Ich will nicht, dass du so jemanden wie mich heiratest.«

»Ist das dein Ernst?« Sie sah ihn entsetzt an. »Was willst du mir damit eigentlich sagen?« Sie ahnte es bereits und hoffte doch, sie würde sich irren.

»Ich bin zu alt für dich. Ich könnte dein Großvater sein. Ich will keine Kinder. Weder von dir noch von Charlene oder von sonst jemandem. Gott war so gnädig, mir eine Tochter zu schenken. Sie ist eine sehr nette, erwachsene Frau, und ich habe rein gar nichts zu ihrer Erziehung

beigetragen. Ich bin zu alt, zu arm und zu müde – und du bist jung und reich. Wir müssen einen Schlussstrich ziehen«. Alex hatte plötzlich einen Kloß im Hals.
»Warum? Ich verlange doch gar nicht von dir, dass du mich heiratest. Ich brauche das nicht, Coop. Und mir zu sagen, ich sei zu reich, ist Diskriminierung.« Er musste lächeln, aber sie hatten beide Tränen in den Augen. Es fiel ihm unglaublich schwer, aber er musste diesen Weg weitergehen.
»Du solltest heiraten und Kinder bekommen, Alex. Einen ganzen Stall voll. Du wirst eine wundervolle Mutter sein. Und dieses Miststück von Charlene kann mein Leben jeden Moment in einen einzigen Skandalsumpf verwandeln. Ich kann nichts dagegen tun, aber ich kann es zumindest dir ersparen, mit mir gemeinsam da durchwaten zu müssen. Und ich will auch nicht, dass du meine finanziellen Probleme löst. Es ist mein Ernst: Wenn ich dich jetzt heirate, werde ich nie wissen, warum ich es getan habe. Und ehrlich gesagt, die Wahrscheinlichkeit, dass es wegen des Geldes war, ist ziemlich hoch. Ohne diese Finanznot würde ich sicher gar nicht über eine Ehe nachdenken. Ich würde mich wie immer einfach nur amüsieren.« Coop war niemals so ehrlich zu jemandem gewesen, aber er meinte, es Alex schuldig zu sein.
»Liebst du mich denn nicht?« Sie klang wie ein kleines Mädchen, das man gerade im Waisenhaus abgegeben hatte, und genauso fühlte sie sich auch. Er hatte sie zurückgewiesen. So wie ihre Eltern es getan hatten. Und Carter. Aber Coop war einfach nur ehrlich zu ihr, das hatte er sich selbst versprochen.
»Ich weiß es nicht, wirklich nicht. Ich bin nicht einmal

sicher, ob ich überhaupt weiß, was Liebe ist. Aber was auch immer man darunter verstehen mag, es sollte nichts sein, was zwischen einem Mann meines Alters und einem jungen Mädchen wie dir passiert. Das ist nicht natürlich und auch nicht richtig. Da gerät etwas durcheinander, und dich zu heiraten würde alles nur verschlimmern. Wenigstens einmal in meinem Leben will ich wirklich Würde zeigen und nicht nur so tun, als hätte ich sie. Ich möchte das Richtige tun, für uns beide. Und das bedeutet in diesem Fall, dich frei zu geben und mein Chaos selbst in Ordnung zu bringen.« Ihr das zu sagen war für ihn Herkulesarbeit gewesen, und es brach ihm fast das Herz, als er sie jetzt ansah. Er wünschte nichts mehr, als sie in die Arme zu schließen und ihr zu sagen, dass er sie liebe. Das tat er – genug, um nicht ihr Leben zu ruinieren, indem er bei ihr blieb. »Du solltest jetzt besser nach Hause fahren, Alex«, sagte er traurig. »Es ist für uns beide schwer. Aber vertraue mir – es ist die richtige Entscheidung.« Sie weinte haltlos, während sie die Reste des Frühstücks wegräumte. Danach ging sie nach oben, um zu packen. Als sie wieder nach unten kam, saß Coop in der Bibliothek und wirkte auf einmal alt und schwach. Dadurch dass Alex und Taryn in sein Leben getreten waren, spürte er zum ersten Mal sein Gewissen, und er war nicht sicher, ob er den beiden dafür dankbar sein sollte. Aber jetzt konnte er nicht mehr anders und musste danach handeln.

»Ich liebe dich, Coop.« Sie sah ihn an und hoffte, er würde seine Meinung ändern und sie bitten zu bleiben. Aber das tat er nicht; er konnte es einfach nicht.

»Ich liebe dich auch, Kleines … pass auf dich auf.« Er machte keine Anstalten, auf sie zuzugehen. Alex nickte und verließ das Haus durch die Vordertür. Sie kam sich vor, als wäre ihr Leben als Märchenprinzessin soeben wie eine Seifenblase zerplatzt. Sie wurde von zu Hause weggeschickt, hinaus in die Dunkelheit und Einsamkeit. Alex konnte einfach nicht verstehen, warum er das getan hatte. Immer wieder fragte sie sich, ob er vielleicht jemand anderen hatte. Und das hatte er in gewisser Weise auch: Er hatte einen Teil von sich kennengelernt, den er nie hatte kennen wollte.

Weinend fuhr Alex die Auffahrt entlang, und als sich das Tor öffnete, wusste sie, dass ihre Kutsche sich soeben wieder in einen Kürbis verwandelt hatte – zumindest fühlte sie sich so. Aber in Wahrheit war sie immer noch die Gleiche. Es war Coop, der sich am Ende in einen Prinzen verwandelt hatte, einen echten.

## 23. Kapitel

Jimmy verstand einfach nicht, warum er nichts mehr von Alex hörte. Sie rief nicht an und kam auch nicht vorbei. Und Valerie sagte, sie habe Alex schon seit einer Woche nicht mehr am Pool getroffen – Coop allerdings auch nicht. Und als sie sich schließlich doch über den Weg liefen, machte er einen sehr verschlossenen Eindruck. Sie zögerte, ob sie ihn überhaupt ansprechen sollte, und schwamm schweigend weiter, bis er sie schließlich nach Jimmy fragte.
»Es geht ihm besser – er beschwert sich in einem fort. So langsam wird er mich leid. Es wird ihm gut tun, wenn er sich endlich auf Krücken fortbewegen kann.« Coop nickte nur. Schließlich erkundigte sich Valerie nach Alex. Es folgte ein schier endloses Schweigen. Dann schaute Coop Valerie an, und sie konnte in seinen Augen etwas lesen, was zuvor nicht da gewesen war. Er war unglücklich, und das sah ihm gar nicht ähnlich. Coop war immer in der Lage gewesen, Gefühle vor anderen zu verbergen, sogar vor sich selbst, darin war er ein Meister – gewesen. Aber jetzt sah sie ihm an, dass er litt.
»Wir sehen uns nicht mehr«, sagte er niedergeschlagen. Valerie hielt inne, sich das Haar mit einem Handtuch trocken zu rubbeln. Sie konnte ihm ansehen, wie schwer es ihm fiel, darüber zu sprechen.
»Das tut mir wirklich leid.« Sie wagte nicht, ihn zu fragen,

was passiert war. Er hatte es Taryn erzählt, die sich daraufhin mit Alex zum Essen traf und ihm hinterher berichtete, wie unglücklich Alex sei. Taryn bedauerte die beiden, aber sie glaubte, dass Coops Entscheidung richtig gewesen war, insbesondere für Alex. Nichtsdestoweniger würde Alex eine ganze Weile brauchen, bis sie das auch so sah. Coop hatte es gut getan, dass Taryn seinen Entschluss unterstützte, genau das brauchte er jetzt.

»Ich bedaure es auch«, gestand Coop. »Sie aufzugeben war so, als würde ich die letzte meiner Illusionen begraben. Aber es ist besser so.« Von seinen Schulden und dass er Alex nicht wegen ihres Geldes heiraten wollte, sagte er nichts. Er hatte es nicht getan, und damit genug. Trotzdem vermisste er Alex, und er verspürte nicht den geringsten Wunsch, sich eine andere Frau zu suchen, schon gar keine junge – das hatte es zuvor niemals gegeben.

»Erwachsen zu sein ist eine schwierige Angelegenheit, nicht wahr?«, sagte Valerie verständnisvoll. »Manchmal hasse ich es.«

»Ich auch.« Coop lächelte sie an. Valerie war wirklich nett.

»Möchten Sie mit uns zu Abend essen?«, lud Valerie ihn spontan ein, aber er schüttelte den Kopf. Zum ersten Mal in seinem Leben wollte er niemanden sehen. Er wollte nicht reden, nicht den charmanten Coop geben oder sich amüsieren. »Sie und Jimmy könnten sich zusammen in Selbstmitleid ergehen und gegenseitig anfauchen.«

»Ich bin fast versucht anzunehmen«, lachte er. »Vielleicht in ein paar Tagen.« Oder Jahren oder noch viel später. Coop war selbst überrascht, wie sehr Alex ihm fehlte. Er hatte sich nicht nur an sie gewöhnt, sondern es auch genossen. Aber irgendwann hätte diese Beziehung sie er-

stickt, oder er hätte ihr wehgetan – und er wollte weder das eine noch das andere.
Valerie erwähnte Jimmy gegenüber nichts von dem Gespräch. Als er aber ein paar Tage später wieder begann, über Alex zu schimpfen, weil er nichts von ihr hörte, wurde sie weich und erzählte es ihm.
»Ich glaube, Alex hat momentan genug mit ihren eigenen Problemen zu tun«, sagte sie zögernd.
»Was soll das heißen?«, knurrte Jimmy. Er hatte es so satt, einen Gips tragen zu müssen und an den Rollstuhl gefesselt zu sein. Und er war wütend auf Alex, die ihn anscheinend völlig vergessen hatte.
»Es ist aus zwischen ihr und Coop. Ich habe ihn vor ein paar Tagen am Pool getroffen, da hat er es mir erzählt. Die beiden haben ganz schön daran zu knabbern. Deshalb hast du wahrscheinlich nichts mehr von ihr gehört.«
Jimmy erwiderte darauf nichts. Nachdem er ein paar Tage über diese Neuigkeit nachgedacht hatte, rief er im Krankenhaus an. Dort sagte man ihm, dass Alex frei habe. Daraufhin versuchte Jimmy es über den Pieper, aber sie rief nicht zurück. Ihre Privatnummer hatte er nicht. Erst eine volle Woche später erreichte er sie im Krankenhaus.
»Was ist los mit dir? Warst du vorübergehend scheintot?«, herrschte er sie an. Er hatte schon den ganzen Vormittag über seine Mutter angefaucht. Die Gespräche mit Alex fehlten ihm so. Sie war der einzige Mensch, dem gegenüber er sich geöffnet hatte – und dann war sie einfach verschwunden.
»Ja, so in der Art ... hatte viel zu tun.« Sie klang unglücklich und den Tränen nahe. Tatsächlich hatte sie während der letzten Wochen ständig geweint.

»Ich weiß, was passiert ist«, sagte er wesentlich sanfter. Er konnte hören, wie sehr sie litt. »Meine Mutter hat es mir erzählt.«
»Woher weiß sie davon?«, fragte Alex überrascht.
»Coop hat es ihr gesagt. Die beiden sind sich mal am Pool begegnet. Es tut mir ehrlich leid, Alex. Ich kann verstehen, dass es dir sehr nahegeht.« Eigentlich fand er, dass diese Trennung eher gut für sie war, aber jetzt war nicht der Augenblick, um ihr das zu sagen.
»Das tut es allerdings. Es ist alles sehr kompliziert. Coop hat so etwas wie eine Gewissenskrise bekommen.«
»Immerhin, das zeigt, dass er eines hat.« Jimmy konnte ihn immer noch nicht besonders gut leiden. Und wenn er Alex wehgetan hatte, schon gar nicht. Allerdings war Schmerz in solchen Situationen unvermeidlich. »Nächste Woche bekomme ich einen Gehgips. Kann ich bei dir vorbeikommen, wenn ich sowieso im Krankenhaus bin?«
»Natürlich. Ich würde mich freuen.« Sie wollte ihn nicht auf dem Anwesen besuchen, weil sie Angst hatte, Coop über den Weg zu laufen. Das hätte sie noch nicht ertragen, und er vielleicht auch nicht.
»Kann ich dich ab und zu anrufen? Ich weiß jetzt gar nicht mehr, wie du zu erreichen bist. Im Krankenhaus bekommt man dich nie ans Telefon, und deine Privatnummer habe ich nicht.«
»Es gibt keine. Ich schlafe in einem Wäschekorb auf einem Stapel schmutziger Klamotten.«
»Klingt reizvoll.«
»Ist es aber nicht. Verdammter Mist, Jimmy, ich fühle mich so mies. Vielleicht hat er ja recht, aber ich habe ihn wirklich geliebt. Er sagt, er sei zu alt für mich und wolle

keine Kinder. Und ... dass er eine Menge anderer Probleme habe und nicht wolle, dass ich sie für ihn löse. Er hielt das wohl für eine noble Geste. So ein Schwachsinn!«

»Ich finde das sehr anständig von ihm«, sagte Jimmy aufrichtig. »Und er hat das Richtige getan. Er ist wirklich zu alt für dich, und du solltest Kinder haben. Überleg doch mal – wenn du fünfzig bist, ist Coop neunzig.«

»Vielleicht spielt das aber keine Rolle«, entgegnete sie traurig.

»Womöglich doch. Möchtest du dich wirklich von der Vorstellung verabschieden, Kinder zu haben? Und selbst wenn du ihn hättest überreden können, du wärst praktisch eine alleinerziehende Mutter.«

Alex wusste, dass er recht hatte. Nach Jimmys Unfall hatte Coop sich von allem ferngehalten, weil er dieses Krankenhausszenario so »unerfreulich« fand. Langfristig gesehen brauchte sie aber einen Mann, der bereit war, sich auch mit Unerfreulichem auseinanderzusetzen. Coop würde das nie können, und diese Seite an ihm hatte ihr ganz und gar nicht gefallen.

»Keine Ahnung. Ich fühle mich jedenfalls erbärmlich.« Es tat so gut, offen mit Jimmy reden zu können. Sie hatte seine Freundschaft vermisst. Die Einzige, mit der sie bisher über die Trennung gesprochen hatte, war Taryn, und die hatte zwar sehr verständnisvoll reagiert, aber ebenfalls die Meinung vertreten, dass Coop richtig gehandelt habe. Tief in ihrem Innern dachte Alex das auch, doch es tat trotzdem weh.

»Das wirst du wahrscheinlich auch noch eine ganze Weile lang«, meinte Jimmy mitfühlend. Damit kannte er sich

aus, schließlich hatte er nach Maggies Verlust Ähnliches durchgemacht. Aber sein Unfall war ein heilsamer Schock für ihn gewesen, denn seitdem ging es ihm deutlich besser.
»Sobald ich keinen Gips mehr habe, gehe ich mit dir essen und ins Kino.«
»Ich bin momentan eine lausige Gesellschaft«, erwiderte sie voller Selbstmitleid. Er musste lächeln.
»Das bin ich schon die ganze Zeit. Ich treibe meine Mutter in den Wahnsinn, keine Ahnung, wie sie es mit mir aushält.«
»Ich würde mal vermuten, dass sie dich liebt.«
Jimmy versprach, Alex am nächsten Tag wieder anzurufen, und als er es tat, hörte sie sich schon ein bisschen besser an. Sie telefonierten jeden Tag, bis ihm endlich der Gips abgenommen wurde. Um das zu feiern, führte er sie zum Essen aus. Seine Mutter fuhr die beiden und war froh zu sehen, dass Alex besser aussah, als sie erwartet hatte. Die Trennung von Coop war sicher ein harter Schlag für sie gewesen, aber auf lange Sicht gesehen die richtige Entscheidung. Zumindest hoffte Valerie das. Coop hatte noch einmal mit ihr darüber gesprochen. Um sich abzulenken, drehte er einen Werbeclip nach dem anderen. Momentan sorgte ihn am meisten das Ergebnis des DNA-Tests von Charlenes Baby. Das Letzte, was er jetzt brauchte, war ein Kind, für das er unterhaltspflichtig war.
»Ich schwöre Ihnen, Valerie«, hatte er ihr am Tag zuvor gesagt, »ich werde niemals wieder mit einer Frau ausgehen.« Er kochte vor Wut, und Valerie hatte gelacht.
»Warum nur kann ich Ihnen das nicht glauben? Und wenn Sie achtundneunzig wären und auf dem Sterbebett lägen, würde ich Ihnen einen solchen Spruch nicht abkaufen.

Coop, Ihr ganzes Leben hat sich immer nur um die Frauen gedreht.« Während der letzten Wochen waren sie Freunde geworden und konnten überraschend offen zueinander sein.

»Stimmt«, bekannte er nachdenklich. »Aber in den meisten Fällen waren es leider die falschen. Bei Alex war das anders, und wenn ich nichts von ihrem Geld gewusst hätte, wäre die Geschichte vielleicht anders ausgegangen. Ich konnte diese beiden Dinge einfach nicht trennen: was ich für sie empfand und inwiefern sie mir nützlich sein könnte.« Er war alles noch Hunderte von Malen im Kopf durchgegangen und immer zu demselben Ergebnis gelangt. Und am Ende wusste er, dass er richtig gehandelt hatte. Einmal sagte er sogar zu Valerie, dass Alex zu jung für ihn gewesen sei – es war das erste Mal, dass er es zugab.

»Sie haben das Richtige getan, Coop.« Das war ihre ehrliche Überzeugung. »Obwohl ich es auch verstanden hätte, wenn Sie Alex geheiratet hätten. Sie ist ein ganz besonderer Mensch, und sie liebt Sie.« Aber um Alex' willen hatte sie immer gehofft, dass es nicht dazu kommen würde.

»Ich liebe sie auch. Aber ich hatte das Gefühl, sie heiraten zu *müssen*, weil ich ihr Geld brauchte.«

»Und was wollen Sie jetzt tun, um Ihre Probleme zu lösen?«, fragte Valerie interessiert.

»Ich hoffe immer noch auf eine Rolle in einem tollen Film«, sagte er nachdenklich. »Ansonsten drehe ich eben viele schlechte Werbespots.« Er hatte seinem Agenten bereits gesagt, dass er bereit wäre, auch andere Rollen zu übernehmen, und durchaus in Betracht zöge, einen alten

Mann oder einen Vater zu spielen. Sein Agent war sprachlos gewesen und zuversichtlich wie schon lange nicht mehr. Das Angebot war Coop nicht leicht gefallen.

Es war bereits der 1. Juli, als Coop endlich der Alte zu sein schien und auch Alex wieder ein wenig glücklicher wirkte. Valerie hatte Jimmy ein paar Mal ins Krankenhaus gefahren, damit er sich mit Alex treffen konnte, und als Coop einmal übers Wochenende weg war, kam Alex ins Pförtnerhaus, um mit Jimmy, Valerie, Mark und Taryn zu Abend zu essen. Die Kinder würden erst nach dem vierten Juli zurückkehren, da sie sich am Ende doch bereit erklärt hatten, an der Hochzeit ihrer Mutter teilzunehmen. Adam war in ihren Augen immer noch ein Arschloch, aber sie taten es ihrer Mutter zuliebe, und Mark war stolz auf die beiden.
»Wir verloben uns«, verkündete Mark mit stolzem Blick auf Taryn. Sie waren beide ein bisschen verlegen, aber man konnte ihnen ansehen, wie verliebt und aufgeregt sie waren.
»Herzlichen Glückwunsch!«, sagte Alex und spürte einen Anflug von Traurigkeit. Sie vermisste Coop und die gemeinsame Zeit mit ihm noch immer. Dass es so schnell vorbei sein könnte, hatte sie nicht erwartet, und es tat ihr nach wie vor weh.
Jimmy hatte beschlossen, in der folgenden Woche wieder mit seiner Arbeit anzufangen – auch mit Krücken. Hausbesuche würden zwar ausgeschlossen sein, aber die Leute konnten schließlich auch zu ihm ins Büro kommen. Seine Mutter würde ihn morgens hinfahren und so lange bei ihm wohnen bleiben, bis er wieder richtig laufen und selbst

Auto fahren konnte. Eigentlich hatte Valerie versucht ihn zu überreden, dass er sie am Ende des Sommers in ihr Haus auf Cape Cod begleitete, doch er hatte ihr gesagt, dass er seinen Job auf keinen Fall aufgeben wolle.

»Ich komme mir vor wie ein Kind, wenn meine Mutter mich überall hinfährt und sogar ins Bad bringt«, gestand er Alex und verzog das Gesicht.

»Sei dankbar, dass du sie hast«, tadelte Alex ihn.

Sie verbrachten alle zusammen einen sehr netten Abend, und als Alex später nach Hause fuhr, fragte sie sich, was Coop wohl gerade machte, der sich noch nicht wieder bei ihr gemeldet hatte. Sie wusste aber, dass er wegen eines Werbespots zwei Tage in Florida auf einem Segelboot verbrachte. Seiner Meinung nach war es klüger, eine Weile keinen Kontakt zu haben, er hoffe aber, dass sie eines Tages Freunde sein könnten. Noch war das allerdings keine aufmunternde Perspektive für Alex, dafür liebte sie ihn zu sehr.

Marks Kinder kamen kurz nach dem vierten Juli wieder nach Hause, und eine Woche später sah Alex in ihrem Kalender, dass Charlene an diesem Tag ihren Untersuchungstermin hatte. Die Testergebnisse würden etwa zehn Tage später vorliegen, und Alex fragte sich, ob sie wohl erfahren würde, was dabei herauskam. Exakt zwei Wochen später rief Coop sie tatsächlich an. Er war völlig aus dem Häuschen gewesen, als er das Ergebnis erfahren hatte, und sein erster Gedanke war gewesen, dass er Alex davon erzählen musste.

»Es ist nicht von mir!«, sagte er erleichtert, nachdem er Alex gefragt hatte, wie es ihr ginge. »Ich dachte, es würde dich vielleicht interessieren. Ist das nicht fantastisch? Ich bin raus aus der Sache.«

»Von wem ist es denn? Weißt du das?« Alex freute sich für ihn, wenn es auch nicht leicht für sie war, seine Stimme zu hören.

»Nein, und es interessiert mich auch nicht die Bohne. Für mich zählt nur, dass es nicht von mir ist. Ich bin einfach zu alt, um Vater zu werden – ob ehelich oder unehelich«, ergänzte er Alex zuliebe.

»Ich wette, dass Charlene enttäuscht ist«, meinte Alex nachdenklich. Aber sie wusste auch, welche Last Coop endlich von den Schultern genommen war.

»Enttäuscht ist bestimmt stark untertrieben. Wahrscheinlich ist irgendein Tankwart der Vater des Kindes, und sie bekommt keinerlei finanzielle Unterstützung, geschweige denn ein Appartement in Bel Air.« Coop klang so erleichtert wie schon seit Monaten nicht mehr. In der darauf folgenden Woche sah Alex im Supermarkt die Boulevardblätter mit der Schlagzeile:

*Cooper Winslow – Kind der Liebe doch nicht von ihm!*
Bestimmt hatte sein Presseagent dafür gesorgt. Coop war rehabilitiert.


»Okay, okay«, sagte sie, als Jimmy mit ihr schimpfte, weil sie noch mehr als sonst arbeitete. »Es lenkt mich davon ab, dass ich ihn vermisse. Es gibt nicht viele Menschen wie ihn.«

»Das könnte von Vorteil sein«, zog er sie auf. Jimmy hatte wieder angefangen zu arbeiten und fühlte sich so gut wie schon lange nicht mehr. Er schlief ausgezeichnet und klagte, er würde zu dick werden, weil seine Mutter fantastisch kochte. Dabei war er schlank wie eh und je. Noch ein Monat Physiotherapie, und dann würde auch der Gehgips endlich abgenommen. Jimmy bestand darauf, mit Alex ab und zu essen und ins Kino zu gehen, wobei seine Mutter jedes Mal als Chauffeur diente. Er war jetzt wesentlich besser gelaunt, und auch Alex' Stimmung stieg allmählich. Sie wurde langsam wieder die Alte und genoss es, Zeit mit Jimmy zu verbringen. Maggie war seit mittlerweile sechs Monaten tot, und die Trennung von Coop lag vier Wochen zurück. Alex und Jimmy erholten sich langsam von ihrem jeweiligen Kummer.

»Weißt du was, du solltest anfangen, dich wieder zu verabreden«, sagte Jimmy eines Abends zu ihr, als sie in einem chinesischen Restaurant aßen. Er war ausnahmsweise mit dem Taxi gekommen, da seine Mutter eine Verabredung zum Abendessen hatte. Alex wollte ihn dann später nach Hause fahren.

»Meinst du?«, fragte sie mit amüsierter Miene. »Und wer hat dich zum Wächter meines Liebeslebens ernannt?«

»Dafür sind Freunde doch da, oder etwa nicht? Du bist zu jung, um jemandem nachzuweinen, mit dem du gerade einmal vier oder fünf Monate zusammen gewesen bist. Du musst in die Welt hinausgehen und wieder am Leben teilnehmen.« Er klang fast väterlich. Sie verstanden sich inzwischen sehr gut und konnten offen über alles reden. Diese Freundschaft bedeutete ihnen beiden sehr viel.

»Besten Dank, Dr. Seltsam. Und nur zu deiner Information: So weit bin ich noch nicht.«

»Ach, Unsinn. Jetzt komm mir nicht damit. Du drückst dich doch nur.«

»Tue ich nicht. Ja, du hast recht«, gab sie im nächsten Mo-

ment zu.«»Davon abgesehen habe ich zu viel zu tun. Ich bin Ärztin und habe keine Zeit für eine Beziehung.«
»Das beeindruckt mich rein gar nicht. Du warst auch schon Ärztin, als du mit Coop ausgegangen bist. Was hat sich geändert?«
»*Ich* habe mich verändert. Ich bin verletzt.« Aber ihre Augen lachten, während sie das sagte. Bisher hatte sich allerdings auch noch niemand gefunden, der es wagte, in Coops Fußstapfen zu treten – das war schließlich keine geringe Herausforderung.
»Du bist nicht verwundet, sondern träge und verängstigt.«
»Und was ist mit dir?«, drehte sie den Spieß herum, während sie ihm die letzten gefüllten Teigtaschen vom Teller mopste.
»Ich bin panisch. Das ist etwas ganz anderes. Außerdem bin ich in Trauer«, sagte er ganz ernst, aber er wirkte längst nicht mehr so am Boden zerstört wie bei ihrer ersten Begegnung. »Und dennoch werde auch ich mich eines Tages wieder verabreden. Meine Mutter und ich haben ziemlich ausführlich darüber gesprochen. Sie hat nach Vaters Tod das Gleiche durchgemacht und meint, es wäre es Fehler gewesen, sich so von der Welt zurückzuziehen. Ich glaube, heute bedauert sie es.«
»Deine Mom ist eine fantastische Frau«, sagte Alex bewundernd. Sie mochte Valerie sehr und sagte Jimmy oft, dass er sich glücklich schätzen könne, sie zur Mutter zu haben.
»Ja, ich weiß. Aber ich glaube, sie ist ganz schön einsam. Deshalb genießt sie es wahrscheinlich auch, bei mir zu sein. Ich habe ihr übrigens vorgeschlagen, ganz hierher zu ziehen.«

»Und, wird sie es tun?«, fragte Alex gespannt.
»Wohl kaum. Sie mag Boston und fühlt sich dort wohl. Und sie liebt unser Haus auf Cape Cod. Normalerweise verbringt sie den ganzen Sommer da. Sobald ich meinen Gips los bin, wird sie hinfahren. Ich glaube, sie kann es kaum erwarten. Sie genießt es so, überall herumzuwerkeln und alles in Ordnung zu halten.«
»Bist du auch gern dort?« Alex fand das alles sehr spannend.
»Manchmal.« Er wusste, dass ihn dort vieles an Maggie erinnern würde, deshalb wollte er noch ein Jahr warten, bis er wieder hinfuhr. Dann würde es ihm leichter fallen, und seine Mutter hatte gesagt, dass sie es verstehe. Sie war ihm gegenüber immer verständnisvoll, was immer er auch tat.
»Ich hasse unser Haus in Newport. Es sieht aus wie Coops Haus, nur noch größer. Ich fand das schon immer albern für ein Strandhaus. Als ich ein Kind war, wünschte ich, wir würden in einem schlichteren Haus wohnen, so wie die anderen Kinder. Ich hatte immer von allem das Größte, Beste und Teuerste. Es war so beschämend.« Das Haus der Familie in Palm Beach war sogar noch größer, und auch das mochte sie nicht.
»Ich verstehe, wie traumatisch das für dich gewesen sein muss«, zog Jimmy sie auf, während sie ihren Tee tranken und Alex sich beklagte, dass sie zu viel gegessen habe. Sie alberten herum wie zwei Kinder. »Ich meine, sieh dich doch an: Du weigerst dich sogar, dich anständig anzuziehen. Ich glaube, du besitzt keine einzige Jeans ohne Löcher. Du fährst ein Auto, das aussieht, als hättest du es auf dem Schrottplatz gekauft, und nach allem, was du erzählst,

wirkt dein Appartement, als hättest du es mit Sachen vom Sperrmüll eingerichtet. Es ist ja wohl offensichtlich, dass du eine krankhafte Furcht vor allem hast, was ordentlich oder teuer ist.« Ihm fiel auf, dass Maggie früher manchmal genau das Gleiche zu ihm gesagt hatte.
»Beschwerst du dich etwa über mein Aussehen?«, fragte sie grinsend.
»Nein, dafür dass du neunzig Prozent deiner Zeit diese Krankenhauskittel trägst, ist es mehr als okay. Und in der übrigen Zeit siehst du fantastisch aus. Ich beklage mich lediglich über dein Auto und dein Appartement.«
»Und mein Liebesleben, das nicht vorhandene. Sonst noch etwas, das Ihnen an mir missfällt, Mr. O'Connor?«
»Jaaa«, sagte er und sah ihr in die Augen, die wie brauner Samt schimmerten. »Du nimmst mich nicht ernst, Alex.« Seine Stimme klang plötzlich ganz anders.
»Was bitte soll ich ernst nehmen?«, fragte sie überrascht.
»Ich glaube, ich bin dabei, mich in dich zu verlieben«, sagte er zärtlich. Er war unsicher, wie sie darauf reagieren würde, und fürchtete, sie könne es ihm übel nehmen. Seine Mutter hatte ihn zu diesem Schritt ermutigt, nachdem sie in der vergangenen Nacht ein ausführliches Gespräch darüber geführt hatten.
»Du tust *was*? Bist du verrückt?« Sie war völlig verblüfft.
»Das ist nicht unbedingt die Antwort, die ich erhofft habe. Und ja, vielleicht bin ich das. Es hat mich geärgert, dass du mit Coop zusammen warst. Immerzu dachte ich, dass er nicht der Richtige für dich ist. Ich war allerdings noch nicht so weit, um für die Rolle deines Begleiters in Frage zu kommen«, sagte er ganz offen, während sie ihn fassungslos ansah. »Ich bin nicht einmal sicher, ob ich jetzt

schon so weit bin. Aber ich hoffe, es eines Tages zu sein. Zumindest möchte ich mich dann um diesen Job bewerben. Am Anfang wird es sicher nicht leicht sein. Wegen Maggie. Vielleicht aber doch. Es ist wie mit dem Gips: Ich muss wieder neu laufen lernen ... Ich weiß nicht, was ich noch sagen soll, außer dass du mir etwas bedeutest und ich gerne herausfinden würde, was passiert, wenn wir der Sache eine Chance geben. Jetzt denkst du wahrscheinlich, dass ich verrückt bin, weil ich so wirres Zeug rede und mich anhöre wie der letzte Trottel«, stammelte er, bis Alex die Hand ausstreckte und ihn sachte berührte.
»Hey, ist schon okay«, sagte sie sanft. »Ich habe auch Angst ... und ich mag dich ... vom ersten Moment an ... Nach deinem Unfall hatte ich fürchterliche Angst, du könntest sterben. Ich habe mir nichts mehr gewünscht, als dass du aus dem Koma erwachst und zurückkommst ... und das bist du ... und die Sache mit Coop ist vorbei. Keine Ahnung, wie es jetzt weitergeht. Lass uns nur nichts überstürzen, okay? ... Dann werden wir schon sehen ...«
Er saß einfach nur da, lächelte sie an und freute sich, dass sie sich gegenseitig gestanden hatten, dass sie einander etwas bedeuteten. Vielleicht genügte das ja für den Moment. Sie hatten es beide verdient, den Richtigen zu finden. Ob ihnen das jetzt gelungen war, musste sich noch zeigen, aber es war zumindest ein Anfang. Sie hatten einander die Tür geöffnet und standen an der Schwelle eines Neubeginns. Mehr hätte zu diesem Zeitpunkt keiner von ihnen zu hoffen gewagt.
Während sie ihn nach dem Abendessen zurück zum Pförtnerhaus fuhr, waren sie glücklich und hoffnungsvoll, aber auch ein wenig verunsichert. Alex half Jimmy aus dem

Auto und die Treppe hinauf. Auf halber Höhe drehte er sich plötzlich lächelnd zu ihr und küsste sie. Fast wäre er dabei ausgerutscht und gestürzt. Alex schimpfte, während sie ihn ins Bett brachte.
»Bist du verrückt geworden? Du hättest die Treppe hinunterstürzen können!« Er sah sie lächelnd an. Von Anfang an hatte ihm einfach alles an ihr gefallen.
»Hör auf, mich anzuschreien!«, wetterte er gut gelaunt.
»Dann hör auf, solche Dummheiten zu machen«, konterte sie, und er küsste sie noch einmal.
Kurz darauf ging sie. Unten am Treppenabsatz drehte sie sich noch einmal um und rief: »Bedank dich in meinem Namen bei deiner Mutter!«
Lächelnd fuhr Alex nach Hause, in Gedanken bei Jimmy. Der wiederum lag in seinem Schlafzimmer im Pförtnerhaus und lächelte ebenfalls. Das Leben war manchmal eine risikoreiche Straße, voller Gefahren und Leid, aber seine Mutter hatte recht gehabt: Es war an der Zeit, dem Leben noch einmal eine Chance zu geben.

## 24. Kapitel

An demselben Abend, als Alex und Jimmy in dem chinesischen Restaurant saßen, war Coop mit Valerie ausgegangen. Er hatte ihr schon vor einiger Zeit versprochen, ihr die *L'Orangerie* zu zeigen. Valerie pflegte Jimmy jetzt seit fast zwei Monaten, und Coop war der Meinung, dass sie es verdient hatte, wenigstens einmal schön auszugehen. Außerdem schätzte er nicht nur ihre Freundschaft, sondern fühlte sich ziemlich einsam ohne Alex. In der Vergangenheit hatte er sich immer kopfüber in die nächste Beziehung gestürzt, um seinen Liebeskummer zu kurieren, aber jetzt wollte er lieber solo bleiben. Die Zeiten hatten sich geändert, so wie er selbst sich auch.

Zum ersten Mal seit einem Monat ging er heute zum Essen aus. So etwas wäre ihm früher unvorstellbar gewesen. Valerie erwies sich als überaus angenehme Gesellschaft. Coop und sie waren bei überraschend vielen Dingen einer Meinung: Sie mochten die gleichen Opern und Städte in Europa. Er kannte Boston fast so gut wie sie, und beide liebten sie New York. Vor Jimmys Geburt hatten Valerie und ihr Mann einige Zeit in London verbracht, und Coop schätzte diese Stadt sehr. Sie hatten sogar die gleichen Lieblingsgerichte und -restaurants.

Der Abend verlief sehr ungezwungenen und entspannt. Sie sprachen auch über Taryn und Mark, und Coop beschrieb Valerie, wie Taryn in sein Leben getreten war. Valerie erzählte von Jimmy und seinem Vater und wie ähnlich sich die beiden seien. Im Laufe des Abends redeten sie über alle Themen, an denen ihnen etwas lag, und Coop sprach schließlich sogar über Alex.

»Um ehrlich zu sein, Valerie, ich war verrückt nach ihr, aber das Ganze war einfach nicht richtig. Vielleicht ist sie noch zu jung, um das zu verstehen, aber ich glaube, dass wir einander am Ende unglücklich gemacht hätten. Im letzten Monat unserer Beziehung sind mir immer häufiger Zweifel gekommen, aber ich wollte Alex einfach nicht aufgeben – aus rein egoistischen Gründen.« Am Ende hatte er sich schließlich besser damit gefühlt, nur ein einziges Mal nicht egoistisch zu sein. Er sprach mit Valerie auch über Charlene, darüber, was für ein beschämender Fehler diese Beziehung gewesen war. Alex hatte ihn gelehrt, so offen über alles zu reden. Ehrlich zu sein war für ihn jetzt etwas Vertrautes, und Valerie empfand es als sehr wohltuend. Coop verschwieg nicht einmal seine finanzielle Misere. Er hatte kürzlich einen seiner Rolls-Royce verkauft, was kein leichter Schritt für ihn gewesen war. Zum ersten Mal in seinem Leben hatte Coop begonnen, sich der Realität zu stellen. Er wusste, dass Liz stolz auf ihn gewesen wäre, und selbst Abe war beinahe mit ihm zufrieden. Schließlich behauptete sein Agent, dass es Aussichten auf eine Superrolle für Coop gäbe – aber das behauptete er seit Jahren ständig.

»Vielleicht ist es doch nicht so fürchterlich, erwachsen zu sein. Es ist einfach nur neu für mich«, gestand er Valerie. »Diesen Sommer wollte ich eigentlich nach Europa.« Er hatte Alex vom *Hôtel du Cap* an der französischen Riviera erzählt, aber sie hätte nicht frei nehmen können, und er konnte es sich sowieso nicht mehr leisten. »Jetzt werde ich wohl zu Hause bleiben und ein paar Dinge erledigen.«

»Hätten Sie Lust, mich für ein paar Tage nach Cape Cod zu begleiten? Ich besitze dort ein gemütliches altes Haus. Es gehörte früher meiner Großmutter, und ich halte es längst nicht so gut in Schuss, wie sie es getan hat. Es müsste dringend renoviert werden, aber es hat viel Charme. Ich verbringe schon seit meiner Kindheit dort die Sommer.«

Dieses Haus bedeutete ihr sehr viel, und ihr gefiel die Vorstellung, es Coop zu zeigen. Sie war sicher, dass er es zu schätzen wüsste.

»Sehr gern«, sagte er mit einem warmen Lächeln. Er war gern mit ihr zusammen. Man spürte, dass Valerie in ihrem Leben einige Schicksalsschläge widerfahren waren, aber sie hatte aus ihnen gelernt und das Beste daraus gemacht. Sie bemitleidete sich nicht selbst und klagte nie. Stattdessen war sie ruhig und gelassen, und es tat ihm gut, mit ihr zusammen zu sein. Er mochte sie als Freundin, konnte sich aber vorstellen, dass mit der Zeit mehr daraus wurde. Früher hätte ihn eine Frau ihres Alters nicht interessiert, aber jetzt sah er, welche Vorzüge es haben konnte. Valerie war zwar immer noch fast zwanzig Jahre jünger als er, aber eine enorme Verbesserung zu den Mädchen, die seine Enkelinnen sein konnten.

»Gibt es eigentlich einen neuen Mann in Ihrem Leben, Valerie?« Coop wollte sicher sein, dass nicht jemand in Boston oder auf Cape Cod auf sie wartete. Aber sie schüttelte lächelnd den Kopf.

»Seit dem Tod meines Mannes wollte ich keine Beziehung mehr. Das ist jetzt zehn Jahre her.«

Er sah sie ungläubig an.

»Was für eine Verschwendung!« Sie war eine wunderschöne Frau und verdiente es, geliebt zu werden.

»Ich fange gerade an, das auch so zu sehen«, gestand sie. »Deshalb hatte ich auch Angst, dass Jimmy den gleichen Fehler machen würde. Ich habe ziemlich auf ihn eingeredet. Natürlich braucht er Zeit, aber er kann nicht bis in alle Ewigkeit um Maggie trauern. Sie war ein fantastisches Mädchen und ihm eine großartige Ehefrau. Aber sie hat uns für immer verlassen, und das muss er früher oder später akzeptieren.«

»Das wird er«, erwiderte Coop zuversichtlich. »Das liegt in der Natur des Mannes«, fügte er lachend hinzu. »Ich habe mich immer schnell damit abfinden können.« Dann wurde er plötzlich ernst. »Aber ich musste auch nie über einen derartig schweren Verlust hinwegkommen.«

Als Valerie und er wieder zurück auf dem Anwesen waren, gingen sie noch ein paar Schritte durch den Park. Es war eine warme Sommernacht, und alles wirkte friedlich und wunderschön. Sie setzten sich an den Pool und redeten noch eine ganze Weile. Aus dem Gästeflügel drang Lachen bis zu ihnen. Coop wusste, dass Taryn bei Mark und den Kindern war. Sie übernachtete jedoch wieder im Haupthaus, seit die Kinder zurück waren.

»Sie werden einander gut tun«, sagte Coop, und Valerie nickte. »Ist es nicht verrückt, wie das Leben manchmal spielt? Ich bin sicher, dass er nach der Trennung von seiner Frau am Boden zerstört war. Und jetzt hat er Taryn, und die Kinder wollen bei ihm leben. Das Schicksal geht manchmal wundersame Wege.«

»Genau das habe ich Jimmy heute Abend gesagt. Er muss

einfach darauf vertrauen, dass alles gut wird. Auch wenn sein Leben anders aussehen wird, als er einmal dachte.«
»Und was ist mit Ihnen, Valerie? Wird für Sie auch alles gut?«, fragte er leise und griff nach ihrer Hand. Er konnte im Mondlicht ihre blauen Augen und das schwarze Haar schimmern sehen.
»Ich habe alles, was ich brauche«, antwortete sie, zufrieden mit ihrem Schicksal. Valerie forderte und erwartete nicht viel vom Leben. Jimmy war noch am Leben, und das musste genügen.
»Tatsächlich? Das gibt es selten. Die meisten Menschen wären nicht so genügsam. Vielleicht verlangen Sie einfach nicht genug?«
»Doch, das denke ich schon. Vielleicht wäre es schön, jemanden zu haben, mit dem man alles teilen kann, aber wenn nicht, ist es auch in Ordnung.«
»Wenn die Einladung ernst gemeint war, besuche ich Sie gern auf Cape Cod.«
»Ich würde mich freuen.«
»Alte Häuser finde ich wunderbar, und auf dem Cape hat es mir schon immer gefallen. Die Atmosphäre hat so etwas Gediegenes. Und es ist nicht so pompös wie Newport, auch wenn dort tolle Häuser stehen.« Er hätte gern einmal das Haus der Madisons gesehen, obwohl das jetzt kein Thema mehr war. Vielleicht eines Tages, wenn Alex und er hoffentlich Freunde geworden waren. Doch jetzt gefiel ihm der Gedanke, Valerie auf Cape Cod zu besuchen und Ferien an einem angenehmen Ort mit einer Frau zu verbringen, die er mochte und mit der er reden konnte. Tatsächlich konnte er sich im Moment nichts Schöneres vorstellen. Zu wissen, dass er und Valerie nicht mehr

voneinander wollten, hatte etwas Entspannendes. Was auch immer sie einander geben würden, kam aus dem Herzen, ganz ohne Ansprüche und Absichten, die hinterfragt werden mussten.
Sie saßen noch eine Weile lang schweigend zusammen, dann brachte Coop sie zum Pförtnerhaus. Als er sich vor der Haustür von ihr verabschiedete, lächelte er sie an. Dieses Mal wollte er es ganz langsam angehen lassen. Es drängte sie nichts, sie hatten den Rest ihres Lebens Zeit. Valerie erwiderte sein Lächeln – sie sah es genauso.
»Der Abend war wunderschön, Valerie. Vielen Dank, dass Sie mit mir ausgegangen sind.«
»Ich fand es auch wunderschön. Gute Nacht, Coop.«
»Ich rufe Sie morgen an«, versprach er. Valerie winkte ihm noch einmal zu und ging dann hinein. Diese Freundschaft hatte sie weder gesucht noch erwartet, aber sie war dankbar dafür. Mehr brauchte sie nicht, würde sie vielleicht niemals brauchen. Dennoch war es für sie etwas ganz Besonderes.

## 25. Kapitel

Coop hatte tatsächlich eigentlich vorgehabt, Valerie direkt am nächsten Morgen anzurufen. Aber noch bevor er dazu kam, erhielt er selbst einen Anruf von seinem Agenten, der ihn bat, so schnell wie möglich auf einen Kaffee bei ihm vorbeizukommen. Was auch immer er Coop zu berichten hatte, er wollte es keinesfalls am Telefon tun. Coop ärgerte sich ein bisschen über diese Geheimniskrämerei, machte sich aber dennoch auf den Weg. Als er um elf das Büro seines Agenten betrat, überreichte der ihm wortlos ein Drehbuch.
»Um was geht's?«, fragte Coop gleichgültig. Er hatte schon Millionen von diesen Dingern in Händen gehalten.
»Lies es und dann sag mir, was du davon hältst. Es ist das beste Drehbuch, das mir je untergekommen ist.« Wahrscheinlich wieder so ein Gastauftritt, bei dem ich mich selbst spielen soll, dachte Coop. Aber etwas anderes wurde ihm seit Jahren nicht mehr angeboten.
»Sind sie bereit, mich hineinzuschreiben?«, fragte er.
»Das brauchen sie nicht. Dieses Drehbuch wurde für dich geschrieben.«
»Wie hoch ist das Honorar?«
»Lass uns darüber reden, nachdem du das Skript gelesen hast. Ruf mich noch heute Nachmittag an.«
»Wen soll ich spielen?«
»Den Vater«, war alles, was sein Agent verriet. Also nicht

die Hauptrolle – aber Coop beschwerte sich nicht, ihm war klar, dass er nicht in der entsprechenden Verhandlungsposition war.
Er fuhr nach Hause, las das Skript – und war beeindruckt. Der Film würde ein Riesenerfolg werden können, je nachdem, wer Regie führte und wie viel Geld zur Verfügung stand. Coop wollte unbedingt Genaueres wissen.
»Ich hab's gelesen«, sagte er zu seinem Agenten, sobald er ihn am Apparat hatte. Coop klang zwar interessiert, aber nicht so, als würde er vor Begeisterung Luftsprünge machen. Dafür gab es einfach noch zu viele Unbekannte.
»Jetzt erzähl mir den Rest.«
Sein Agent ließ sich nicht zweimal bitten. »Schaffer ist der Produzent, Oxenberg führt Regie. Die männliche Hauptrolle spielt Tom Stone. Für die weibliche sind Wanda Fox und Jane Frank im Gespräch. Dich wollen sie als den Vater, Coop. Und mit einer Besetzung wie dieser ist dir der Oscar sicher.«
»Was zahlen sie?« Coop bemühte sich, möglichst ruhig zu bleiben. Seit Jahren war sein Name nicht mehr im selben Atemzug mit denen derartiger Filmgrößen genannt worden. Wenn er die Rolle annahm, könnte das der bedeutendste Film werden, den er je gedreht hatte. Zwar befürchtete er, dass die Bezahlung schlecht sein würde und der Film nur seinem Ruhm zugute käme, aber immerhin – das könnte die Sache wert sein. Die Drehorte waren New York und Los Angeles, und in Anbetracht des Umfangs seiner Rolle würde er etwa drei bis sechs Monate vor der Kamera stehen. Zeit hätte er, denn außer ein paar Werbespots, die er sowieso nicht machen wollte, gab es keine anderen Angebote. »Wie viel?«, fragte er noch

einmal und wappnete sich innerlich gegen eine Enttäuschung.

»Fünf Millionen Dollar plus fünf Prozent der Einnahmen. Na, wie klingt das, Coop?« Am anderen Ende der Leitung herrschte langes, ungläubiges Schweigen.

»Ist das dein Ernst?«

»Allerdings. Da scheint es jemand sehr gut mit dir zu meinen. Ich hätte nie gedacht, dir jemals ein solches Projekt anbieten zu können. Die Rolle gehört dir – du musst nur noch zusagen. Sie wollen unbedingt heute eine Antwort.«

»Ruf sofort an. Ich unterschreibe noch diese Nacht, wenn es nötig ist. Lass uns das bloß nicht durch die Lappen gehen.«

Coop war so perplex, dass er kaum ruhig atmen konnte. Er konnte nicht fassen, dass er am Ende doch noch solches Glück hatte.

»Die laufen uns nicht weg. Sie wollen dich unbedingt haben. Du bist die perfekte Besetzung für diese Rolle, und das wissen sie."

»O mein Gott«, sagte Coop zitternd, nachdem er aufgelegt hatte. Er machte sich sofort auf den Weg zu Taryn, um ihr die Neuigkeit zu erzählen. »Ist dir klar, was das heißt?«, fragte er sie. »Ich kann das Anwesen behalten, meine Schulden bezahlen und etwas für meine alten Tage auf die Seite legen.« Sein Traum wurde wahr, er bekam eine neue Chance. Plötzlich hielt er inne und sah Taryn nachdenklich an. Ihm ging durch den Kopf, dass er durch diese Rolle auch nicht mehr auf Alex' Geld angewiesen wäre. Das Verrückte war jedoch, dass er gar nicht den Wunsch verspürte, ihr die tolle Nachricht zu verkünden.

Stattdessen stürmte er durch die Eingangstür hinaus, und Taryn konnte ihm nur noch hinterherrufen: »Ich gratuliere, Coop. Wo willst du denn hin?«
Aber Coop antwortete nicht. Er eilte den Weg zum Pförtnerhaus hinunter und klopfte an die Tür.
Jimmy war arbeiten, deshalb traf er Valerie allein an. In schwarzen Leinenhosen und weißem T-Shirt öffnete sie und schaute Coop überrascht an. Er wirkte sehr aufgeregt, und mit seinem unordentlichen Haar, durch das er sich offenbar mit Hand gefahren war, sah er ein wenig verwegen aus. So hatte ihn noch nie jemand zu Gesicht bekommen, aber daran dachte er in diesem Augenblick gar nicht. Er musste ihr die Neuigkeit einfach sofort erzählen.
»Valerie, mir wurde gerade eine unglaubliche Rolle in einem Film angeboten, der nächstes Jahr bestimmt alle Oscars abräumen wird. Und selbst wenn nicht – ich kann endlich meinen … Zahlungsverpflichtungen nachkommen. Es ist ein Wunder. Ich fahre jetzt direkt ins Büro meines Agenten, um zu unterschreiben.« Vor Aufregung stotterte er fast. Valerie strahlte ihn an.
»Das freut mich, Coop! Niemand hat das mehr verdient als Sie.«
»Ganz bestimmt sogar«, erwiderte er lachend, »aber ich bin froh, dass es mich stattdessen getroffen hat. Und es ist genau so, wie Sie gesagt haben: Ich spiele den Vater.«
»Sie werden fabelhaft sein«, sagte sie mit aufrichtiger Überzeugung. Er grinste.
»Danke. Würden Sie heute Abend mit mir essen gehen?« Er wollte unbedingt mit ihr feiern. Jimmy, Taryn und Mark würde er auch einladen. Einen Moment lang bedauerte er, Alex nicht dazubitten zu können, aber dafür war

es noch zu früh. Trotzdem wollte er sie anrufen und ihr erzählen, dass seine finanziellen Nöte ein Ende haben würden.

»Sind Sie sicher? Wir haben doch erst gestern zusammen zu Abend gegessen. Sie könnten meiner Gegenwart überdrüssig werden.«

»Ich bestehe darauf, dass Sie mit mir ausgehen!« Er versuchte, streng zu wirken, was aber nicht funktionierte, weil er so strahlte.

»Einverstanden. Ich freu mich drauf.«

»Und bringen Sie Jimmy mit.«

»Das wird nicht gehen. Er hat eine Verabredung.« Sie wusste, dass er sich wieder mit Alex traf, und sie konnte er schließlich schlecht mitbringen. »Aber ich werde ihm sagen, dass Sie gefragt haben.« Ihr war klar, dass Jimmy den Abend lieber mit Alex verbrachte. Er hatte seinen Frieden mit Coop geschlossen, war aber weitaus mehr an der Entwicklung seines eigenen Liebeslebens interessiert, was in Valeries Augen eine vernünftige und gesunde Einstellung war.

»Sobald ich wieder zurück bin, rufe ich Sie an und sage Bescheid, wohin wir gehen werden«, rief Coop ihr über die Schulter zurück zu, während er bereits den Weg Richtung Haus entlangeilte.

Fünf Minuten später saß er im Auto und fuhr zu seinem Agenten, um den Vertrag zu unterschreiben, und eine Stunde später war er bereits wieder zurück. Taryn und Valerie gab er Bescheid, dass er für acht Uhr einen Tisch im *Spago* reserviert hatte. Dann rief er Alex im Krankenhaus an. Sie kam direkt an den Apparat. Es war das erste Mal seit einem Monat, dass er sie anrief. Als sie seine Stim-

me hörte, schlug ihr das Herz bis zum Hals, doch sie versuchte, es sich nicht anmerken zu lassen.
Er erzählte ihr, was geschehen war, und nachdem er geendet hatte, herrschte am anderen Ende der Leitung für eine lange Zeit Schweigen. Coop ahnte, was Alex durch den Kopf ging, er hatte selbst den ganzen Weg nach Hause an nichts anderes denken können.
»Verändert das irgendetwas zwischen uns, Coop?«, fragte sie schließlich und hielt den Atem an. Sie wusste nicht, was sie jetzt eigentlich hören wollte, aber sie musste einfach fragen.
»Darüber habe ich schon nachgedacht, Alex. Und ich würde es gern bejahen. Aber das kann ich nicht – es wäre nicht richtig. Auch ohne Schulden bin ich immer noch zu alt für dich. Du bist eine junge Frau, solltest Kinder haben und einen Ehemann, der mehr Verständnis für deinen Beruf hat. Es tut mir sehr leid, wenn ich dir wehgetan habe, Alex. Ich habe so viel von dir gelernt, auch wenn das eine armselige Entschuldigung dafür ist, dass es auf deine Kosten ging. Falls es dir ein Trost ist: Als du gingst, hast du einen Teil meines Herzens mitgenommen. Bewahre ihn in Ehren, so wie ein Medaillon oder eine Haarlocke. Aber lass uns nicht wieder zurückgehen und einen riesigen Fehler machen, den wir beide eines Tages bedauern werden. Ich denke, wir sollten nach vorn schauen und nicht zurück.«
Auch sie hatte in den letzten Wochen viel über Coop nachgedacht und war zu dem gleichen Schluss gekommen. Sie vermisste ihn schrecklich und hatte eine wundervolle Zeit mit ihm verbracht, aber eine innere Stimme hielt sie davon ab zu versuchen, ihn zu einem Neuanfang zu überreden.

Außerdem hatte sie ein unglaublich gutes Gefühl, was die Beziehung mit Jimmy anging, seltsamerweise mehr als es bei Coop je der Fall gewesen war. Sie und Jimmy hegten die gleiche Leidenschaft: Sie liebten Kinder so sehr, dass sie diese Liebe zu ihrem Beruf gemacht hatten. Jimmy war fasziniert von Alex' Arbeit, während Coop kaum Verständnis dafür aufgebracht hatte. Und sie hatte nie wirklich zu seiner Welt gehört. Es hatte Spaß gemacht, sich mit ihm darin zu bewegen, aber sie war sich immer wie ein Gast vorgekommen. Mit Jimmy hatte sie mehr gemeinsam, als es mit Coop je möglich sein würde. Ob sie jemals mit Jimmy zusammenkommen würde, war eine ganz andere Frage, dennoch hatte Coop recht: Sie mussten jetzt beide nach vorn schauen.

»Ich verstehe«, sagte sie leise. »Und ich tue es nur ungern, aber ich stimme dir zu. Mein Kopf tut es jedenfalls, und mein Herz wird ihn schon irgendwann einholen.« Ein Teil von ihr wehrte sich vehement, ihn gehen zu lassen. Vielleicht, weil er der liebevolle, unbekümmerte Vater war, den sie nie gehabt hatte.

»Du bist ein tapferes Mädchen«, sagte er liebevoll.

»Danke«, entgegnete sie mit ernster Stimme. »Lädst du mich zur Premiere ein?«

»Versprochen. Und du wirst dabei sein, wenn sie mir den Oscar überreichen.«

»Abgemacht!« Sie lächelte, weil sie sich sehr für ihn freute.

Nach diesem Gespräch fühlte sie sich besser. Es war fast so, als hätte sein Glück sie beide befreit. Er hatte diese Rolle dringend gebraucht, nicht nur um mit dem Geld seine Schulden bezahlen zu können, sondern auch für seinen

Seelenfrieden und seine Selbstachtung. Jetzt konnte er das tun, was er wirklich wollte. Und als Jimmy sie an diesem Abend am Krankenhaus abholte, fühlte sie sich gut wie lange nicht mehr. Sie wollten zunächst essen gehen und dann ins Kino. Er war mit dem Taxi gekommen, und sobald sie in ihrem Wagen saßen, merkte er, dass sie förmlich strahlte.

»Du wirkst so glücklich. Was ist los?«

»Ich habe heute mit Coop gesprochen. Er hat eine Rolle in einem bedeutenden Film bekommen und kann jetzt einige Dinge wieder in Ordnung bringen.« Ihre Worte machten Jimmy Angst, obwohl er wusste, dass Coop mit seiner Mutter ausgegangen war. Das wollte er Alex allerdings nicht erzählen.

»Was für Dinge? Mit euch beiden?«

»Auch – und vieles andere.« Sie mochte Jimmy nichts von Coops Schulden erzählen, das war sie Coop ihrer Meinung nach schuldig.

»Ich glaube, wir haben beide erkannt, dass an unserer Beziehung etwas nicht stimmte. Es ist irgendwie seltsam, aber wir haben endlich herausgefunden, was wir wirklich brauchen.« So frei und erleichtert hatte sie sich seit ihrer Trennung nicht gefühlt.

»Was meinst du damit? Was brauchst du wirklich?«, fragte er nervös.

»Jemanden wie dich, Dummerchen.« Sie lächelte ihn an.

»Das hat er gesagt?«

»Nicht direkt. Ich habe es selbst herausgefunden. Wie du weißt, bin ich Ärztin«, sagte sie, während er sich entspannte. Einen Moment lang hatte sie ihm einen ganz schönen Schrecken eingejagt. Coop wäre für jeden Mann ein Respekt einflößender Rivale. Doch er hatte recht – Alex brauchte jemanden, mit dem sie ihre Interessen teilen konnte.

Wie er es versprochen hatte, führte Coop Valerie, Mark und Taryn an diesem Abend ins *Spago* aus. Alle waren bester Laune und Coop geradezu euphorisch. Ständig wurde er von anderen Gästen angesprochen, da die Nachricht bereits die Runde machte.

»Wann beginnen denn die Dreharbeiten?«, fragte Mark gespannt.

»Im Oktober geht es für die ersten Aufnahmen nach New York, und Weihnachten müssten wir wieder hier sein. Der Rest wird dann im Studio gedreht.« Ihm blieben noch zwei Monate, bevor es losging. »Im September würde ich gern noch einmal nach Europa fliegen«, sagte er mit Blick auf Valerie. Vielleicht konnten sie ja nach seinem Besuch auf Cape Cod gemeinsam reisen. Da er sich solche Reisen jetzt wieder leisten konnte, hoffte er, sie einladen zu dürfen. »Wie klingt das für Sie?«, fragte er sie etwas später leise, während die anderen sich gerade unterhielten.

»Interessant«, erwiderte sie mit einem geheimnisvollen Lächeln. »Lassen Sie uns abwarten, wie es auf Cape Cod läuft.« Schließlich mussten sie sich noch besser kennenlernen.

»Seien Sie doch nicht so verdammt vernünftig«, zog er sie auf, dabei schätzte er ihre Klugheit. Er hatte das Gefühl, am Ende doch noch der Frau seines Lebens begegnet zu sein. »Ich möchte so gern ins *Hôtel du Cap*.«

Man konnte ihr ansehen, wie sie mit der Versuchung kämpfte, und sie mussten beide lachen. Sie fühlten sich immer stärker zueinander hingezogen, und wenn wirklich etwas dahintersteckte, dann würde es sich von alleine entfalten. Sie mussten nichts überstürzen. Später, als sie noch einen Spaziergang auf dem Anwesen machten, sagte Valerie genau das zu ihm, und Coop stimmte ihr zu. Er kam sich vor wie ein Kind im Süßwarenladen – so viel Schönes passierte momentan in seinem Leben. Und die Freude darüber wollte er gern mit Valerie teilen.

Er erzählte ihr von dem Gespräch mit Alex am Nachmittag und sagte, dass er sich danach befreit gefühlt hätte.

»Ich glaube, sie und Jimmy gehen miteinander aus«, sagte Valerie zögernd. Sie wollte nicht indiskret sein, andererseits sollte sich Jimmy Coop gegenüber auch nicht unwohl fühlen. Coop wirkte eine Minute lang nachdenklich, dann seufzte er und sah Valerie an. Für eine Sekunde war seine männliche Eifersucht aufgeflammt, hatte sich jedoch sofort wieder verflüchtigt.

»Klingt so, als wäre es das Richtige – für beide. Und dies hier ist das Richtige für uns.« Er lächelte sie an und nahm ihre Hand. An diesem Abend küsste er sie zum Abschied, als sie vor der Haustür standen. In diesem Augenblick fühlte es sich für sie beide an, als hätten sie zu ihrer Bestimmung gefunden. Nachdem Coop Valerie noch einmal geküsst hatte, schlüpfte sie leise ins Haus. Vor dem Einschlafen dachte sie noch lange an ihn. Die Begegnung mit Cooper Winslow war ganz und gar nicht das, was sie erwartet hatte, aber sie war froh, dass es so gekommen war. Dabei fühlte sie sich wie eine Frau, die ganz sie selbst war und sich in ihren besten Freund verliebt hatte. Genau das empfand auch Coop, während er den Weg zum Haupthaus zurückschlenderte. Er freute sich auf die Zeit mit Valerie auf Cape Cod.

## 26. Kapitel

Anfang August wurde wie geplant Jimmys Gips abgenommen. Die Neuigkeiten über Coops Filmrolle waren mittlerweile in sämtlichen Zeitungen zu lesen. Jeder gratulierte ihm, und plötzlich erhielt er sogar weitere vielversprechende Angebote. Aber er war entschlossen, für ein paar Wochen mit Valerie nach Cape Cod zu fahren, und danach wollte er nach Europa reisen. Valerie würde sich erst später entscheiden, ob sie ihn begleiten wollte.
Bis zur Abreise der beiden war Jimmy schon wieder gut zu Fuß. Er traf sich oft mit Alex, und die Dinge zwischen ihnen entwickelten sich gut. Mark und Taryn wollten mit den Kindern für zwei Wochen nach Tahoe. Nur Alex und Jimmy blieben in der Stadt, weil sie arbeiten mussten.
Am Abend vor ihrer Abreise gab Valerie ein Abschiedsessen mit einer ihrer unvergesslichen Pasta-Kreationen. Coop würde mit ihr nach Boston fliegen, und von da aus wollten sie dann nach Cape Cod weiterfahren. Alex nahm nicht an dem Essen teil, da sie arbeiten musste. Aus diesem Grund war Valerie tagsüber zu ihr in die Klinik gefahren, um mit ihr zu Mittag zu essen und sich zu verabschieden. Aber Mark, Taryn und die Kinder kamen zum Essen, und Coop tat die ganze Zeit fürchterlich brummig. Er fragte Jason, ob er in letzter Zeit wieder Fensterscheiben eingeworfen hätte. Jason wirkte beschämt, aber als

Coop ihn einlud, ihn während der Dreharbeiten in Los Angeles doch einmal am Set zu besuchen, war der Junge ganz aus dem Häuschen vor Begeisterung. Jessica fragte, ob sie auch mitkommen und einige Freundinnen mitbringen dürfe.

»Ich glaube, mir bleibt gar nichts anderes übrig«, sagte Coop mit schmerzerfüllter Miene und blinzelte Mark und Taryn zu. »Eine innere Stimme sagt mir, dass wir demnächst miteinander verwandt sein werden. Ich tue, was immer ihr wollt – wenn ihr mir versprecht, mich nie Großvater zu nennen. Mein Ruf musste im Laufe der Jahre schon einige Tiefschläge einstecken, aber ich glaube, das würde er nicht überstehen. Dann geben sie mir nur noch Rollen für Neunzigjährige«, klagte er, und alle lachten. Jessica und Jason gewöhnten sich allmählich an ihn. Die beiden hingen sehr an Taryn und akzeptierten Coop als unvermeidliche Beigabe.

»Hoffentlich funktioniert dieses Jahr die Toilettenspülung, wenn ihr Marisol besucht«, ulkte Jimmy, während sie beim Dessert saßen. Coop sah ihn über den Tisch hinweg irritiert an, und Valerie rügte Jimmy, weil er Coop so erschreckte.

»So schlimm ist es nun wirklich nicht, obwohl es wirklich ein altes Haus ist«, sagte sie.

»Einen Augenblick ... Wer ist Marisol?«, fragte Coop befremdet. In seinem Kopf hatte irgendetwas geklingelt.

»Nicht *wer*, sondern *was*«, korrigierte Jimmy ihn. »Mom's Haus auf Cape Cod. Es wurde von meinen Großeltern gebaut. Der Name ist aus ihren Vornamen zusammengesetzt: Marianne und Solomon.« Coop sah die beiden an, als sei er vom Blitz getroffen worden.

»Marisol – aber natürlich! Das hast du mit keinem Wort erwähnt«, sagte er zu Valerie in einem Tonfall, als hätte er soeben erfahren, dass sie die letzten zehn Jahre im Gefängnis gesessen hatte. Vielleicht wäre das sogar leichter zu verdauen gewesen.

»Was hätte ich erwähnen sollen?«, fragte sie in aller Unschuld und schenkte ihm Wein nach. Das Essen war fantastisch gewesen, aber das hatte Coop in diesem Moment völlig vergessen.

»Das weißt du ganz genau. Du hast mich belogen«, sagte er mit ernster Miene, und die anderen wirkten leicht besorgt. Da ging etwas vor, das keiner von ihnen verstand. Valerie allerdings schon.

»Ich habe dich nicht angelogen, sondern lediglich über bestimmte Dinge nicht aufgeklärt. Ich dachte, es sei nicht wichtig.« Sie hatte gewusst, dass es auf eine gewisse Art schon wichtig war, und genau deshalb hatte sie es verschwiegen.

»Und ich nehme an, dein Mädchenname ist Westerfield?« Sie nickte. »Du Betrügerin! Schäm dich! Du hast vorgetäuscht, arm zu sein!« Er wirkte entsetzt. Die Westerfields besaßen eines der größten Vermögen in den Staaten, vielleicht sogar weltweit.

»Ich habe gar nichts vorgetäuscht, sondern nur nicht mit dir darüber gesprochen«, sagte Valerie und bemühte sich, ihre Nervosität zu verbergen. Sie hatte seiner Reaktion auf diese Information schon seit einer Weile mit Besorgnis entgegengesehen.

»Ich war einmal in Marisol. Deine Mutter hatte mich eingeladen, als ich ganz in der Nähe einen Film drehte. Das Haus ist größer als das *Hôtel du Cap*, und wenn man ein

Hotel daraus machen würde, könnte man die Zimmerpreise problemlos noch höher ansetzen. Valerie, das war ganz schön unfair von dir.« Aber er wirkte längst nicht so verärgert, wie sie befürchtet hatte. Die Westerfields waren die größte Bankiersfamilie an der Ostküste; sie waren verwandt mit den Astors, Vanderbilts, Rockefellers und der Hälfte des amerikanischen Geldadels. Im Vergleich zu den Westerfields waren die Madisons arme Schlucker. Coop war völlig perplex, dass Valerie nie ein Wort gesagt hatte. Sie war wirklich die bescheidenste Frau, die ihm je begegnet war. Er hatte gedacht, sie wäre eine Witwe, die mit wenig Geld auskommen musste. Jetzt war ihm auch klar, wieso sich Jimmy das Pförtnerhaus leisten konnte, und es erklärte auch eine Menge in Bezug auf die Leute, die sie kannte, und die Orte, an denen sie gewesen war. Eine ganze Weile saß er einfach nur da, sah sie an und versuchte die Nachricht zu verdauen. Dann lehnte er sich zurück und lachte. »Das eine sage ich dir: Wenn ich in Marisol keine funktionierende Toilettenspülung vorfinde, dann rufe ich den Klempner an, du kleine Hexe. Was hättest du eigentlich gemacht, wenn ich nicht diese Filmrolle bekommen hätte?« Aber das war eigentlich unwichtig, denn er hatte längst erkannt, dass Valerie die Richtige für ihn war. Und finanziell ging es ihm besser als je zuvor. Was ihr Vermögen anging, konnte Valerie so verschwiegen sein, wie sie wollte, und keinesfalls würde er sich von ihr aushalten lassen. Falls sie jemals heirateten, wäre er für den Lebensunterhalt zuständig. »Falls Sie einen Klempner nach Marisol bestellen, bekommt meine Mutter einen Anfall. Ihrer Meinung nach ist das Bestandteil des Charmes dieses Hauses, genauso wie das undichte Dach und die klappernden Fensterläden.

Letztes Jahr habe ich mir fast das Bein gebrochen, als ich durch die Veranda auf der Südseite brach. Meine Mutter liebt es, dieses Haus selbst in Schuss zu halten.« Jimmy konnte ein Grinsen nicht unterdrücken.

»Ich kann es kaum erwarten, dort zu sein«, stöhnte Coop. Aber er wusste schon jetzt, dass ihn dieses Anwesen begeistern würde, denn er hatte sich damals bereits in das Haus verliebt. Es war unglaublich weitläufig mit verschiedenen Gebäuden, Gästehäusern, Bootshäusern und einer Scheune voller antiker Wagen, in der er das ganze Wochenende hätte verbringen können. Die Kennedys waren oft zu Besuch gekommen, wenn sie sich in Hyannis Port aufhielten, und der Präsident war ebenfalls schon zu Gast gewesen.

Als später am Abend alle bis auf Coop gegangen waren, blickte er Valerie an und schüttelte den Kopf.

»Lüg mich nie wieder an, Valerie«, schalt er sie.

»Das habe ich nicht, ich war lediglich diskret«, erwiderte sie trocken, während ihre Augen schelmisch blitzten.

»Vielleicht ein kleines bisschen zu diskret?« Er lächelte sie an. Coop war auf eine Weise glücklich, die er vorher gar nicht gekannt hatte.

»Man kann nie diskret genug sein«, lautete ihr Fazit. Genau das liebte er an ihr. Sie hatte Stil und war gleichzeitig sehr natürlich. Das erklärte auch ihre Distinguiertheit, die er sofort gespürt hatte. Sogar in Jeans und T-Shirt strahlte sie etwas Aristokratisches aus. Und plötzlich erkannte er, dass es Alex mit Jimmy genauso gehen musste – er war der richtige Mann für sie. Er gehörte zu ihrer Welt und war gleichzeitig genauso ein Rebell wie Alex. Selbst Arthur Madison würde diesen Schwiegersohn nicht ablehnen

können. Coop fühlte sich mit einem Mal sehr zufrieden, denn alles hatte sich bestens gefügt. Nicht nur für ihn, sondern auch für Alex. Wenn sie selbst es auch vielleicht noch nicht realisiert hatte – sie war auf dem richtigen Weg. Coop betrachtete Valerie, während sie den Tisch abräumte und das Geschirr in die Spülmaschine stellte.
»Weiß Alex es?«
»Bestimmt nicht, ich kenne doch Jimmy.« Sie lächelte Coop an. »Er macht sich noch weniger aus all dem als ich.« Sie machten sich nichts aus dem Vermögen, weil sie damit aufgewachsen waren und es für sie selbstverständlich war – anders als wenn man plötzlich viel Geld verdiente oder reich heiratete. Und Alex war vom gleichen Schlag. Das Vermögen ihrer Eltern bedeutete ihr nichts – sie wollte lieber ihr eigenes Geld verdienen.
»Wie passe ich da nur hinein?«, fragte Coop und zog Valerie fest an sich. Sie war die Frau seines Lebens, und er war fest entschlossen, ihr das zu beweisen.
»Vermutlich ziemlich gut. Du bist Luxus gewöhnt. Kann sogar sein, dass wir für dich nicht elegant genug sind.«
»Ich werde mich arrangieren«, erwiderte er lachend.
»Meine Aufgabe steht ja mehr oder weniger fest: Ich werde mein ganzes Geld in die Reparatur dieses Hauses stecken.«
»Bloß nicht«, lächelte sie, »ich liebe es so, wie es ist, jedes Knarren und Ächzen. Gerade dadurch hat es seinen Charme.«
»Genau wie du«, sagte er und zog sie noch fester an sich. »Obwohl du weder knarrst noch ächzt.« Er wusste jetzt schon, dass er sie auch noch lieben würde, wenn sie nicht mehr so jugendlich und vital wäre. Aber da er siebzehn

Jahre älter war, würde es ihn ohnehin als Erstes treffen. Eine Westerfield war nötig gewesen, um ihn einzufangen – und sie hatte ihren Job sehr gut gemacht.
»Willst du mich heiraten?«, fragte er unvermittelt, und Jimmy schlich grinsend auf Zehenspitzen aus dem Wohnzimmer und nach oben. Es war schon komisch, wie viel netter er Coop fand, seit er nicht mehr mit Alex liiert war. Tatsächlich gewann er allmählich den Eindruck, dass Coop eigentlich ganz in Ordnung war.
»Irgendwann vermutlich schon«, antwortete Valerie lächelnd.
Coop küsste sie und machte sich auf den Weg, da sie am nächsten Morgen bereits bei Tagesanbruch aufbrechen wollten.

Der Chauffeur brachte sie am nächsten Morgen in dem alten Bentley zum Flughafen. Coop hatte vier Koffer dabei, und es war ein hartes Stück Arbeit gewesen, sich darauf zu beschränken. Aber er wollte schließlich im Anschluss noch nach Europa. Valerie hatte nur einen Koffer, den sie in größter Eile gepackt hatte, als sie damals aus Boston gekommen war.
Coop hatte sich schon im Haus von Taryn verabschiedet. Valerie drückte Jimmy ganz fest, küsste und ermahnte ihn mindestens zehn Mal, dass er auf sich Acht geben solle.
»Pass gut auf dich auf, Jimmy«, sagte sie noch einmal, und die beiden Männer drängten sie, endlich einzusteigen, da sie sonst noch das Flugzeug verpassen würden.
Coop und Valerie waren bester Laune. Während des Fluges schliefen sie, und als sie erwachten, waren sie schon fast da. Valerie erzählte ihm einiges über die Geschichte

des Hauses. Coop war fasziniert und konnte kaum erwarten, es wiederzusehen.
Am Bostoner Flughafen mietete er einen Wagen, und sie fuhren in gemütlichem Tempo nach Cape Cod weiter. Marisol war genau so, wie er es in Erinnerung gehabt hatte: ein elegantes, romantisches Anwesen in einem fantastischen Park. Aber mit Valerie an seiner Seite wirkte es noch viel schöner.
In den nächsten Tagen half er ihr dabei, lose Verandabretter anzunageln, Fensterläden festzuschrauben und Korbstühle zu reparieren. Sie blieben drei Wochen, und Coop war niemals glücklicher gewesen – obwohl er auch noch nie so viel hatte arbeiten müssen. Aber er genoss es, all das mit Valerie gemeinsam zu tun. Sie hatte immer Hammer und Nägel in der Hosentasche und irgendwo im Gesicht einen Farbklecks. Coop liebte diese Frau und war froh um jede Minute, die sie miteinander verbrachten.
Am Labor-Day-Wochenende flogen sie nach London, wo sie ebenfalls drei Wochen blieben. Von dort aus flog Coop direkt nach New York, wo die Dreharbeiten für seinen Film begannen. Valerie reiste zunächst für ein paar Tage nach Boston und kam dann ebenfalls nach New York. Während der Dreharbeiten wohnten sie im Plaza, und kurz vor Thanksgiving flogen sie gemeinsam zurück nach Kalifornien. Taryn und Mark waren mittlerweile ein Ehepaar, sie hatten eine Woche zuvor am Lake Tahoe geheiratet, und nur Jason und Jessica waren dabei gewesen. Es gab so viel zu feiern – Alex war zu Jimmy ins Pförtnerhaus gezogen. Sie hatte ihr Appartement gekündigt und Jimmys Schlafzimmer in einen Wäschekorb verwandelt. Ihre Assistenzarztzeit war fast vorbei, und man hatte ihr

eine Festanstellung als Ärztin für Neonatologie an der Universitätsklinik von Los Angeles angeboten. Sie und Jimmy sprachen vom Heiraten, obwohl Jimmy Arthur noch nicht kennengelernt hatte.

Coop lud alle zum Thanksgiving-Dinner ein. Sogar Alex war dabei, und es war nicht zu übersehen, wie glücklich sie und Jimmy waren. Wolfgang lieferte den Truthahn fürs Dinner, das Paloma, gekleidet in eine pinkfarbene Uniform und Leopardensneakers, servierte. Die strassbesetzte Sonnenbrille hielt offenbar Winterschlaf, und zur größten Erleichterung aller mochte Paloma Valerie – und die sie umgekehrt auch.

Die Boulevardblätter brachten die Nachricht in der Woche vor Weihnachten. Ebenso das *People Magazine*, *Time*, *Newsweek*, angesehene Tageszeitungen, die Nachrichtendienste und *CNN*. Die Schlagzeilen lauteten nahezu alle gleich: *Verwitwete Ostküsten-Erbin heiratet Filmstar* oder *Cooper Winslow heiratet Westerfield-Erbin*. Stets zeigten die Fotos das strahlende Paar auf einem kleinen Empfang, den sie aus Anlass ihrer Hochzeit gegeben hatten. Coops Presseagent hatte die Bilder an die Medien geschickt.

Als Valerie am nächsten Tag aus Coops Schlafzimmer kam, trug sie einen Stapel Handtücher auf dem Arm, die sie im Wäscheschrank gefunden hatte.

»Wunderbar, wie sich alles fügt, Coop«, sagte sie. Er hatte eine Woche frei, bevor die Dreharbeiten in Los Angeles begannen. Coop wollte Valerie überreden, in der Zeit nach St. Moritz zu fliegen, doch bisher zeigte sie sich nicht sonderlich interessiert. Sie war glücklich, mit ihm zusammen zu Hause zu sein, und ihm ging es im Grunde nicht anders. Er war nie zufriedener gewesen.

»Was hast du denn da?«, fragte Coop, der gerade einige Änderungen im Drehbuch durchging. Die Arbeiten am Film kamen gut voran, und Coop hatte mittlerweile schon Rollenangebote für den Frühling erhalten. Sein Honorar hatte sofort angezogen, sodass auch Abe äußerst zufrieden sein konnte.
»Ich habe bergeweise Handtücher mit Monogramm gefunden, die du gar nicht alle brauchst, und da mein Nachname wieder mit ›W‹ anfängt, dachte ich, wir könnten sie nach Marisol schicken. Da brauchen wir ganz dringend neue Handtücher.«
»Genau aus dem Grund muss ich dich wohl geheiratet haben«, sagte er grinsend. »Gott bewahre, dass du womöglich neue kaufst. Darf ich dir vielleicht welche als verspätetes Hochzeitsgeschenk bestellen?«
»Das ist wirklich nicht nötig, diese hier sind wunderbar. Warum neue kaufen, wenn die alten noch in Ordnung sind?«
»Ich liebe dich, Valerie«, sagte er lächelnd. Dann stand er auf, ging quer durch den Raum auf sie zu und nahm sie in die Arme. »Du kannst alle Handtücher haben, die du nur willst. Vielleicht finden wir sogar noch ein paar Bettlaken mit Monogramm. Und wenn nicht, ergattern wir möglicherweise welche auf dem Trödelmarkt.«
»Ich danke dir, Coop«, sagte sie und küsste ihn.